BASTEI
LÜBBE
TASCHENBUCH

Aus der Serie um Commissario Montalbano:

Die Form des Wassers
Der Hund aus Terracotta
Die Stimme der Violine
Das Paradies der kleinen Sünder
Das Spiel des Patriarchen
Die Nacht des einsamen Träumers
Der Kavalier der späten Stunde
Die Rache des schönen Geschlechts
Das kalte Lächeln des Meeres
Der falsche Liebreiz der Vergeltung
Die Passion des stillen Rächers
Die dunkle Wahrheit des Mondes
Die schwarze Seele des Sommers
Die Flügel der Sphinx
Die Spur des Fuchses
Das Ritual der Rache
Die Tage des Zweifels
Der Tanz der Möwe
Das Spiel der Poeten
Das Lächeln der Signorina
Der ehrliche Dieb
Das Labyrinth der Spiegel
Die Spur des Lichts
Eine Stimme in der Nacht
Das Nest der Schlangen

Weitere Titel des Autors:

Der zweite Kuss des Judas
Neuigkeiten aus dem Paradies
Das Netz der großen Fische

Titel in der Regel auch als Hörbuch und E-Book erhältlich

Andrea Camilleri, »der Superstar der italienischen Krimiszene« (BRIGITTE), hat mit seinen Werken Millionen Menschen zu begeisterten Sizilienfans gemacht. Ob er seine Leser mit den unkonventionellen Ermittlungen seines unwiderstehlichen Helden Salvo Montalbano in den Bann zieht, ihnen mit kulinarischen Köstlichkeiten den Mund wässrig macht oder ihnen unvergessliche Einblicke in die mediterrane Seele gewährt: Dem verführerischen Charme der Welt Camilleris vermag sich niemand zu entziehen.

Andrea Camilleri

Der Dieb der süßen Dinge

Commissario Montalbanos
dritter Fall

Aus dem Italienischen von
Christiane von Bechtolsheim

BASTEI LÜBBE TASCHENBUCH
Band 92076

Vollständige Taschenbuchausgabe
der in der editionLübbe erschienenen Hardcoverausgabe

Bastei Lübbe Taschenbuch und editionLübbe
in der Bastei Lübbe AG

Titel der italienischen Originalausgabe:
»IL LADRO DI MERENDINE«,
Originalverlag: Sellerio Editore, Via Siracusa 50, Palermo

Für die deutschsprachige Ausgabe:

Titelbild: © corbis/A. Belov
Umschlaggestaltung: Marina Boda
Autorenfoto: © by Basso Cannarsa
Satz: hanseatenSatz-bremen, Bremen
Gesetzt aus der DTL Documenta
Druck und Verarbeitung: CPI books GmbH, Leck Germany

ISBN 978-3-404-92076-1

15 17 16 14

Sie finden uns im Internet unter
www.luebbe.de
Bitte beachten Sie auch: www.lesejury.de

Eins

Schlecht gelaunt und schweißgebadet wachte Montalbano auf: Wegen der anderthalb Kilo *sarde a beccafico*, die er am Abend zuvor vertilgt hatte, hatte er unruhig geschlafen, und jetzt war das Bettlaken so eng um seinen Körper gewickelt, dass er sich wie eine Mumie vorkam. Er stand auf, ging in die Küche, öffnete den Kühlschrank und stürzte eine halbe Flasche eiskaltes Wasser hinunter. Während er trank, sah er aus dem weit geöffneten Fenster. Das Licht der Morgendämmerung versprach einen schönen Tag, das Meer war spiegelglatt, der Himmel klar und wolkenlos. Montalbano brauchte sich, wetterfühlig wie er war, um seine Laune in den nächsten Stunden nicht zu sorgen. Es war noch früh; er legte sich wieder hin, zog sich das Laken über den Kopf und richtete sich auf zwei weitere Stunden Schlaf ein.

Wie immer vor dem Einschlafen dachte er an Livia in ihrem Bett in Boccadasse, Genua: An sie zu denken tat ihm gut bei jeder langen oder kurzen Reise in »the country sleep«, wie es in einem Gedicht von Dylan Thomas hieß, das er sehr mochte.

Kaum hatte er die Reise angetreten, als sie auch schon vom Klingeln des Telefons unterbrochen wurde. Wie ein Bohrer schien sich der Ton durch sein Gehirn zu schrauben, bei einem Ohr hinein und beim anderen hinaus.

»*Pronto!*«

»Wer ist denn da?«

»Sag erst, wer du bist!«

»Catarella.«

»Was ist denn los?«

»*Mi scusasse*, entschuldigen Sie, aber jetzt hab ich Ihre Stimme gar nicht erkannt, Dottori. Es hätte ja auch sein können, dass Sie noch schlafen.«

»Das hätte allerdings sein können, um fünf Uhr morgens! Und jetzt sag endlich, was los ist, und nerv mich nicht länger!«

»In Mazàra del Vallo ist einer erschossen worden.«

»Das ist mir scheißegal, ich bin hier in Vigàta!«

»Aber der Tote, Dottori...«

Montalbano legte auf und zog den Telefonstecker aus der Wand. Bevor er die Augen schloss, dachte er, dass ihn vielleicht sein Freund Valente, Vicequestore von Mazàra, sprechen wollte. Er würde ihn später vom Büro aus anrufen.

Der Fensterladen schlug krachend gegen die Hausmauer; Montalbano fuhr hoch und setzte sich halb im Bett auf, die Augen vor Schreck weit aufgerissen, weil er in der Dunstglocke des Schlafes, die ihn noch umhüllte, glaubte, jemand hätte auf ihn geschossen. Unversehens war das Wetter umgeschlagen, ein kalter, feuchter Wind ließ die Wellen gelblich schäumen, der Himmel war mit regenschweren Wolken verhangen.

Fluchend stand er auf, ging ins Bad, drehte die Dusche auf und seifte sich ein. Plötzlich versiegte das Wasser. In Vigàta, und damit auch in Marinella, wo er wohnte, gab es ungefähr alle drei Tage Wasser. Ungefähr, denn es war nicht gesagt, dass es nicht schon am nächsten Tag oder erst eine Woche später wieder Wasser gab. Deshalb hatte Montalbano vorgesorgt und auf dem Dach seines Hauses große Tanks installieren lassen, aber diesmal gab es schon seit über acht Tagen kein Wasser mehr, und länger war er nicht autark. Er rannte in die Küche, stellte einen Topf unter den Hahn, um den dünnen Wasserstrahl aufzufangen, am Waschbecken machte er es ebenso. Mit dem bisschen Wasser gelang es ihm einigermaßen, sich den Seifenschaum abzuwaschen, aber seiner Laune bekam das alles überhaupt nicht.

Auf dem Weg nach Vigàta beschimpfte er sämtliche Autofahrer, denen er begegnete und die die Straßenverkehrsordnung offenbar nur dazu benutzten, um sich den Hintern damit abzuwischen; er dachte an Catarellas Anruf und die Erklärung, die er sich zusammengereimt hatte. Sie war nicht haltbar, denn wenn Valente ihn wegen eines Mordes brauchte, der in Mazàra passiert war, dann hätte er ihn um fünf Uhr morgens zu Hause und nicht im Büro angerufen. Seine Erklärung hatte er sich aus Bequemlichkeit zurechtgebastelt, um ohne schlechtes Gewissen noch zwei Stunden ungestört schlafen zu können.

»Es ist überhaupt niemand da!«, teilte Catarella dem Commissario sofort mit, als er ihn sah, und erhob sich respektvoll von seinem Stuhl in der Telefonvermittlung. Montalbano und sein Kollege Fazio hatten ihn dahin verbannt, denn dort richtete er, selbst wenn er merkwürdige und wenig glaubhafte Anrufe meldete, bestimmt weniger Schaden an als an jeder anderen Stelle.

»Aber heute ist doch kein Feiertag!«

»*Nonsi*, Dottori, kein Feiertag, aber sie sind alle am Hafen wegen der Geschichte mit dem Toten aus Mazàra, wegen dem ich Sie angerufen hab, heut ganz früh, wissen Sie noch?«

»Aber wenn der Tote in Mazàra ist, was wollen sie dann am Hafen?«

»*Nonsi*, Dottori, der Tote ist hier.«

»Aber wenn der Tote hier ist, Herrgott noch mal, warum erzählst du mir dann, dass er in Mazàra umgebracht wurde?«

»Weil der Tote aus Mazàra war, da hat er gearbeitet.«

»Catarè, jetzt überleg mal, soweit man das bei dir überhaupt so sagen kann – wenn hier in Vigàta ein Tourist aus Bergamo umgebracht wird, was sagst du dann? Dass es einen Toten in Bergamo gibt?«

»Dottori, es ist so, dass der Tote hier nämlich ein Toter auf Durchreise ist. Er wurde erschossen, als er an Bord eines Fischerbootes aus Mazàra war.«

»Und wer hat auf ihn geschossen?«

»Die Tunesier, Dottori.«

Entnervt verzichtete der Commissario darauf, mehr zu erfahren.

»Ist Dottor Augello auch am Hafen?«

»*Sissignori.*«
Montalbanos Vice, Mimì Augello, war bestimmt froh, wenn er sich am Hafen nicht blicken ließ.
»Hör zu, Catarè, ich muss einen Bericht schreiben. Ich bin für niemanden zu sprechen.«

»*Pronti*, Dottori! Da wäre Signorina Livia, die aus Genua anruft. Was soll ich jetzt machen, Dottori? Soll ich sie Ihnen geben oder nicht?«
»Gib sie mir.«
»Weil Sie doch vor zehn Minuten gesagt haben, dass Sie für niemanden da sind...«
»Catarè, ich habe gesagt, gib sie mir!«
»*Pronto*, Livia? *Ciao.*«
»Du kannst dir dein *ciao* an den Hut stecken! Den ganzen Vormittag versuche ich schon, dich zu erreichen. Bei dir zu Hause klingelt das Telefon stundenlang, und keiner hebt ab.«
»Wirklich? Ich hab vergessen, den Stecker wieder reinzutun. Ich muss dir was Lustiges erzählen. Stell dir vor, heut früh um fünf wurde ich angerufen, weil...«
»Mir ist nicht nach Lachen. Ich habe es um halb acht versucht, um viertel nach acht, ich habe es um...«
»Livia, ich hab doch schon gesagt, dass ich vergessen...«
»Du hast schlicht und einfach mich vergessen. Gestern haben wir ausgemacht, dass ich dich heute um halb acht anrufe, um zu entscheiden...«
»Livia, ich warne dich. Es ist windig, und gleich fängt's an zu regnen.«

»Na und?«
»Das weißt du doch. Bei diesem Wetter bin ich schlecht aufgelegt. Ich will nicht, dass ein Wort das andere gibt …«
»Ich verstehe schon. Ich rufe dich nicht mehr an. Du kannst ja anrufen, wenn du willst.«

»Montalbano? Wie geht's? Dottor Augello hat mir alles berichtet. Dieser Vorfall wird sicher internationale Verwicklungen nach sich ziehen. Meinen Sie nicht?«
Der Commissario verstand nur Bahnhof, er hatte keine Ahnung, wovon der Questore sprach. Er entschied, ganz generell zuzustimmen.
»In der Tat, in der Tat.«
Internationale Verwicklungen?!
»Jedenfalls habe ich angeordnet, dass Dottor Augello mit dem Prefetto spricht. Die Angelegenheit liegt sozusagen außerhalb unseres Zuständigkeitsbereiches.«
»In der Tat.«
»Montalbano, ist alles in Ordnung?«
»Absolut, warum?«
»Sie wirken nur so …«
»Ein bisschen Kopfweh, das ist alles.«
»Was ist heute für ein Tag?«
»Donnerstag, Signor Questore.«
»Möchten Sie Samstagabend zum Essen zu uns kommen? Meine Frau kocht *spaghetti al nero di seppia*. Eine Delikatesse.«
La pasta al nìvuro di sìccia, Spaghetti mit Sepiatinte. Mit seiner Laune hätte er kohlrabenschwarzen Sugo für einen

ganzen Zentner Spaghetti liefern können. Internationale Verwicklungen?

Fazio trat ein, und Montalbano raunzte ihn gleich an.
»Könnte vielleicht jemand so liebenswürdig sein und mir erklären, was, zum Teufel, eigentlich los ist?«
»Duttù, Sie brauchen nicht sauer auf mich zu sein, nur weil es ein bisschen windig ist. Ich hab bei Ihnen anrufen lassen, bevor ich Dottor Augello Bescheid gesagt hab.«
»Du hast Catarella anrufen lassen! Es war gemein von dir, in so einer wichtigen Sache Catarella bei mir anrufen zu lassen. Du weißt doch genau, dass der nur wirres Zeug redet. Was ist denn eigentlich passiert?«
»Ein Motorfischerboot aus Mazàra, das nach Aussage des Kapitäns in internationalen Gewässern fischte, wurde von einem tunesischen Patrouillenboot angegriffen und mit einem Maschinengewehr beschossen. Der Fischkutter gab seine Position einem unserer Patrouillenboote, der *Fulmine*, durch und ist entkommen.«
»Gut gemacht«, sagte Montalbano.
»Wen meinen Sie?«, fragte Fazio.
»Den Kapitän des Fischkutters, der sich nicht ergibt, sondern den Mut hat, seine Fahrt unvermindert fortzusetzen. Und dann?«
»In dem Gewehrfeuer ist einer von der Crew umgekommen.«
»Aus Mazàra?«
»Ja und nein.«
»Drück dich ein bisschen genauer aus!«

»Er war Tunesier. Seine Papiere waren angeblich in Ordnung. Fast alle Crews sind gemischt. Erstens, weil die Tunesier gute Arbeiter sind, und zweitens, weil sie wissen, wie sie mit den Tunesiern auf den Patrouillenbooten reden müssen, wenn sie aufgehalten werden.«
»Glaubst du, dass der Fischkutter in internationalen Gewässern unterwegs war?«
»Ich? Für wie blöd halten Sie mich?«

»*Pronto*, Dottor Montalbano? Hier ist Marniti vom Hafenamt.«
»Worum geht es, Maggiore?«
»Um die böse Sache mit dem Tunesier, der auf dem Fischkutter erschossen wurde. Ich vernehme gerade den Kapitän, um herauszufinden, wo sich das Boot im Augenblick des Angriffs befand, und die Vorgänge nachzuvollziehen. Danach kommt er zu Ihnen ins Büro.«
»Wozu? Hat ihn mein Vice nicht schon vernommen?«
»Doch.«
»Dann muss er eigentlich nicht herkommen. Aber ich danke Ihnen trotzdem.«
Sie wollten ihm die Geschichte offenbar unbedingt aufs Auge drücken.

Die Tür wurde so heftig aufgerissen, dass der Commissario von seinem Stuhl aufsprang. Catarella kam ganz aufgelöst herein.
»Ich bitte um Verzeihung wegen dem Krach, aber die Tür ist mir ausgerutscht.«

»Wenn du noch mal so reinkommst, erschieße ich dich. Was ist denn los?«
»Gerade ist angerufen worden, dass da einer ist, der in einem Fahrstuhl steckt.«
Der Tintenfisch, ein Zierstück aus Bronze, verfehlte Catarellas Stirn, aber es klang wie ein Kanonenschuss, als er gegen die Holztür knallte. Catarella kauerte sich zusammen und schützte seinen Kopf mit den Armen. Montalbano bearbeitete seinen Schreibtisch mit Fußtritten. Fazio stürzte ins Zimmer, die Hand an der offenen Pistolentasche.
»Was ist denn hier los?«
»Lass dir von diesem Vollidioten die Geschichte mit dem Fahrstuhl erklären, in dem einer stecken geblieben ist. Sie sollen sich an die Feuerwehr wenden. Aber schaff ihn mir vom Hals, ich will kein Wort mehr von ihm hören!«
Fazio war im Nu wieder da.
»Ein Toter in einem Fahrstuhl, ermordet«, sagte Fazio, kurz und knapp, um weiteren fliegenden Tintenfischen vorzubeugen.

»Cosentino, Giuseppe, vereidigter Nachtwächter«, stellte sich der Mann vor, der neben der offenen Fahrstuhltür stand. »Ich habe Signor Lapecora tot aufgefunden.«
»Wo sind die Schaulustigen?«, fragte Fazio verwundert.
»Ich habe alle in ihre Wohnungen geschickt. Die Leute hier tun, was ich sage. Ich wohne im sechsten Stock«, sagte der Nachtwächter stolz und zupfte sich die Uniformjacke zurecht.
Montalbano fragte sich, wie es wohl um die Macht von

Giuseppe Cosentino stünde, wenn er im Kellergeschoss wohnte.
Der tote Signor Lapecora saß auf dem Boden des Fahrstuhls, den Rücken an die hintere Wand gelehnt. Neben seiner rechten Hand lag eine Flasche *Corvo bianco*, die noch mit Stanniol verschlossen war. Neben der Linken ein hellgrauer Hut. Der verstorbene Signor Lapecora, inklusive Krawatte elegant gekleidet, war ein vornehmer Herr um die sechzig. Seine Augen waren weit geöffnet, der Blick erstaunt, vielleicht weil er in die Hose gepinkelt hatte. Montalbano bückte sich und berührte mit der Fingerspitze den dunklen Fleck zwischen den Beinen des Toten: Es war keine Pisse, sondern Blut. Der Fahrstuhl lief in einem gemauerten Schacht. Der Rücken des Toten war nicht zu sehen, und man konnte nicht feststellen, ob er erstochen oder erschossen worden war. Montalbano schnupperte und nahm keinen Geruch von Schießpulver wahr, aber der konnte sich auch verflüchtigt haben.
Er musste dem Gerichtsmediziner Bescheid geben.
»Was meinst du, ist Dottor Pasquano noch am Hafen oder schon wieder in Montelusa?«, fragte er Fazio.
»Er müsste noch am Hafen sein.«
»Ruf ihn an. Und wenn Jacomuzzi mit seiner Bande vom Erkennungsdienst da ist, dann schick ihn auch her.«
Fazio eilte hinaus. Montalbano wandte sich an den Nachtwächter, der, weil er befragt werden sollte, respektvoll strammstand.
»Stehen Sie bequem!«, sagte Montalbano genervt.
Der Commissario erfuhr, dass das Gebäude aus sechs Stock-

werken bestand und es in jedem Stockwerk drei Wohnungen gab, die alle bewohnt waren.
»Ich wohne im sechsten Stock, ganz oben.« Cosentino, Giuseppe legte Wert darauf, das zu wiederholen.
»War Signor Lapecora verheiratet?«
»*Sissignore.* Mit Palmisano, Antonietta.«
»Haben Sie die Witwe auch in ihre Wohnung geschickt?«
»*Nossignore.* Die Witwe weiß noch nicht, dass sie Witwe ist. Sie ist heute ganz früh zu ihrer Schwester nach Fiacca gefahren, weil es der gesundheitlich nicht besonders gut geht. Sie hat um halb sieben den Bus genommen.«
»Sagen Sie mal, woher wissen Sie das alles?«
Ob ihm der sechste Stock die Macht verlieh, von allen Leuten Rechenschaft über ihr Tun und Lassen zu fordern?
»Weil Signora Palmisano Lapecora«, erklärte der Nachtwächter, »es gestern meiner Frau erzählt hat, die beiden ratschen nämlich oft miteinander.«
»Haben die Lapecoras Kinder?«
»Einen Sohn. Er ist Arzt. Aber er lebt nicht in Vigàta.«
»Was machte Lapecora beruflich?«
»Er war Geschäftsmann. Er hat ein Büro in der Salita Granet Nummer 28. Aber in den letzten Jahren ging er nur dreimal die Woche hin, montags, mittwochs und freitags, er hatte nämlich keine Lust mehr zu arbeiten. Er hatte ein bisschen Geld auf die hohe Kante gelegt und war auf niemanden angewiesen.«
»Sie sind eine wahre Fundgrube, Signor Cosentino.«
Der Nachtwächter stand noch mal stramm.
In diesem Augenblick kam eine etwa fünfzigjährige Frau,

die Beine wie Baumstämme hatte. Sie trug in beiden Händen vollgestopfte Plastiktüten.
»Ich war einkaufen!«, rief sie und sah den Commissario und den Nachtwächter schief an.
»Das freut mich«, sagte Montalbano.
»Mich aber nicht, *vabbeni*! Weil ich jetzt sechs Stockwerke zu Fuß gehen muss. Wann kommt der Tote endlich weg?«
Sie blitzte die beiden noch mal an und machte sich an den mühsamen Aufstieg. Wie ein wütender Stier schnaubte sie durch ihre platte Nase.
»Die ist eine grässliche Person, Signor Commissario. Sie heißt Pinna Gaetana. Sie wohnt neben mir, und es vergeht kein Tag, an dem sie nicht mit meiner Frau Streit anfängt, aber meine Frau ist eine Dame und geht nicht darauf ein, und dann fängt diese Person erst richtig an und hört überhaupt nicht mehr auf zu schimpfen, vor allem wenn ich nach dem Dienst meinen Schlaf nachholen muss.«

Der Griff des Messers, das zwischen den Schulterblättern von Signor Lapecora steckte, war abgenutzt – ein ganz gewöhnliches Küchenutensil.
»Wann, glauben Sie, wurde er ermordet?«, fragte der Commissario Dottor Pasquano.
»Über den Daumen gepeilt, zwischen sechs und sieben heute Morgen. Später kann ich Genaueres sagen.«
Jacomuzzi und seine Leute vom Erkennungsdienst trafen ein und begannen, den Tatort unter die Lupe zu nehmen. Montalbano verließ das Haus, es war windig, aber der Himmel blieb trotzdem wolkenverhangen. In der kurzen

Straße gab es nur zwei Geschäfte, die einander gegenüberlagen. Linker Hand war ein Obst- und Gemüseladen. Hinter der Theke stand ein spindeldürrer Mann; eines seiner dicken Brillengläser hatte einen Sprung.
»*Buongiorno*, ich bin Commissario Montalbano. Haben Sie heute Morgen zufällig gesehen, ob Signor Lapecora das Haus betreten oder verlassen hat?«
Der Spindeldürre kicherte und gab keine Antwort.
»Haben Sie meine Frage gehört?«, fragte der Commissario leicht gereizt.
»Hören kann ich schon«, sagte der Obsthändler. »Aber meine Augen … Auch wenn ein Panzer durch die Tür gefahren wäre, hätte ich ihn nicht sehen können.«
Rechter Hand war ein Fischhändler, der zwei Kunden bediente. Der Commissario wartete, bis die beiden draußen waren, und trat dann ein.
»*Buongiorno*, Lollo.«
»*Buongiorno*, Commissario. Ich habe fangfrische Meerbrassen.«
»Lollo, ich bin nicht gekommen, um Fisch zu kaufen.«
»Sie sind wegen dem Toten da.«
»Ja.«
»Wie ist Lapecora gestorben?«
»Ein Messerstich in den Rücken.«
Lollo starrte ihn mit offenem Mund an.
»Lapecora ermordet?!«
»Warum wundert dich das so?«
»Wer konnte Signor Lapecora denn Böses wollen? Er war wirklich ein *galantuomo*. So was Verrücktes.«

»Hast du ihn heute Morgen gesehen?«
»Nein.«
»Um wie viel Uhr machst du den Laden auf?«
»Um halb sieben. Ach ja, vorne an der Ecke bin ich seiner Frau begegnet, Signora Antonietta. Sie hatte es sehr eilig.«
»Sie wollte zum Bus nach Fiacca.«
Montalbano kam zu dem Schluss, dass Lapecora vermutlich ermordet worden war, als er den Fahrstuhl betrat, um das Haus zu verlassen. Er hatte im vierten Stock gewohnt.

Dottor Pasquano nahm die Leiche zur Obduktion mit nach Montelusa, Jacomuzzi brauchte noch eine Weile, um einen Zigarettenstummel, ein bisschen Staub und ein winziges Stückchen Holz in drei Plastiktütchen zu stecken.
»Du hörst von mir.«
Montalbano betrat den Fahrstuhl und bedeutete dem Nachtwächter, der sich die ganze Zeit über keinen Millimeter von der Stelle gerührt hatte, ebenfalls hineinzugehen. Cosentino zögerte.
»Was ist los?«
»Da ist noch Blut am Boden.«
»Na und? Dann passen Sie eben auf, dass Sie sich die Schuhe nicht schmutzig machen. Oder wollen Sie sechs Stockwerke zu Fuß gehen?«

Zwei

»Setzen Sie sich, setzen Sie sich!«, rief Signora Cosentino überschwänglich; sie war eine schnurrbärtige Kugel und unwiderstehlich sympathisch.

Montalbano betrat ein Esszimmer mit anschließendem Salon. Die Signora wandte sich besorgt an ihren Mann.

»Du hast dich gar nicht ausruhen können, Pepè.«

»*Il dovìri*... Pflicht ist Pflicht.«

»Sind Sie heute Morgen aus dem Haus gegangen, Signora?«

»Ich gehe nie weg, bevor Pepè nicht zurück ist.«

»Kennen Sie Signora Lapecora?«

»*Sissi*. Wenn wir auf den Fahrstuhl warten müssen, dann plaudern wir immer eine Weile.«

»Haben Sie auch mit ihrem Mann geplaudert?«

»*Nonsi*. Ich mochte ihn nicht. Eine untadelige Person, da kann man nichts sagen, aber er war mir nicht sympathisch. Bitte entschuldigen Sie mich einen Augenblick...«

Sie ging hinaus. Montalbano wandte sich an den Nachtwächter.

»Wo tun Sie eigentlich Dienst?«

»Im Salzdepot. Von acht Uhr abends bis acht Uhr morgens.«

»Sie haben doch die Leiche gefunden, nicht wahr?«

»*Sissignore.* Es war höchstens zehn nach acht, das Depot ist ganz nah. Ich habe den Fahrstuhl geholt…«

»War er nicht im Erdgeschoss?«

»Nein. Ich weiß noch genau, dass ich ihn geholt habe.«

»In welchem Stock er war, wissen Sie wahrscheinlich nicht.«

»Ich habe darüber nachgedacht, Commissario. Von der Zeit her, die er brauchte, um unten anzukommen, muss er im fünften Stock gewesen sein. Ich glaube, ich habe richtig geschätzt.«

Das passte nicht. Signor Lapecora hatte sich doch in Schale geworfen, war aber…

»Wie hieß er eigentlich mit Vornamen?«

»Aurelio, genannt Arelio.«

…anstatt hinunter, ein Stockwerk nach oben gefahren. Der graue Hut bewies, dass er nicht jemanden im Haus besuchen, sondern auf die Straße hinaus wollte.

»Was haben Sie dann gemacht?«

»Nichts. Das heißt, dann ist der Fahrstuhl gekommen, und ich habe die Tür aufgemacht und den Toten gesehen.«

»Haben Sie ihn angefasst?«

»Sie scherzen wohl, Commissario! Ich habe da meine Erfahrungen.«

»Woher wussten Sie, dass er tot ist?«

»Ich habe doch gesagt, dass ich mich da auskenne. Ich bin schnell zum Obsthändler rüber und habe im Kommissariat angerufen. Dann habe ich vor dem Fahrstuhl Wache bezogen.«

Signora Cosentino kam mit einer dampfenden Tasse herein.

»Wäre Ihnen ein Tässchen Kaffee genehm?«

Dem Commissario war es genehm. Dann erhob er sich und wollte gehen.

»Einen Augenblick noch«, sagte der Nachtwächter, öffnete eine Schublade und reichte ihm einen kleinen Block und einen Kugelschreiber.

»Sie müssen sich doch Notizen machen«, erklärte er auf den fragenden Blick des Commissario hin.

»Wir sind hier doch nicht in der Schule!«, gab Montalbano grob zurück.

Er hasste Polizisten, die sich Notizen machten. Wenn er im Fernsehen einen sah, der dies tat, schaltete er sofort um.

In der Wohnung nebenan befand sich Signora Gaetana Pinna mit den Baumstammbeinen. Sie fuhr Montalbano an, kaum dass er hereingekommen war.

»Ist der Tote endlich weg?«

»Ja, Signora. Sie können den Fahrstuhl wieder benutzen. Nein, machen Sie die Tür nicht zu. Ich muss Ihnen ein paar Fragen stellen.«

»*A mia*?! Ich habe nichts zu sagen.«

Von drinnen war eine Stimme zu hören, aber es war weniger eine Stimme als eine Art tiefes Grollen.

»Tanina! Sei doch nicht so unhöflich! Lass den Signore rein!«

Der Commissario betrat das übliche Esswohnzimmer. In

einem Sessel saß, mit einem Bettlaken auf den Beinen, ein Elefant im Unterhemd, ein Mann von gewaltigen Ausmaßen. Seine nackten Füße, die unter dem Laken herausschauten, sahen aus wie Elefantenfüße, und die lange, herabhängende Nase ähnelte einem Rüssel.

»Setzen Sie sich«, sagte der Mann, der offensichtlich gern plaudern wollte, und wies auf einen Stuhl. »Wenn meine Frau so grantig ist, könnte ich…«

»Trompeten?« entfuhr es Montalbano.

Zum Glück hatte der andere es nicht verstanden.

»… könnte ich ihr den Kopf abreißen. Was kann ich für Sie tun?«

»Kannten Sie Signor Aurelio Lapecora?«

»Ich kenne niemanden in diesem Haus. Ich wohne hier seit fünf Jahren und kenne nicht mal einen Hund. In fünf Jahren war ich noch nie im Erdgeschoss. Ich kann meine Beine nicht bewegen, es ist zu anstrengend. Weil ich in den Fahrstuhl nicht reingepasst habe, mussten mich vier Hafenarbeiter hier raufschleppen. Sie haben mich mit Gurten getragen, wie ein Klavier.«

Er lachte, und es klang wie grollender Donner.

»Aber ich kannte Signor Lapecora«, mischte sich seine Frau ein. »Er war unsympathisch. Er brachte kaum einen Gruß über die Lippen.«

»Wie haben Sie erfahren, dass er tot ist, Signora?«

»Wie ich es erfahren habe? Ich musste zum Einkaufen und rief den Fahrstuhl. Aber der kam nicht. Ich dachte, jemand hätte die Tür offen gelassen, die Leute, die hier im Haus wohnen, haben ja keine Manieren. Ich ging zu Fuß runter und sah den Nachtwächter, der die Leiche bewachte. Und nach dem Einkaufen musste ich die Treppen zu Fuß hochgehen, ich bin immer noch ganz außer Atem.«

»*E menu mali*, dann quasselst du wenigstens nicht so viel«, sagte der Elefant.

FAM. CRISTOFOLETTI stand an der Tür der dritten Wohnung, aber so laut der Commissario auch klopfte, es öffnete niemand. Er ging wieder zur Wohnung der Cosentinos und klopfte dort.

»Sie wünschen, Commissario?«

»Wissen Sie, ob die Familie Cristofoletti ...«

Der Nachtwächter schlug sich mit der Hand an die Stirn.

»Ich habe ganz vergessen, es Ihnen zu sagen! Über dieser Geschichte mit dem Toten ist es mir entfallen. Die Cristofolettis sind beide in Montelusa. Signora Romilda ist operiert worden, irgendeine Frauensache. Morgen müssten sie zurück sein.«

»Danke.«

»Keine Ursache.«

Montalbano ging ein paar Schritte auf die Treppe zu, machte dann aber kehrt und klopfte noch mal.

»Sie wünschen, Commissario?«

»Sie haben doch vorhin gesagt, Sie hätten Erfahrung mit Toten. Woher?«

»Ich war ein paar Jahre lang Krankenpfleger.«

»Danke.«

»Keine Ursache.«

Er ging in den fünften Stock hinunter, wo nach Meinung des Nachtwächters der Fahrstuhl mit dem bereits ermordeten Aurelio Lapecora stehen geblieben war. War er hinaufgefahren, um sich mit jemandem zu treffen, und hatte dieser Jemand ihn erstochen?

»Entschuldigen Sie, Signora, ich bin Commissario Montalbano.«

Die junge Frau, die ihm geöffnet hatte, war etwa dreißig Jahre alt und bildhübsch, aber ungepflegt. Sie sah ihn komplizenhaft an und forderte ihn auf, leise zu sein, indem sie den Zeigefinger an die Lippen legte.

Montalbano wurde nervös. Was hatte diese Geste zu bedeuten? Er verfluchte seine Angewohnheit, immer ohne Waffe herumzulaufen. Vorsichtig machte die junge Frau einen Schritt zur Seite, und der Commissario war auf der Hut, als er ein kleines Arbeitszimmer voller Bücher betrat und sich umsah.

»Bitte sprechen Sie ganz leise, es ist furchtbar, wenn der Kleine aufwacht, dann können wir uns nicht unterhalten, weil er nur noch schreit.«

Montalbano seufzte erleichtert auf.

»Signora, Sie wissen schon Bescheid, nicht wahr?«

»Ja, Signora Gullotta hat es mir gesagt, sie wohnt hier nebenan«, flüsterte die junge Frau ihm ins Ohr. Der Commissario fand die Situation sehr aufregend.

»Sie haben Signor Lapecora heute Morgen also nicht gesehen?«

»Ich war noch nicht draußen.«

»Wo ist Ihr Mann?«

»In Fela. Er unterrichtet dort am Gymnasium. Er fährt Punkt viertel nach sechs mit dem Auto los.«
Montalbano bedauerte es, dass die Begegnung nur so kurz währte: Je länger er Signora Gulisano – dieser Name stand auf dem Türschild – ansah, umso besser gefiel sie ihm, was die junge Frau dank weiblicher Intuition sogleich begriff. Sie lächelte.
»Kann ich Ihnen eine Tasse Kaffee anbieten?«
»Aber gern«, sagte Montalbano.

Der Junge, der ihm in der Wohnung nebenan die Tür öffnete, war höchstens vier Jahre alt und schielte boshaft.
»Wer bist du, Fremder?«, fragte er.
»Ich bin Polizist«, antwortete Montalbano und lächelte; er wollte kein Spielverderber sein.
»Du kriegst mich nicht lebendig«, rief der Kleine und schoss ihm mit einer Wasserpistole mitten auf die Stirn.
Es folgte ein kurzes Handgemenge, und als der entwaffnete Junge zu weinen anfing, schoss Montalbano ihm eiskalt wie ein Killer ins Gesicht und machte ihn pitschnass.
»Was ist los? Wer ist denn da?«
Die Mama des kleinen Engels, Signora Gullotta, hatte mit der reizenden Mama von nebenan nichts gemein. Zuerst knallte sie ihrem Sohn eine, dann hob sie die Pistole auf, die der Commissario hatte fallen lassen, und warf sie kurzerhand aus dem Fenster.
»Schluss jetzt mit dem Krach!«
Der Kleine schrie wie am Spieß und rannte in ein anderes Zimmer.

»Sein Vater ist schuld, der kauft ihm solches Spielzeug! Er ist den ganzen Tag außer Haus, er schert sich einen Dreck, und ich muss mich um diesen Teufel kümmern! Was wollen Sie?«

»Ich bin Commissario Montalbano. War Signor Lapecora heute Morgen zufällig bei Ihnen?«

»Lapecora? Bei uns? Was sollte er denn hier?«

»Sagen Sie es mir.«

»Ich kannte Lapecora schon, aber nur so vom Sehen, *bongiorno* und *bonasira*, mehr nicht.«

»Vielleicht hat Ihr Mann ...«

»Mein Mann hatte mit Lapecora nichts zu tun. Wann hätte er denn schon mit ihm reden sollen? Der ist ja nie da, dem ist alles scheißegal!«

»Wo ist Ihr Mann?«

»Sie sehen doch, dass er nicht da ist.«

»Schon, aber wo arbeitet er?«

»Am Hafen. Auf dem Fischmarkt. Er steht morgens um halb fünf auf und kommt abends um acht nach Hause. Man kann von Glück reden, wenn man ihn überhaupt zu Gesicht bekommt.«

Signora Gullotta war eine sehr verständnisvolle Gattin.

An der Tür der dritten und letzten Wohnung im fünften Stock stand PICCIRILLO. Eine elegante Frau Anfang fünfzig öffnete ihm; sie war in heller Aufregung.

»Was wollen Sie denn?«

»Ich bin Commissario Montalbano.«

Die Frau wandte den Blick ab.

»Wir wissen überhaupt nichts.«
Montalbano wurde sofort hellhörig. War Lapecora vielleicht wegen dieser Frau ein Stockwerk weiter hinaufgefahren?
»Ich muss Ihnen trotzdem ein paar Fragen stellen. Lassen Sie mich rein.«
Signora Piccirillo trat unwillig beiseite und führte ihn in ein hübsches kleines Wohnzimmer.
»Ist Ihr Mann zu Hause?«
»Ich bin Witwe. Ich lebe hier mit meiner Tochter Luigina, sie ist nicht verheiratet.«
»Sie soll kommen, falls sie da ist.«
»Luigina!«
Ein Mädchen in Jeans, Anfang zwanzig, erschien. Sie war hübsch, aber leichenblass, buchstäblich in Panik.
Der Commissario wurde noch misstrauischer und beschloss, sich die beiden richtig vorzuknöpfen.
»Lapecora war heute Morgen bei Ihnen. Was wollte er?«
»Nein!«, Luigina schrie beinahe.
»Ich schwör's!«, rief die Mutter.
»Welche Beziehung hatten Sie zu Signor Lapecora?«
»Wir kannten ihn vom Sehen«, sagte Signora Piccirillo.
»Wir haben nichts Unrechtes getan«, wimmerte Luigina.
»Hören Sie gut zu: Wenn Sie nichts Unrechtes getan haben, brauchen Sie keine Angst zu haben. Es gibt einen Zeugen, der aussagt, Signor Lapecora sei im fünften Stock gewesen, als...«
»Aber was haben Sie denn gegen uns? In diesem Stockwerk wohnen noch zwei weitere Familien, die...«

»Hör auf«, rief Luigina, einem hysterischen Anfall nahe. »Hör auf, Mama! Sag ihm alles! Sag's ihm!«

»Also gut. Meine Tochter musste heute Morgen ganz früh zum Friseur. Sie rief den Fahrstuhl, der sofort da war. Er muss einen Stock weiter unten, im vierten, gewesen sein.«

»Um wie viel Uhr?«

»Um acht, fünf nach acht. Sie machte die Tür auf und sah Signor Lapecora auf dem Boden sitzen. Ich hatte sie begleitet, schaute in den Fahrstuhl und hielt ihn für betrunken. Eine volle Flasche Wein lag neben ihm, und ... und er hatte anscheinend in die Hose gemacht. Meine Tochter ekelte sich. Sie schloss den Fahrstuhl wieder und wollte zu Fuß gehen. In diesem Moment setzte sich der Fahrstuhl in Bewegung, jemand hatte ihn von unten gerufen. Meine Tochter hat einen empfindlichen Magen, bei dem Anblick ist uns beiden ganz schlecht geworden. Luigina ging in die Wohnung zurück, um sich frisch zu machen, und ich auch. Es vergingen keine fünf Minuten, da kam Signora Gullotta und sagte, Signor Lapecora sei nicht betrunken, sondern tot! Das ist alles.«

»Nein«, sagte Montalbano. »Das ist nicht alles.«

»Was sagen Sie da? Es ist die Wahrheit!«, erwiderte Signora Piccirillo verärgert und beleidigt.

»Die Wahrheit sieht ein bisschen anders aus und ist unangenehmer. Ihnen beiden war sofort klar, dass dieser Mann tot war. Aber Sie haben nichts unternommen, Sie haben so getan, als hätten Sie ihn gar nicht gesehen. Warum?«

»Wir wollten nicht, dass alle über uns reden«, räumte

Signora Piccirillo ein. Sie war am Boden zerstört. Aber augenblicklich kehrte ihre Kraft zurück, und sie schrie hysterisch:
»Wir sind schließlich anständige Leute!«
Und diese beiden anständigen Leute hatten es zugelassen, dass die Leiche von jemand anderem entdeckt wurde, der vielleicht nicht so anständig war? Und wenn Lapecora im Sterben gelegen hätte? Sie hatten sich einen feuchten Dreck um ihn gekümmert, um ... ja, um was eigentlich zu retten?
Montalbano verließ die Wohnung, schlug die Tür zu und stand Fazio gegenüber, der gekommen war, um ihm Gesellschaft zu leisten.
»Da bin ich, Commissario. Wenn Sie was brauchen ...«
Montalbano hatte eine Idee.
»Ja, ich brauche was. Klopf an die Tür hier, da wohnen zwei Frauen, Mutter und Tochter. Unterlassene Hilfeleistung. Bring sie ins Büro, und mach möglichst viel Lärm darum. Alle im Haus sollen glauben, wir hätten sie verhaftet. Wenn ich komme, lassen wir sie wieder frei.«

Ragionier Culicchia, der Buchhalter, der in der ersten Wohnung im vierten Stock lebte, schubste den Commissario weg, kaum dass er die Tür geöffnet hatte.
»Meine Frau darf uns nicht hören«, sagte er und lehnte die Tür an.
»Ich bin Commissario ...«
»Ich weiß schon. Haben Sie meine Flasche dabei?«
»Welche Flasche?« Montalbano sah den hageren Sechzig-

jährigen, der ein verschwörerisches Gesicht machte, erstaunt an.
»Die neben dem Toten, die Flasche *Corvo bianco*.«
»Gehörte sie nicht Signor Lapecora?«
»Von wegen! Das ist meine Flasche!«
»Ich verstehe nicht recht, das müssen Sie mir erklären.«
»Heute früh war ich einkaufen, und als ich zurückkam, habe ich den Fahrstuhl aufgemacht. Da lag Lapecora, tot. Das war mir sofort klar.«
»Haben Sie den Fahrstuhl geholt?«
»Wozu? Er war ja schon im Erdgeschoss.«
»Was haben Sie dann gemacht?«
»Was wohl, mein Sohn? Mein linkes Bein und mein rechter Arm sind beschädigt. Die Amerikaner haben auf mich geschossen. Ich hatte vier Einkaufstüten in jeder Hand, hätte ich die ganzen Treppen vielleicht zu Fuß raufgehen sollen?«
»Heißt das, dass Sie mit dem Toten raufgefahren sind?«
»Was denn sonst! Aber als der Fahrstuhl in meinem Stock hielt, in dem auch der Tote gewohnt hat, ist die Weinflasche aus der Tüte gerutscht. Dann habe ich Folgendes gemacht: Ich habe meine Wohnung aufgeschlossen und die Tüten reingetragen und bin dann zurückgegangen, um die Flasche zu holen. Aber ich habe es nicht rechtzeitig geschafft, weil jemand im Stockwerk über mir den Fahrstuhl gerufen hat.«
»Wie ist das möglich? Die Tür stand doch offen!«
»*Nossignore*! Ich hatte sie versehentlich geschlossen. Na ja, der Kopf. In meinem Alter hat man seine Sinne nicht mehr

recht beieinander. Ich wusste nicht, was ich tun sollte; wenn meine Frau erfahren hätte, dass die Flasche weg war, hätte sie mir den Hals umgedreht. Sie müssen mir glauben, Commissario. Die Frau ist zu allem fähig.«
»Und was war dann?«
»Der Fahrstuhl ist an mir vorbeigefahren, ins Erdgeschoss. Da bin ich dann zu Fuß runtergegangen. Als ich mit meinem beschädigten Bein endlich ankam, stand da der Nachtwächter, der niemanden näher kommen ließ. Ich habe ihm das mit der Flasche gesagt, und er hat mir versprochen, es an höherer Stelle zu melden. Sind Sie die höhere Stelle?«
»Gewissermaßen.«
»Hat der Nachtwächter das mit der Flasche gemeldet?«
»Nein.«
»Und was soll ich jetzt tun? Was soll ich machen? Die rechnet doch jede Lira mit mir ab!«, jammerte der Ragioniere und rang die Hände.
Ein Stockwerk weiter oben hörte man das verzweifelte Geheul von Mutter und Tochter Piccirillo und die scharfe Stimme Fazios:
»Gehen Sie zu Fuß runter! Ruhe! Zu Fuß!«
Türen gingen auf, laute Fragen flogen von Stockwerk zu Stockwerk:
»Wer ist da verhaftet worden? Die Piccirillos sind verhaftet? Nehmen sie sie mit? Kommen sie ins Gefängnis?«
Als Fazio an ihm vorbeiging, drückte Montalbano ihm zehntausend Lire in die Hand:
»Wenn du die beiden ins Büro gebracht hast, kaufst du eine Flasche *Corvo bianco* und gibst sie dem Signore da.«

Bei der Befragung der übrigen Mieter erfuhr Montalbano nichts von Bedeutung. Der Einzige, der etwas Nennenswertes zu sagen hatte, war der Grundschullehrer Bonavia aus dem dritten Stock. Er erklärte dem Commissario, dass sein achtjähriger Sohn Matteo hingefallen war und sich die Nase blutig geschlagen hatte, als er sich auf den Weg zur Schule machen wollte. Weil das Nasenbluten nicht aufhörte, hatte er ihn in die Notaufnahme gebracht. Das war um halb acht, und im Fahrstuhl war keine Spur von Signor Lapecora gewesen, weder lebendig noch tot.

Lapecora war als Leiche Aufzug gefahren, so viel stand fest. Außerdem glaubte Montalbano zu wissen, dass der Verstorbene ein anständiger, aber grundunsympathischer Mensch gewesen und offensichtlich zwischen sieben Uhr fünfunddreißig und acht in dem Fahrstuhl umgebracht worden war.

Wenn der Mörder das Risiko eingegangen war, von einem Hausbewohner mit dem Toten im Fahrstuhl überrascht zu werden, dann bedeutete dies, dass er nicht vorsätzlich, sondern im Affekt gehandelt hatte.

Das war nicht viel, und der Commissario dachte eine Weile über diese Erkenntnisse nach. Dann sah er auf die Uhr. Es war schon zwei! Kein Wunder, dass er einen solchen Hunger hatte. Er rief Fazio an.

»Ich geh zu Calogero zum Essen. Wenn Augello inzwischen kommt, schick ihn zu mir. Ach ja, noch was: Stell einen zur Wache vor der Wohnung des Toten ab. Er soll sie nicht reinlassen, bevor ich nicht zurück bin.«

»Wen?«

»Die Witwe, Signora Lapecora. Sind die beiden Piccirillos noch da?«

»*Sissi*, Dottore.«

»Schick sie nach Hause.«

»Und was soll ich ihnen sagen?«

»Dass wir weiter ermitteln. Die sollen ruhig ein bisschen Schiss haben, diese anständigen Leute.«

Drei

»Was darf ich Ihnen heute bringen?«
»Was gibt's denn?«
»Als ersten Gang was Sie wollen.«
»Als ersten Gang gar nichts, ich muss auf meine Linie achten.«
»Als zweiten hätte ich *alalonga in agrodolce* und *nasello in sarsa d'acciughi.*«
»Hast du's jetzt mit der Haute Cuisine, Calò?«
»Manchmal überkommt es mich.«
»Bring mir eine ordentliche Portion *nasello*. Ach ja, und bis der fertig ist, nehme ich noch einen großen Teller *antipasto di mare.*«
Ihm kamen Zweifel. Handelte es sich bei einem *antipasto di mare* um leichte Kost? Er überging die Antwort und warf einen Blick in die Zeitung. Die kleine Haushaltskorrektur, die die Regierung mal wieder vornehmen wollte, sollte sich nicht auf fünfzehn, sondern auf zwanzig Billionen belaufen. Bestimmt würde manches teurer werden, unter anderem Benzin und Zigaretten. Die Arbeitslosigkeit im Süden hatte eine Quote erreicht, die man besser nicht publik machte. Die Lega Nord hatte nach dem Steuerstreik beschlossen, als ersten Schritt auf dem Weg zur Spal-

tung die Prefetti abzusetzen. Dreißig Jungen aus einem Dorf bei Neapel hatten ein äthiopisches Mädchen vergewaltigt, das ganze Dorf verteidigte die Jugendlichen, die Negerin sei nicht nur eine Negerin, sondern auch eine Hure. Ein achtjähriger Junge hatte sich erhängt. Drei Dealer, im Durchschnitt zwölf Jahre alt, waren verhaftet worden. Eine Zwanzigjährige hatte Russisches Roulette gespielt und sich das Gehirn zerfetzt. Ein Achtzigjähriger hatte aus Eifersucht…

»Bitte sehr, Ihr *antipasto.*«

Montalbano war Calogero dankbar: Noch ein paar solcher Nachrichten, und der Appetit wäre ihm vergangen. Dann kamen acht Stücke *nasello*, von denen leicht vier Personen hätten satt werden können. Die *Nasello*-Stücke machten kein Hehl aus ihrer Freude darüber, dass sie nach allen Regeln der Kunst zubereitet waren. Montalbano schnupperte, und das Gericht offenbarte ihm seine Perfektion, die von der richtigen Menge Semmelbrösel und dem genau abgestimmten Verhältnis von Sardelle und verquirltem Ei herrührte.

Er führte den ersten Bissen zum Mund, schluckte ihn aber nicht gleich hinunter. Er wartete, bis sich der Wohlgeschmack sanft und gleichmäßig über Zunge und Gaumen verteilt hatte, bis Zunge und Gaumen sich des Geschenks, das ihnen dargeboten wurde, wirklich ganz und gar bewusst waren. Als er den Bissen hinunterschluckte, stand plötzlich Mimì Augello an seinem Tisch.

»Setz dich.«

Mimì Augello setzte sich.

»Ich glaube, ich esse auch was«, sagte er.
»Mach, was du willst. Aber halt den Mund, das sage ich dir in aller Freundschaft und in deinem eigenen Interesse, halt unter allen Umständen den Mund. Wenn du mich unterbrichst, während ich diesen *nasello* esse, drehe ich dir den Hals um.«
»Bringen Sie mir *spaghetti alle vongole*«, sagte Mimì, ganz und gar nicht eingeschüchtert, zu Calogero, der gerade vorbeiging.
»*In bianco* oder *al sugo*?«
»*In bianco.*«
Um die Wartezeit zu überbrücken, nahm Augello die Zeitung des Commissario an sich und begann zu lesen. Die Spaghetti kamen zum Glück erst, als Montalbano seinen *nasello* schon fertig gegessen hatte, denn Mimì streute einen Haufen Parmesan darüber. *Gesù!* Selbst eine Hyäne – eine Hyäne, die sich von Aas ernährt – würde sich bei der Vorstellung von *pasta alle vongole* mit Parmesan übergeben!
»Wie hast du dich beim Questore benommen?«
»Wie meinst du das?«
»Ich will wissen, ob du dem Questore in den Arsch gekrochen oder ihm an die Eier gegangen bist.«
»Spinnst du jetzt?«
»Mimì, ich kenne dich doch. Du hast dir flugs die Geschichte mit dem erschossenen Tunesier geschnappt, um dich in Szene zu setzen.«
»Ich habe nur meine Pflicht getan, du warst nämlich nirgends zu finden.«

Es war ihm immer noch zu wenig Parmesan; er streute zwei weitere Löffel über seine Spaghetti und gab noch ein bisschen Pfeffer aus der Pfeffermühle dazu.
»Und ins Büro des Prefetto bist du wohl gekrochen?«
»Salvo, es reicht!«
»Wieso denn? Du verpasst doch keine Gelegenheit, gegen mich zu intrigieren!«
»Ich?! Gegen dich intrigieren? Salvo, wenn ich in den vier Jahren, die wir jetzt zusammenarbeiten, wirklich gegen dich hätte intrigieren wollen, dann würdest du mit ziemlicher Sicherheit jetzt das hinterletzte Kommissariat im hinterletzten Kuhkaff in Sardinien leiten, und ich wäre mindestens Vicequestore. Weißt du, was du bist, Salvo? Ein Sieb, bei dem aus tausend Löchern Wasser tropft. Und ich tue nichts anderes, als dir so viele Löcher zu stopfen, wie ich nur kann.«
Er hatte völlig Recht, und Montalbano, der seinem Ärger Luft gemacht hatte, änderte seinen Ton.
»Dann informier mich wenigstens.«
»Ich habe den Bericht geschrieben, das ist alles. Ein Hochseefischkutter aus Mazàra del Vallo, die *Santopadre*, sechs Mann Besatzung mit einem Tunesier, der zum ersten Mal angeheuert hatte, der Ärmste. Die übliche Geschichte, du kennst das ja. Ein tunesisches Patrouillenboot fordert den Fischkutter zum Halten auf, sie gehorchen nicht, und die Tunesier schießen. Aber diesmal ist es anders gelaufen, einer hat dran glauben müssen. Am allermeisten werden das die Tunesier bedauern. Denn ihnen geht es nur darum, den Fischkutter zu beschlagnahmen und für die Freigabe

einen Haufen Geld von der Reederei zu kassieren, die mit der tunesischen Regierung verhandelt.«

»Und unsere?«

»Unsere was?«

»Tut unsere Regierung da nichts?«

»Um Gottes willen! Sie würde endlos viel Zeit verlieren, um das Problem auf diplomatischem Weg zu lösen. Und es ist ja wohl klar, dass die Reederei umso weniger verdient, je länger der Fischkutter beschlagnahmt ist.«

»Was springt denn für die Tunesier in der Crew dabei raus?«

»Die kriegen Prozente, wie die Verkehrspolizisten in manchen Städten bei uns. Allerdings nicht offiziell. Der Kapitän der *Santopadre*, der auch der Schiffseigner ist, sagt, sie seien von der *Rameh* angegriffen worden.«

»Was ist denn das?«

»Ein tunesisches Patrouillenboot, das so heißt und von einem Offizier kommandiert wird, der sich richtig piratenmäßig aufführt. Nachdem diesmal ein Toter mit im Spiel ist, wird unsere Regierung gezwungen sein zu intervenieren. Der Prefetto wollte einen minuziösen Bericht.«

»Und warum sind sie hierhergekommen und nerven uns, anstatt nach Mazàra zurückzufahren?«

»Der Tunesier war nicht sofort tot, Vigàta war der nächste Hafen, aber der Ärmste hat's nicht mehr geschafft.«

»Haben sie um Hilfe gebeten?«

»Ja. Das Patrouillenboot *Fulmine*, das immer in unserem Hafen vor Anker liegt.«

»Was hast du da gesagt, Mimì?«

»Was denn?«

»Du hast gesagt: ›vor Anker liegt‹. Das hast du wahrscheinlich auch in dem Bericht für den Prefetto geschrieben. Stell dir den mal vor, wo der so pingelig ist! Hast dich selbst angeschmiert, Mimì!«

»Was hätte ich denn sonst schreiben sollen?«

»›Festgemacht ist‹, Mimì. ›Vor Anker liegen‹ heißt auf dem offenen Meer ankern. Das ist ein großer Unterschied.«

»O Cristo!«

Alle Welt wusste, dass Prefetto Dieterich aus Bozen kein Fischerboot von einem Kreuzer unterscheiden konnte, aber Augello war Montalbano auf den Leim gegangen, und der lachte sich ins Fäustchen.

»Kopf hoch! Wie ist die Geschichte ausgegangen?«

»Die *Fulmine* hat keine Viertelstunde gebraucht, bis sie an Ort und Stelle war, aber dort war nichts zu sehen. Sie kreuzte in der Umgebung, ohne Erfolg. Das hat das Hafenamt über Funk erfahren. Wie dem auch sei, unser Patrouillenboot kommt heute Nacht zurück, dann werden wir hören, was im Einzelnen los war.«

»Na ja«, meinte der Commissario zweifelnd.

»Was denn?«

»Mir ist nicht klar, was wir und unsere Regierung damit zu tun haben, wenn die Tunesier einen Tunesier umlegen.«

Mimì Augello starrte ihn mit offenem Mund an.

»Salvù, ich rede ja vielleicht manchmal blöd daher, aber was du so von dir gibst, ist zu viel des Guten.«

»Na ja«, sagte Montalbano noch mal; er fand eigentlich nicht, dass er blöd dahergeredet hatte.

»Und unsere Leiche hier, die vom Fahrstuhl – was kannst du mir über die sagen?«
»Gar nichts sage ich dir. Das ist meine Leiche. Du hast dir den toten Tunesier geschnappt, also nehme ich mir den Toten von Vigàta.«
Hoffentlich wird das Wetter bald besser, dachte Augello. Das ist ja nicht mehr auszuhalten!

»*Pronto*, Commissario Montalbano? Hier ist Marniti.«
»Was gibt es, Maggiore?«
»Ich wollte Ihnen Bescheid geben, dass die Leitung unseres Hafenamtes entschieden hat – was ich ganz richtig finde –, die Geschichte mit dem Fischkutter an das Hafenamt von Mazàra abzugeben. Die *Santopadre* müsste also sofort auslaufen. Gibt es an Bord erkennungsdienstlich noch was zu tun?«
»Ich glaube nicht. Aber ich überlege gerade, dass auch wir uns der weisen Entscheidung Ihrer Hafenleitung anschließen sollten.«
»Ich hätte es nicht gewagt, Ihnen das vorzuschlagen.«

»Hier ist Montalbano, Questore. Bitte verzeihen Sie, wenn …«
»Gibt's was Neues?«
»Nein, nichts. Es geht nur darum, dass – wie soll ich sagen – in der weiteren Vorgehensweise alles seine Richtigkeit hat. Gerade hat Maggiore Marniti vom Hafenamt angerufen. Er hat mich über die Entscheidung der Hafenleitung informiert, die Ermittlungen über den erschossenen Tunesier

Mazàra zu übergeben. Jetzt frage ich mich, ob wir nicht auch...«

»Ich verstehe, Montalbano. Ich glaube, Sie haben Recht. Ich rufe sofort meinen Kollegen in Trapani an, um ihm mitzuteilen, dass wir den Fall abgeben. Der Vicequestore von Mazàra ist sehr tüchtig, soviel ich weiß. Die sollen das übernehmen. Waren Sie selbst mit der Angelegenheit befasst?«

»Nein, mein Vice, Dottor Augello.«

»Sagen Sie ihm, dass wir den Obduktionsbericht und die Ergebnisse der ballistischen Untersuchung nach Mazàra schicken. Dottor Augello bekommt eine Kopie zur Kenntnisnahme.«

Mit einem Fußtritt stieß er die Tür zu Mimì Augellos Zimmer auf, winkelte den rechten Arm an, machte eine Faust und legte die linke Hand auf den rechten Unterarm.

»*Tiè*, Mimì.«

»Was heißt das?«

»Das heißt, dass in dem Mordfall auf dem Fischkutter die Kollegen aus Mazàra weiterermitteln. Du stehst mit leeren Händen da, und ich habe meine Fahrstuhlleiche. Eins zu null!«

Er war schon besserer Laune. Tatsächlich hatte sich der Wind gelegt, und der Himmel war wieder blau.

Gegen drei Uhr nachmittags sah Gallo, der Polizeibeamte, der vor der Wohnung des verstorbenen Lapecora Wache hielt und auf die Witwe wartete, wie bei Culicchias die

Tür aufging. Der Ragioniere trat auf Gallo zu und teilte ihm augenblicklich mit:
»Meine Frau schläft.«
Gallo wusste auf diese Nachricht hin nichts zu sagen.
»Ich heiße Culicchia, der Commissario kennt mich. Haben Sie schon gegessen?«
Gallo, der schon längst Bauchgrimmen vor Hunger hatte, schüttelte den Kopf.
Der Ragioniere ging zurück in seine Wohnung und kam nach einer Weile mit einem Glas Wein und einem Teller wieder, auf dem ein *panino*, eine dicke Scheibe *caciocavallo* und fünf Scheibchen Salami lagen.
»Das ist *Corvo bianco*. Den hat der Commissario mir gekauft.«
Nach einer halben Stunde kam er noch mal.
»Da haben Sie die Zeitung, damit es nicht so langweilig ist.«
Abends um halb acht gab es auf der Seite des Wohnhauses, an der die Eingangstür lag, wie auf ein vereinbartes Signal hin keinen Balkon und kein Fenster, wo nicht Leute standen, um die Rückkehr von Signora Palmisano, Antonietta zu erleben, die von ihrem Witwendasein noch keine Ahnung hatte.
Das Theater würde in zwei Akten stattfinden.
Erster Akt: Signora Palmisano Lapecora würde um neunzehn Uhr fünfundzwanzig den Bus aus Fiacca verlassen, fünf Minuten später vorn an der Ecke auftauchen und sich, wie üblich reserviert und gemessenen Schrittes, den Blicken aller aussetzen, ohne auch nur im Traum daran zu

denken, dass gleich eine Bombe über ihrem Kopf explodierte. Dieser erste Akt war unbedingt notwendig, um den zweiten noch besser genießen zu können (wobei sich die Zuschauer rasch von den Fenstern und Balkonen auf die Treppenabsätze verlagern würden): Wenn die inzwischen verwitwete Signora Lapecora von dem Wachtposten hörte, aus welchem Grund sie ihre Wohnung nicht betreten durfte, würde sie schmerzerfüllt wie ein Klageweib schreien, sich die Haare raufen und auf die Brust schlagen, und sogleich herbeigeeilte Kondolierende würden sie vergeblich zu beruhigen suchen.
Das Theater fand nicht statt.
Signora Palmisano Lapecora, sagten sich der Nachtwächter und seine Frau, sollte nicht von einem Fremden erfahren, dass ihr Mann ermordet worden war. Den Umständen entsprechend gekleidet – er im dunkelgrauen Anzug, sie im schwarzen Kostüm –, postierten sie sich in der Nähe der Haltestelle. Als Signora Antonietta aus dem Bus stieg, stimmten sie ihr Gesicht auf die Farbe ihrer Kleidung ab – er grau, sie schwarz – und traten auf sie zu.
»Was ist passiert?«, fragte Signora Antonietta beunruhigt.
Es gibt keine Sizilianerin, aus welcher Schicht auch immer – ob blaublütig oder bäuerlicher Herkunft –, die, wenn sie die fünfzig überschritten hat, nicht das Schlimmste erwartet. Welches Schlimmste? Irgendeines, auf jeden Fall das Schlimmste. Signora Antonietta machte da keine Ausnahme:
»Ist meinem Mann etwas zugestoßen?«
Als Cosentino und Gattin sahen, dass die Witwe die Sache

selbst in die Hand nahm, blieb ihnen nichts anderes übrig, als ihr beizustehen. Betrübt breiteten sie die Arme aus.
Und da sagte Signora Antonietta etwas, das sie eigentlich nicht hätte sagen sollen.
»Ist er ermordet worden?«
Das Ehepaar Cosentino breitete erneut die Arme aus. Die Witwe wankte, hielt sich aber auf den Beinen.
Die Zuschauer wohnten also nur einer enttäuschenden Szene bei: Signora Lapecora unterhielt sich ganz ruhig mit Signore und Signora Cosentino. Sie erzählte in allen Einzelheiten von der Operation, der sich ihre Schwester in Fiacca hatte unterziehen müssen.
Als der Polizeibeamte Gallo, der von alledem keine Ahnung hatte, um neunzehn Uhr fünfunddreißig hörte, wie der Fahrstuhl in seinem Stockwerk hielt, erhob er sich von der Stufe, auf der er sich niedergelassen und rekapituliert hatte, was er der armen Frau würde sagen müssen, und trat einen Schritt vor. Die Tür des Fahrstuhls wurde geöffnet, ein Signore kam heraus.
»Cosentino, Giuseppe, vereidigter Nachtwächter. Signora Lapecora muss noch warten, und da habe ich sie zu mir hereingebeten. Benachrichtigen Sie den Commissario. Ich wohne im sechsten Stock.«

In der Wohnung der Lapecoras herrschte vorbildliche Ordnung. Ess-Wohnzimmer, Schlafzimmer, Arbeitszimmer, Küche, Bad: alles, wie es sich gehörte. Auf dem Tisch im Arbeitszimmer lag das Portemonnaie des Verstorbenen mit allen Papieren und hunderttausend Lire. Aurelio Lapecora, dachte Montalbano, hatte sich also angezogen, um das Haus zu verlassen und an einen Ort zu gehen, an dem er weder Papiere noch Geld brauchte. Montalbano setzte sich auf den Stuhl hinter dem Tisch und öffnete nacheinander alle Schubladen. Oben links lagen Stempel, alte Briefumschläge mit der Aufschrift FIRMA LAPECORA, AURELIO – IMPORT-EXPORT, Bleistifte, Kugelschreiber, Radiergummis, nicht mehr gültige Briefmarken und zwei Schlüsselbunde. Die Witwe erklärte, es seien Zweitschlüssel für die Wohnung und das Büro. In der Schublade darunter nur mit einem Bindfaden zusammengehaltene vergilbte Briefe. Die Schublade oben rechts hielt eine Überraschung bereit: eine neue Beretta mit zwei Reservemagazinen und fünf Schachteln Munition. Signor Lapecora hätte, wenn ihm danach gewesen wäre, ein Blutbad anrichten können. Die Schublade darunter enthielt Glühbirnen, Rasierklingen, Bindfadenrollen und Gummibänder.

Der Commissario bat Galluzzo, der Gallos Posten übernommen hatte, die Waffe und die Munition ins Büro zu bringen.

»Und überprüf mal, ob die Pistole angemeldet ist.«

Im Arbeitszimmer hielt sich hartnäckig ein Geruch, der die Farbe von verbranntem Stroh hatte, obwohl der Commissario, gleich als er hereingekommen war, das Fenster aufgerissen hatte.

Die Witwe hatte sich im Wohnzimmer in einen Sessel gesetzt. Sie schien völlig unbeteiligt, als säße sie im Wartesaal eines Bahnhofs und wartete auf den Zug.

Auch Montalbano setzte sich in einen Sessel. In diesem Augenblick klingelte es an der Tür, Signora Antonietta wollte spontan aufstehen, doch der Commissario hielt sie mit einer Geste zurück.
»Galluzzo, geh du hin.«
Die Tür wurde geöffnet, man hörte eine kurze Unterhaltung, dann kam der Beamte zurück.
»Da ist einer, der sagt, er wohnt im sechsten Stock. Er will Sie sprechen. Er sagt, er sei vereidigter Nachtwächter.«
Cosentino trug Uniform, er musste zur Arbeit.
»Entschuldigen Sie die Störung, aber mir ist was eingefallen...«
»Was denn?«
»Als Signora Antonietta aus dem Bus gestiegen war und begriffen hatte, dass ihr Mann tot ist, fragte sie uns, ob er ermordet worden sei. Also, wenn mir jemand sagt, dass meine Frau tot ist, dann denke ich an alles Mögliche, wie sie gestorben ist, aber bestimmt nicht, dass sie ermordet wurde. Außer, ich hätte schon vorher an so etwas gedacht. Ich weiß nicht, ob Sie verstehen, was ich meine.«
»Doch, doch. Danke«, sagte Montalbano.
Er kehrte ins Wohnzimmer zurück; Signora Lapecora saß da wie ausgestopft.
»Haben Sie Kinder, Signora?«
»Ja.«
»Wie viele?«
»Einen Sohn.«
»Lebt er hier?«
»Nein.«

»Was macht er beruflich?«

»Er ist Arzt.«

»Wie alt ist er?«

»Zweiunddreißig.«

»Er muss benachrichtigt werden.«

»Das mache ich noch.«

Gong. Ende der ersten Runde. Als es weiterging, ergriff die Witwe die Initiative.

»Ist er erschossen worden?«

»Nein.«

»Erwürgt?«

»Nein.«

»Und wie soll er dann im Fahrstuhl umgebracht worden sein?«

»Messer.«

»Küchenmesser?«

»Wahrscheinlich.«

Die Signora erhob sich und ging in die Küche; der Commissario hörte, wie sie eine Schublade öffnete und schloss, dann kam sie zurück und setzte sich wieder.

»Da fehlt nichts.«

Der Commissario ging zum Gegenangriff über.

»Wie kommen Sie darauf, dass das Messer Ihnen gehören könnte?«

»Nur so ein Gedanke.«

»Was hat Ihr Mann gestern gemacht?«

»Was er jeden Mittwoch tat. Er ist ins Büro gegangen. Er ging montags, mittwochs und freitags hin.«

»Von wann bis wann?«

»Von zehn bis eins, dann kam er zum Mittagessen, ruhte sich ein bisschen aus, ging um halb vier wieder hin und blieb bis halb sieben.«
»Was machte er dann zu Hause?«
»Er setzte sich vor den Fernseher und blieb dort sitzen.«
»Und an den Tagen, an denen er nicht ins Büro ging?«
»Saß er genauso vor dem Fernseher.«
»Heute ist Donnerstag, Ihr Mann hätte also eigentlich zu Hause bleiben müssen.«
»So ist es.«
»Er hat sich aber angezogen, um aus dem Haus zu gehen.«
»So ist es.«
»Haben Sie eine Ahnung, wo er hinwollte?«
»Er hat nichts gesagt.«
»Als Sie die Wohnung verließen, hat Ihr Mann da noch geschlafen oder war er schon wach?«
»Er hat geschlafen.«
»Finden Sie es nicht ein bisschen seltsam, dass Ihr Mann, kaum dass Sie weg sind, plötzlich aufwacht, sich schnell fertig macht und ...«
»Vielleicht hat jemand angerufen.«
Ein klarer Punkt für die Witwe.
»Hatte Ihr Mann noch viele geschäftliche Kontakte?«
»Geschäftliche Kontakte? Er hat sein Geschäft schon vor Jahren aufgegeben.«
»Wozu ging er dann regelmäßig ins Büro?«
»Wenn ich ihn fragte, antwortete er, er ginge zum Mückengucken hin. So hat er sich ausgedrückt.«
»Sie meinen also, Signora, dass gestern nichts Ungewöhn-

liches geschehen ist, nachdem Ihr Mann aus dem Büro zurück war?«
»Nichts. Zumindest nicht bis neun Uhr abends.«
»Und was war nach neun Uhr?«
»Ich habe zwei Schlaftabletten genommen und so tief geschlafen, dass das Haus hätte einstürzen können, ich hätte nichts mitgekriegt.«
»Wenn also Signor Lapecora nach neun Uhr einen Anruf oder einen Besuch bekommen hätte, hätten Sie es nicht gemerkt.«
»Genau.«
»Hatte Ihr Mann Feinde?«
»Nein.«
»Sind Sie sicher?«
»Ja.«
»Freunde?«
»Einen. Cavaliere Pandolfo. Sie telefonierten dienstags und trafen sich auf einen Schwatz im Café Albanese.«
»Signora, haben Sie irgendeinen Verdacht, wer …«
Sie fiel ihm ins Wort.
»Einen Verdacht? Nein. Gewissheit – ja.«
Montalbano sprang von seinem Sessel auf, und Galluzzo sagte »Scheiße!«, aber ganz leise.
»Und wer soll es gewesen sein?«
»Wer es gewesen *ist*, Commissario? Seine Geliebte. Sie heißt Karima mit *k*. Eine Tunesierin. Sie trafen sich im Büro, montags, mittwochs und freitags. Die Hure ging unter dem Vorwand hin, dort zu putzen.«

Vier

Der erste Sonntag des vergangenen Jahres fiel auf den fünften Januar; die Witwe sagte, dieses fatale Datum habe sich tief in ihr Gedächtnis eingegraben.
Folgendes war geschehen: Als sie nach der Spätmesse die Kirche verließ, trat Signora Collura, die Besitzerin eines Möbelgeschäftes, auf sie zu.
»Signora, sagen Sie Ihrem Mann, dass das, was er bestellt hat, gestern gekommen ist.«
»Was denn?«
»Das Bettsofa.«
Signora Antonietta dankte und ging heim – ihr Kopf fühlte sich an, als würde er von einem Bohrer durchlöchert. Was wollte ihr Mann denn mit einem Bettsofa? Obwohl die Neugierde sie förmlich zerfraß, stellte sie Arelio keine Fragen. Kurzum, dieses Möbel kam nie ins Haus. Zwei Sonntage darauf ging Signora Antonietta auf die Möbelhändlerin zu.
»Wissen Sie was? Die Farbe des Bettsofas passt nicht zum Farbton der Wand.«
Ein Schuss ins Blaue, aber er war ein Volltreffer.
»*Signora mia*, zu mir hat er gesagt, es müsste dunkelgrün sein, wie die Tapete.«

Das zweite Zimmer im Büro war dunkelgrün; dahin hatte er das Bettsofa also bringen lassen, dieser gemeine Schuft!

Am dreizehnten Juni desselben Jahres – auch dieses Datum hatte sich tief in ihr Gedächtnis eingegraben – hatte sie den ersten anonymen Brief bekommen. Im Ganzen waren es zwischen Juni und September drei anonyme Briefe gewesen.

»Kann ich sie sehen?«, fragte Montalbano.

»Ich habe sie verbrannt. Ich hebe keine Schweinereien auf.«

In den drei anonymen Briefen – in bester Tradition aus Buchstaben zusammengesetzt, die aus Zeitungen herausgeschnitten waren – stand immer dasselbe: Ihr Mann Arelio empfange dreimal die Woche, montags, mittwochs und freitags, eine liederliche Tunesierin namens Karima, die als Nutte bekannt war. Diese Frau komme entweder vormittags oder nachmittags an den ungeraden Wochentagen. Manchmal kaufe sie, was sie zum Putzen brauche, in einem Geschäft in der gleichen Straße, aber jeder wisse, dass sie Signor Arelio besuche, um unanständige Sachen zu machen.

»Hatten Sie Gelegenheit zu... zu einer Überprüfung?«, fragte der Commissario diplomatisch.

»Ob ich mich auf die Lauer gelegt habe, um zuzuschauen, wie diese Schlampe im Büro meines Mannes ein- und ausgeht?«

»Auch.«

»Ich gebe mich für so etwas nicht her«, sagte die Signora

stolz. »Aber Anhaltspunkte hatte ich schon. Ein schmutziges Taschentuch.«
»Lippenstift?«
»Nein«, überwand sich die Witwe zu sagen und errötete leicht.
»Und eine Unterhose«, fügte sie nach einer Pause hinzu und errötete noch mehr.

Als Montalbano und Galluzzo in der Salita Granet ankamen, waren die Geschäfte in der kurzen Straße schon geschlossen. Die Nummer 28 gehörte zu einem kleinen Häuschen: Erdgeschoss, drei Stufen über dem Straßenniveau, erster und zweiter Stock. Neben der Haustür waren drei Schilder angebracht, auf einem stand: LAPECORA, AURELIO IMPORT-EXPORT ERDGESCHOSS, auf dem zweiten: NOTARIAT CANNATELLO, ORAZIO, und auf dem dritten: ANGELO BELLINO STEUERBERATER 2. ETAGE. Mit dem Schlüssel, den der Commissario aus Lapecoras Wohnung mitgenommen hatte, gelangten sie in das Büro. Der erste Raum war das eigentliche Büro: ein großer Schreibtisch, schwarzes Mahagoni, aus dem neunzehnten Jahrhundert, ein Tischchen mit einer Olivetti aus den Vierzigerjahren, vier hohe metallene Regale, die mit alten Aktenordnern vollgestopft waren. Auf dem Schreibtisch stand ein funktionierendes Telefon. Fünf Stühle waren im Büro, aber einer war kaputt und lag umgedreht in einer Ecke. Im Zimmer nebenan... Das Zimmer nebenan – das mit der dunkelgrünen Tapete – schien nicht zur selben Wohnung zu gehören: blitzsauber, großes Bettsofa,

Fernseher, Zweittelefon, Stereoanlage, Rolltischchen mit verschiedenen Spirituosen, Minikühlschrank, über dem Sofa ein schauerlicher weiblicher Akt, Hauptsache Hintern. Neben dem Sofa stand ein niedriges Möbel mit einer Lampe in nachgemachtem Jugendstil, die Schublade vollgestopft mit Präservativen aller Art.

»Wie alt war der Tote?«, fragte Galluzzo.

»Dreiundsechzig.«

»Alle Achtung!« Galluzzo pfiff anerkennend.

Das Bad war wie das dunkelgrüne Zimmer: blitzblank. Anatomisch geformtes Bidet, Wandföhn, Badewanne mit Dusche, ein großer Spiegel.

Sie gingen in den ersten Raum zurück. Sie durchwühlten die Schubladen des Schreibtisches, blätterten in ein paar Aktenordnern. Die letzte Korrespondenz lag mindestens drei Jahre zurück.

Über ihnen, in der Kanzlei des Notars Cannatello, hörten sie Schritte. Der Notar sei nicht da, teilte ihnen der Sekretar mit, ein Mann um die Dreißig, spindeldürr und traurig. Er sagte, der selige Signor Lapecora sei nur zum Zeitvertreib ins Büro gegangen. An den Tagen, an denen er dagewesen sei, sei eine hübsche Tunesierin zum Putzen gekommen.

Ach, das habe er ganz vergessen: In den letzten Monaten sei ziemlich häufig ein Neffe zu Besuch gewesen, zumindest habe der selige Signor Lapecora, als er ihnen einmal an der Haustür begegnet sei, ihn als solchen vorgestellt. Es handle sich um einen jungen Mann an die dreißig, dunkelhaarig, groß, gut gekleidet, er fahre einen metallicgrauen

BMW. Der Neffe müsse lange im Ausland gewesen sein, denn er spreche Italienisch mit einem eigenartigen Akzent. Nein, über das Nummernschild des BMW könne er nichts sagen, er habe nicht darauf geachtet. Plötzlich machte er ein Gesicht, als stehe er vor seinem von einem Erdbeben zerstörten Haus. Er sagte, er habe eine klare Meinung zu dem Verbrechen.

»Nämlich?«, fragte Montalbano.

Es sei doch immer dasselbe: ein übler Bursche auf der Suche nach Geld für Drogen.

Sie gingen wieder hinunter, und der Commissario rief vom Büro aus Signora Antonietta an.

»Warum haben Sie mir nicht gesagt, dass Sie und Ihr Mann einen Neffen haben?«

»Weil wir keinen haben.«

»Wir fahren noch mal in Lapecoras Büro zurück«, sagte Montalbano, als sie schon fast beim Kommissariat waren. Galluzzo traute sich nicht zu fragen, warum und weshalb. Im Bad neben dem dunkelgrünen Zimmer steckte der Commissario seine Nase in ein Handtuch, atmete tief ein und kramte dann in dem Schränkchen neben dem Waschbecken herum. Er fand eine Flasche *Volupté* und reichte sie Galluzzo.

»Parfümier dich.«

»Was soll ich mir parfümieren?«

»Den Hintern«, lautete die unvermeidliche Antwort.

Galluzzo tat sich etwas *Volupté* auf die Wange. Montalbano hielt seine Nase hin und schnupperte. Es passte, das war der Geruch nach der Farbe von verbranntem Stroh, den er im Arbeitszimmer in Lapecoras Wohnung wahrgenommen hatte. Er wollte ganz sichergehen und schnupperte noch mal.

Galluzzo lachte.

»Dottore, wenn uns hier jemand sähe … wer weiß, was der sich denken würde.«

Der Commissario gab keine Antwort und ging ans Telefon.

»*Pronto*, Signora? Bitte entschuldigen Sie, dass ich Sie noch mal störe. Benutzte Ihr Mann irgendein Parfum? Nein? Danke.«

Im Kommissariat betrat Galluzzo Montalbanos Büro.

»Lapecoras Beretta wurde letztes Jahr am achten Dezember angemeldet. Weil er keinen Waffenschein hatte, musste er sie immer zu Hause lassen.«

In der Zeit, als er sich entschloss, eine Waffe zu kaufen, muss er vor irgendwas Angst gehabt haben, dachte der Commissario.

»Was machen wir mit der Pistole?«

»Die behalten wir hier. Gallù, da hast du den Schlüssel zu Lapecoras Büro. Geh morgen ganz früh hin und warte dort. Schau, dass dich niemand sieht. Wenn die Tunesierin nicht weiß, was passiert ist, dann kommt sie morgen wie üblich, weil Freitag ist.«

Galluzzo verzog das Gesicht.

»Das kann ja wohl nicht sein, dass sie nichts weiß.«

»Warum? Wer hätte es ihr denn sagen sollen?«

Der Commissario hatte das Gefühl, dass Galluzzo schnell einen Rückzieher machen wollte.
»Sie wissen doch, wie das ist, eine undichte Stelle gibt's immer...«
»Deinem Schwager, dem Journalisten, hast du nicht zufällig was erzählt? Wenn du das getan hast...«
»Commissario, ich schwör's. Ich hab nichts gesagt.«
Montalbano glaubte ihm. Galluzzo war kein Lügner.
»Wie auch immer, du gehst auf jeden Fall in Lapecoras Büro.«

»Montalbano? Ich bin's, Jacomuzzi. Ich wollte dich nur über die Ergebnisse der Analysen in Kenntnis setzen.«
»*Oddio*, Jacomù, warte einen Augenblick, mein Herz klopft wie verrückt. *Dio*, wie aufregend! So, jetzt bin ich ein bisschen ruhiger. Also, setz mich in Kenntnis, wie du in deinem unvergleichlichen Bürokratisch sagst.«
»Erstens bist du ein unheilbarer Vollidiot, zweitens war der Zigarettenstummel der ganz normale Stummel einer *Nazionale* ohne Filter, im Staub vom Boden des Fahrstuhls war nichts Ungewöhnliches zu finden, und was das Holzstückchen betrifft...«
»... war es nur ein Streichholz.«
»Genau.«
»Mir stockt der Atem, ich krieg einen Herzinfarkt! Ihr habt mir den Mörder geliefert!«
»Leck mich am Arsch, Montalbà!«
»Dann hör ich dir doch lieber zu. Was hatte er in der Tasche?«

»Ein Taschentuch und einen Schlüsselbund.«
»Und was weißt du über das Messer?«
»Ein abgenutztes Küchenmesser. Zwischen Klinge und Griff steckte eine Fischschuppe.«
»Ist das alles? War es die Schuppe einer Meerbarbe oder eines Kabeljaus? Bitte ermittle weiter, lass mich nicht so furchtbar im Ungewissen.«
»Was hast du eigentlich?«
»Jacomù, versuch doch mal, dein Hirn in Gang zu setzen. Stell dir vor, wir wären in der Sahara und du würdest mir erzählen, an einem Messer, mit dem ein Tourist ermordet wurde, wäre eine Fischschuppe, dann könnte – ich sage *könnte* – die Sache wichtig sein. Aber was, zum Teufel, hat das in einer Stadt wie Vigàta zu bedeuten, wo von zwanzigtausend Einwohnern neunzehntausendneunhundertsiebzig Fisch essen?«
»Und warum essen die restlichen dreißig keinen?«, fragte Jacomuzzi beeindruckt und neugierig.
»Weil sie noch gestillt werden.«

»*Pronto?* Hier ist Montalbano. Können Sie mich bitte mit Dottor Pasquano verbinden?«
»Bleiben Sie am Apparat.«
Er konnte gerade noch den Anfang von *E te lo vojo dì / che sò stato io...* vor sich hin trällern.
»*Pronto*, Commissario? Der Dottore lässt sich entschuldigen, aber er obduziert im Moment die beiden *incaprettati* aus Costabianca. Ich soll Ihnen ausrichten, dass der Tote, den Sie meinen, vor Gesundheit strotzte und hundert

Jahre alt geworden wäre, wenn man ihn nicht umgebracht hätte. Ein einziger, gut gezielter Messerstich. Passiert ist es zwischen sieben und acht Uhr heute Morgen. Brauchen Sie sonst noch etwas?«

Im Kühlschrank fand er *pasta coi broccoli*, die er zum Aufwärmen in den Backofen stellte, als *secondo* hatte ihm seine Haushälterin Adelina *involtini di tonno* zubereitet. Er fand, er habe zu Mittag schon Diät gehalten, und fühlte sich jetzt verpflichtet, alles aufzuessen. Dann schaltete er den Fernseher an und stellte »Retelibera« ein, einen guten Lokalsender, bei dem sein Freund Nicolò Zito – rote Haare, rote Ideen – arbeitete. Zito kommentierte die Geschichte mit dem Tunesier, der auf der *Santopadre* erschossen worden war, während die Kamera detailliert die Einschüsse, die die Brücke durchlöchert hatten, und einen dunklen Fleck auf dem Holz zeigte, der möglicherweise Blut war. Plötzlich war Jacomuzzi zu sehen, der auf Knien etwas durch ein Vergrößerungsglas betrachtete.
»Witzbold!«, brummte Montalbano und schaltete auf »Televigàta« um, den Sender, bei dem Galluzzos Schwager Prestìa arbeitete. Auch hier erschien Jacomuzzi, aber diesmal war er nicht auf dem Fischkutter, sondern tat so, als nähme er in dem Fahrstuhl, in dem Lapecora ermordet worden war, Fingerabdrücke. Montalbano fluchte, stand auf und warf ein Buch gegen die Wand. Deshalb also war Galluzzo so zugeknöpft gewesen, er hatte gewusst, dass die Nachricht längst verbreitet war, und hatte sich nicht getraut, es ihm zu sagen. Bestimmt hatte Jacomuzzi den

Journalisten Bescheid gegeben, um sich in Szene zu setzen. Er konnte es einfach nicht lassen, sein Exhibitionismus erreichte Ausmaße, wie man sie sonst nur bei mittelmäßigen Schauspielern fand oder bei Schriftstellern mit Auflagen von hundertfünfzig Büchern.
Jetzt erschien Pippo Ragonese auf dem Bildschirm, der politische Kommentator des Senders. Er wolle, sagte er, über den feigen Angriff der Tunesier auf unseren Fischkutter sprechen, der friedlich in unseren Hoheitsgewässern und damit auf dem heiligen Boden des Vaterlandes gefischt habe. Boden sei es natürlich nicht, weil es sich um das Meer handele, aber Vaterland auf jeden Fall. Eine weniger kleinmütige Regierung als die jetzige, die fest in der Hand der extremen Linken sei, hätte bestimmt in aller Härte auf eine Provokation reagiert, die...
Montalbano schaltete den Fernseher aus.

Der Unmut, der ihn bei Jacomuzzis großartigem Auftritt gepackt hatte, ließ ihn nicht mehr los. Er saß in der Veranda, die auf den Strand hinausging, sah im Mondlicht aufs Meer und rauchte drei Zigaretten hintereinander. Vielleicht würde Livias Stimme ihn beruhigen, sodass er ins Bett gehen und schlafen konnte.
»*Pronto*, Livia, wie geht's dir?«
»So lala.«
»Ich hatte einen harten Tag.«
»Tatsächlich?«
Was, zum Teufel, hatte Livia denn? Da fiel ihm ein, dass das Telefongespräch am Morgen ungut geendet hatte.

»Ich rufe an, weil ich mich so blöd benommen habe und dich um Verzeihung bitten wollte. Aber nicht nur deshalb. Du weißt ja gar nicht, wie sehr ich dich vermisse...«
Er hatte das leise Gefühl, dass er etwas übertrieb.
»Vermisst du mich wirklich?«
»Ja, ganz furchtbar.«
»Gut, Salvo, dann fliege ich Samstagmorgen und bin kurz vor dem Mittagessen bei dir.«
Panik ergriff ihn; Livia fehlte gerade noch!
»Aber nein, Liebling, das ist doch so mühsam für dich...«
Wenn Livia sich etwas in den Kopf gesetzt hatte, war sie schlimmer als eine Kalabresin. Samstagmittag hatte sie gesagt, und Samstagmittag würde sie kommen. Montalbano dachte, dass er am nächsten Tag den Questore anrufen musste. Leb wohl, *pasta col nìvuro di sìccia*!

Am nächsten Tag gegen elf Uhr war im Büro nichts los, und so machte sich der Commissario gemächlich auf den Weg in die Salita Granet. Das erste Geschäft in der Straße war eine Bäckerei, die es seit sechs Jahren gab. Der Bäcker und sein Gehilfe hatten zwar gehört, dass ein Signore, der ein Büro in der Nummer 28 hatte, umgebracht worden war, aber sie kannten ihn nicht – nie gesehen. Das war unmöglich. Montalbano ließ nicht locker und kehrte dabei immer mehr den Bullen heraus, bis ihm klar wurde, dass Signor Lapecora die entgegengesetzte Straßenseite benutzte, wenn er von zu Hause ins Büro ging. Und tatsächlich – in dem Lebensmittelgeschäft in der Nummer 26 kannten sie den seligen Signor Lapecora sehr wohl! Sie kannten auch die Tunesierin, wie hieß sie noch mal, Karima, eine hübsche Frau, und ein schneller Blick, ein kleines Grinsen flogen zwischen dem Ladenbesitzer und seinen Verkäufern hin und her. Na ja, beschwören könnten sie es nicht, aber Sie verstehen schon, Commissario, so ein schönes Mädchen und allein im Haus mit einem Mann wie dem seligen Signor Lapecora, der sich für sein Alter wirklich gut gehalten hatte... Ja, er hatte einen Neffen, einen eingebildeten Lackaffen, der sein Auto oft direkt vor der Ladentür parkte, sodass Signora Micciché, die hundertfünfzig Kilo auf die Waage bringt, einmal zwischen dem Auto und der Ladentür stecken geblieben ist... Nein, das Nummernschild kannten sie nicht. Wenn es eines wie früher gewesen wäre, als PA noch Palermo und MI noch Milano hieß, dann wäre das was anderes.

Das dritte und letzte Geschäft in der Salita Granet verkaufte Elektrogeräte. Der Inhaber, Signor Zircone, Angelo, wie auf dem Schild zu lesen war, stand hinter dem Ladentisch und las Zeitung. Natürlich hatte er den Verblichenen gekannt, er hatte sein Geschäft ja schon seit zehn Jahren hier. Wenn Signor Lapecora vorbeiging – in den letzten Jahren nur montags, mittwochs und freitags –, grüßte er immer. So ein freundlicher Mensch. Ja, die Tunesierin kam auch vorbei, eine schöne Frau. Ja, manchmal auch der Neffe. Der Neffe und der Freund des Neffen.

»Welcher Freund?«, fragte Montalbano überrascht.

Es stellte sich heraus, dass Signor Zircone diesen Freund mindestens dreimal gesehen hatte: Er kam mit dem Neffen und ging mit ihm in das Haus Nummer 28. Um die

dreißig, blond, ziemlich gut beieinander. Mehr konnte er nicht sagen. Das Autokennzeichen? Soll das ein Witz sein? Bei diesen Nummernschildern, bei denen man nicht kapiert, ob einer Christ oder Türke ist? Ein metallicgrauer BMW, jedes weitere Wort wäre gelogen.
Der Commissario klingelte an der Tür des Büros. Niemand öffnete, Galluzzo überlegte hinter der Tür wahrscheinlich, was er jetzt tun sollte.
»Ich bin's, Montalbano.«
Sofort ging die Tür auf.
»Die Tunesierin ist noch nicht aufgetaucht«, sagte Galluzzo.
»Sie wird auch nicht auftauchen. Du hattest Recht, Gallù.«
Der Polizist sah betreten zu Boden.
»Wer hat die Meldung rausgegeben?«
»Dottor Jacomuzzi.«
Galluzzo hatte es sich, um sich beim Wachehalten die Zeit zu vertreiben, gemütlich gemacht. Er hatte sich einen Stapel alter Nummern des »Venerdì di Repubblica« geholt, die Signor Lapecora ordentlich in einem Regalfach, in dem nicht so viele Aktenordner standen, gesammelt hatte, und sie auf der Suche nach Seiten, auf denen mehr oder weniger nackte Mädchen abgebildet waren, über den Schreibtisch verteilt. Als er mit dem Anschauen fertig war, hatte er sich den Kreuzworträtseln in einer vergilbten Zeitschrift gewidmet.
»Muss ich den ganzen Tag hierbleiben?«, fragte er betrübt.
»Ich glaub schon, nimm's nicht so tragisch. Ich geh mal schnell bei Signor Lapecora aufs Klo.«

Es kam nicht oft vor, dass er außerplanmäßig musste, vielleicht hatte sein Ärger über Jacomuzzi, der gestern Abend im Fernsehen diese Show abgezogen hatte, seinen Verdauungsrhythmus durcheinander gebracht.
Er setzte sich auf die Kloschüssel und stieß befriedigt den rituellen Seufzer aus, und genau in diesem Moment erschien glasklar ein Bild vor seinen Augen, etwas, das er vor ein paar Minuten gesehen und dem er keinerlei Bedeutung beigemessen hatte.
Er sprang auf und rannte ins Zimmer nebenan, wobei er Hose und Unterhose mit einer Hand auf Halbmast hielt.
»Keine Bewegung!«, befahl er Galluzzo, der vor Schreck leichenblass wurde und reflexartig die Hände hob.
Da war es ja, direkt neben Galluzzos Ellenbogen, ein halbfett gedrucktes schwarzes *R*, sorgfältig aus einer Zeitung ausgeschnitten. Nein, nicht aus einer Zeitung: aus einer Zeitschrift, denn das Papier glänzte matt.
»Was ist denn los?«, brachte Galluzzo gerade noch heraus.
»Es kann alles sein oder auch nichts«, antwortete der Commissario, als wäre er die Sibylle von Cumae.
Er zog die Hose hoch, machte den Gürtel zu, wobei er den Hosenschlitz offen ließ, und griff zum Telefon.
»Verzeihen Sie die Störung, Signora. An welchem Datum, sagten Sie, haben Sie den ersten anonymen Brief bekommen?«
»Am dreizehnten Juni letzten Jahres.«
Er bedankte sich und legte auf.
»Hilf mir mal, Gallù. Wir ordnen sämtliche Nummern dieser Zeitschrift und schauen, ob Seiten fehlen.«

Sie wurden fündig: Aus der Nummer vom siebten Juni waren zwei Seiten herausgerissen.
»Wir suchen weiter«, sagte der Commissario.
In der Nummer vom dreißigsten Juli fehlten zwei Seiten, ebenso in der vom ersten September.
Die drei anonymen Briefe waren offensichtlich hier im Büro angefertigt worden.
»Bitte entschuldige mich einen Augenblick«, sagte Montalbano wohl erzogen.
Galluzzo hörte ihn im Klo singen.

Fünf

»Signor Questore? Hier ist Montalbano. Es tut mir wirklich sehr leid, aber ich kann morgen Abend nicht zu Ihnen zum Essen kommen.«

»Tut Ihnen leid, dass wir uns nicht sehen können, oder ist es die *pasta al nero di seppia*?«

»Beides.«

»Wenn es um eine berufliche Verpflichtung geht, kann ich nicht...«

»Es ist nichts Berufliches... Es ist nur so, dass für vierundzwanzig Stunden meine... meine...«

Verlobte? Das klang so antiquiert. Freundin? In dem Alter, in dem sie beide waren?

»Frau?«, schlug der Questore vor.

»Genau.«

»Signorina Livia Burlando muss Sie sehr gern haben, wenn sie eine so lange und anstrengende Reise auf sich nimmt.«

Er hatte seinem Chef nie etwas von Livia erzählt, offiziell konnte er von ihrer Existenz gar nichts wissen. Nicht mal, als Montalbano im Krankenhaus gelegen hatte, nachdem er bei einer Schießerei verletzt worden war, waren sich die beiden begegnet.

»Wir würden sie gern kennenlernen«, sagte der Questore, »meine Frau würde sich sehr freuen. Bringen Sie sie morgen Abend einfach mit.«
Das Festmahl am Samstag war gerettet.

»Spreche ich mit Signor Commissario? Mit ihm persönlich?«
»Ja, Signora, ich bin dran.«
»Ich wollte Ihnen etwas bezüglich des Signore sagen, der gestern früh umgebracht wurde.«
»Kannten Sie ihn?«
»Eigentlich nicht. Ich habe nie mit ihm gesprochen. Sogar seinen Namen habe ich erst gestern Abend in den Nachrichten erfahren.«
»Signora, ist das, was Sie mir zu sagen haben, wirklich wichtig?«
»Ich denke schon.«
»Gut. Kommen Sie heute Nachmittag gegen fünf zu mir ins Büro.«
»Ich kann nicht.«
»Dann eben morgen.«
»Auch morgen nicht. Ich bin gelähmt.«
»Ich verstehe. Ich komme zu Ihnen, auch sofort.«
»Ich bin immer zu Hause.«
»Wo wohnen Sie, Signora?«
»Salita Granet 23. Ich heiße Clementina Vasile Cozzo.«

Auf dem Weg zu der Verabredung hörte er, wie jemand nach ihm rief. Es war Maggiore Marniti, der mit einem jüngeren Offizier an einem Tischchen vor dem Café Albanese saß.

»Ich möchte Ihnen Tenente Piovesan vorstellen, den Kapitän des Patrouillenboots *Fulmine*, das ...«

»Montalbano, freut mich«, sagte der Commissario. Aber er freute sich keineswegs. Die Geschichte mit dem Fischkutter war er losgeworden, warum zogen sie ihn nun doch wieder hinein?

»Trinken Sie einen Kaffee mit uns.«

»Ich habe wirklich zu tun.«

»Nur fünf Minuten.«

»Na gut, aber ohne Kaffee.«

Er setzte sich.

»Bitte, sprechen Sie«, sagte Marniti zu Piovesan.

»Per me, no xe vero gnente.«

»Was, meinen Sie, stimmt hinten und vorn nicht?«

»Mir stößt die Geschichte mit dem Fischkutter ganz schön auf. Wir haben um ein Uhr nachts Mayday von der *Santopadre* empfangen, sie gab uns ihre Position durch und teilte uns mit, sie werde von dem Patrouillenboot *Rameh* verfolgt.«

»Welche Position war es?«, erkundigte sich der Commissario zu seinem eigenen Bedauern.

»Kurz außerhalb unserer Hoheitsgewässer.«

»Und Sie sind sofort losgefahren.«

»Eigentlich hätte das Patrouillenboot *Lampo* hinfahren müssen, das war am nächsten dran.«

»Und warum ist die *Lampo* nicht gefahren?«

»Weil eine Stunde zuvor ein Fischerboot, bei dem durch

ein Leck Wasser eindrang, einen Notruf abgesetzt hatte. Der *Lampo* ist noch die *Tuono* hinterhergefahren, und deshalb war ein weites Gebiet auf dem Meer unbewacht.«

Fulmine, Lampo, Tuono – Blitzschlag, Blitz und Donner: ziemlich mies, das Wetter bei der Marine, dachte Montalbano. Aber er sagte:

»Und natürlich war weit und breit kein Fischerboot in Seenot zu sehen.«

»Natürlich nicht. Und auch ich, als ich dann an Ort und Stelle war, fand weder eine Spur von der *Santopadre* noch von der *Rameh*, die übrigens in dieser Nacht sicher nicht auf Patrouille war. Ich weiß nicht recht, aber die Sache stinkt.«

»Wonach?«, fragte Montalbano.

»Nach Schmuggel.«

Der Commissario erhob sich, breitete die Arme aus und zog die Schultern hoch.

»Was soll man da machen? Trapani und Mazàra haben die Ermittlungen übernommen.«

Montalbano konnte eben gut schauspielern.

»Commissario! Dottore Montalbano!« Jetzt rief ihn schon wieder jemand. Wie groß waren seine Chancen wohl, noch vor Mitternacht bei Signora – oder Signorina – Clementina anzukommen? Er wandte sich um: Es war Gallo, der hinter ihm herlief.

»Was ist denn?«

»Gar nichts. Ich hab Sie gesehen, und da hab ich Sie gerufen.«

»Wo gehst du denn hin?«
»Galluzzo hat mich von Lapecoras Büro aus angerufen. Jetzt kauf ich ein paar *panini* und leiste ihm Gesellschaft.«
Salita Granet 23 lag der Nummer 28 direkt gegenüber, die beiden Häuser sahen genau gleich aus.

Clementina Vasile Cozzo war eine elegant gekleidete siebzigjährige Dame. Sie saß im Rollstuhl. Die Wohnung war tipptopp. Gefolgt von Montalbano, rollte sie ganz nah an ein Fenster mit Gardinen. Sie machte dem Commissario ein Zeichen, sich einen Stuhl zu holen und sich ihr gegenüberzusetzen.
»Ich bin Witwe«, begann sie, »aber mein Sohn Giulio lässt es mir an nichts fehlen. Ich bin pensioniert, früher war ich Grundschullehrerin. Mein Sohn zahlt mir eine Haushälterin, die sich um mich und die Wohnung kümmert. Sie kommt dreimal täglich, morgens, mittags und abends, wenn ich ins Bett gehe. Meine Schwiegertochter, die mich liebt wie eine eigene Tochter, kommt mindestens einmal am Tag vorbei, ebenso Giulio. Abgesehen von diesem Unfall, der vor sechs Jahren passiert ist, kann ich mich nicht beklagen. Ich höre Radio und sehe fern, aber vor allem lese ich. Da, sehen Sie!«
Sie zeigte auf zwei mit Büchern vollgestopfte Regale.
Wann würde die Signora – und nicht Signorina, wie er jetzt wusste – wohl zur Sache kommen?
»Es war mir wichtig, Ihnen das alles zu sagen, denn Sie sollen wissen, dass ich kein klatschsüchtiges altes Weib bin, das seine Zeit damit verbringt, andere Leute zu beob-

achten. Aber manchmal sieht man eben Dinge, die man eigentlich nicht sehen will.«

Das schnurlose Telefon, das die Signora auf einer Ablage neben der Armlehne liegen hatte, klingelte.

»Giulio? Ja, der Commissario ist gerade bei mir. Nein, ich brauche nichts. Bis später.«

Lächelnd sah sie Montalbano an.

»Giulio war gegen unser Treffen. Er wollte nicht, dass ich mich in Dinge einmische, die mich nichts angehen, wie er meint. Jahrzehntelang haben die anständigen Leute hier nichts anderes getan, als immer wieder zu sagen, dass die Mafia sie nichts angehe, das sei deren Sache. Aber ich habe meine Schüler gelehrt, dass das *nenti vitti, nenti sacciu* – ich weiß nichts, ich habe nichts gesehen – die schlimmste aller Todsünden ist. Und jetzt, wo es an mir ist zu erzählen, was ich gesehen habe, da kann ich doch nicht kneifen!«

Sie schwieg und seufzte. Signora Clementina Vasile Cozzo gefiel Montalbano immer besser.

»Bitte entschuldigen Sie, ich schweife ab. Vierzig Jahre lang habe ich als Lehrerin nichts anderes getan, als zu reden. Es ist mir zur Gewohnheit geworden. Stehen Sie auf.«

Montalbano war ein braver Schüler und gehorchte.

»Stellen Sie sich hinter mich und beugen Sie sich bis zu meinem Kopf herunter.«

Als der Commissario ihr so nahe war, dass man hätte meinen können, er flüstere ihr etwas ins Ohr, schob die Signora die Gardine beiseite.

Es war fast, als wäre er selbst im ersten Zimmer des Büros

von Signor Lapecora, denn die Scheibengardinen waren zu dünn, als dass sie den Blick hinein verwehrt hätten. Gallo und Galluzzo aßen *panini*, die eigentlich halbe Brotlaibe waren. Zwischen ihnen eine Flasche Wein und zwei Pappbecher. Das Fenster bei Signora Clementina lag etwas höher als das andere, und durch einen merkwürdigen Effekt dieses Blickwinkels erschienen die beiden Polizisten und die Gegenstände im Zimmer leicht vergrößert.
»Im Winter, wenn sie das Licht einschalteten, sah man besser«, erklärte die Signora und ließ die Gardine fallen.
Montalbano setzte sich wieder hin.
»Und, Signora, was haben Sie gesehen?«, fragte er.
Clementina Vasile Cozzo sagte es ihm.

Als sich der Commissario nach ihrem Bericht verabschieden wollte, hörte er, wie die Wohnungstür auf- und wieder zuging.
»Das Dienstmädchen kommt«, sagte Signora Clementina.
Eine kleine stämmige Frau Anfang zwanzig mit strengem Gesichtsausdruck trat ein und musterte den Eindringling kritisch.
»Alles in Ordnung?«, fragte sie argwöhnisch.
»Ja, alles in Ordnung.«
»Dann gehe ich in die Küche und setze Wasser auf«, sagte sie und ging, ganz und gar nicht beruhigt, hinaus.
»Also, Signora, dann danke ich Ihnen und...«, begann der Commissario und erhob sich.
»Bleiben Sie doch zum Essen.«
Montalbano fühlte, wie sein Magen ganz blass wurde.

Signora Clementina war ja lieb und nett, aber sie ernährte sich bestimmt von Grießbrei und Kartoffeln.
»Ich habe wirklich viel zu …«
»Pina, mein Mädchen, kocht hervorragend, glauben Sie mir. Heute gibt es *pasta alla Norma*, Sie wissen schon, *pasta* mit gebratenen Auberginen und gesalzener Ricotta.«
»Gesù!«, sagte Montalbano und setzte sich wieder hin.
»Und danach einen Schmorbraten.«
»Gesù!«, sagte Montalbano noch mal.
»Worüber wundern Sie sich denn?«
»Ist so eine Mahlzeit nicht ein bisschen schwer für Sie?«
»Warum? Mein Magen ist besser als der einer Zwanzigjährigen, die den ganzen Tag mit einem halben Apfel und einem Glas Karottensaft auskommt. Sie teilen doch wohl nicht die Meinung meines Sohnes Giulio?«
»Ich hatte noch nicht das Vergnügen, diese kennen zu lernen.«
»Er sagt, in meinem Alter zieme es sich nicht, solche Sachen zu essen. Er findet mich ein bisschen schamlos. Seiner Meinung nach müsste ich mich von Breichen ernähren. Also? Bleiben Sie?«
»Ich bleibe«, sagte Montalbano entschieden.

Er überquerte die Straße, stieg die drei Stufen hinauf und klopfte an die Tür des Büros. Gallo öffnete.
»Ich habe Galluzzo abgelöst«, erklärte er und fragte dann: »Dottore, kommen Sie vom Büro?«
»Nein, warum?«
»Fazio hat angerufen, er wollte wissen, ob wir Sie gesehen

haben. Er sucht Sie. Er muss Ihnen was Wichtiges sagen.«
Der Commissario lief zum Telefon.
»Bitte entschuldigen Sie, Commissario, aber ich glaube, es ist wirklich wichtig. Erinnern Sie sich, dass Sie mich gestern Abend gebeten haben, wegen dieser Karima eine Suchmeldung per Telex rauszugeben? Und jetzt hat vor einer halben Stunde Dottor Mancuso von der Ausländerpolizei in Montelusa angerufen. Er sagt, er hätte aus purem Zufall erfahren, wo die Tunesierin wohnt.«
»Wo denn?«
»In Villaseta, Via Garibaldi 70.«
»Ich komme sofort, dann fahren wir hin.«

Am Eingang zum Kommissariat wurde er von einem etwa vierzigjährigen eleganten Herrn aufgehalten.
»Sind Sie Dottor Montalbano?«
»Ja, aber ich habe keine Zeit.«
»Ich warte schon seit zwei Stunden auf Sie. Ihre Mitarbeiter wussten nicht, ob Sie überhaupt noch kommen würden. Ich bin Antonino Lapecora.«
»Der Sohn? Der Arzt?«
»Ja.«
»Mein Beileid. Kommen Sie herein. Aber nur fünf Minuten.«
Fazio kam ihnen entgegen.
»Der Wagen steht vor der Tür.«
»Wir fahren in fünf Minuten. Ich muss noch mit dem Signore hier sprechen.«
Sie betraten Montalbanos Zimmer; der Commissario bat

den Arzt, Platz zu nehmen, er selbst setzte sich hinter seinen Schreibtisch.

»Bitte.«

»Nun, Commissario, ich lebe seit etwa fünfzehn Jahren in Valledolmo, wo ich meinen Beruf ausübe. Ich bin Kinderarzt. In Valledolmo habe ich auch geheiratet. Damit will ich nur erklären, dass die Beziehung zu meinen Eltern unvermeidlich nicht mehr so eng ist. Unter uns gesagt, hatten wir nie ein besonders inniges Verhältnis. Wir verbrachten die hohen Feiertage miteinander, das schon, wir telefonierten auch alle vierzehn Tage einmal. Deshalb war ich sehr überrascht, als ich Anfang Oktober letzten Jahres einen Brief von meinem Vater bekam. Ich habe ihn dabei.«

Er griff in die Jackettasche, zog den Brief heraus und reichte ihn dem Commissario.

> Liebster Nino, ich weiß, dass du dich über diesen Brief wundern wirst. Eigentlich wollte ich nicht, dass du von einer Angelegenheit erfährst, in die ich verwickelt bin und die inzwischen sehr ernst für mich zu werden droht. Aber jetzt ist mir klar, dass ich so nicht weitermachen kann. Ich brauche unbedingt deine Hilfe. Komm sofort. Und sag Mamma nichts von diesem Brief. Kuss, Papà

»Und, was haben Sie gemacht?«

»Na ja ... Ich musste zwei Tage später nach New York ... Ich war einen Monat lang fort. Als ich zurückkam, rief ich meinen Vater an und fragte ihn, ob er mich noch brauche, und er sagte Nein. Später haben wir uns getroffen, aber er hat nicht mehr davon gesprochen.«

»Haben Sie eine Idee, worum es sich bei der bedrohlichen Geschichte, die Ihr Vater erwähnte, handeln könnte?«

»Damals dachte ich, es gehe um die Firma, die er gründen wollte, obwohl ich entschieden dagegen war. Wir haben uns sogar gestritten. Dazu kam noch, dass meine Mutter mir gegenüber ein Verhältnis meines Vaters mit einer Frau erwähnte, das ihn zu hohen Ausgaben zwang …«

»Moment. Sie glaubten also, dass es bei der Hilfe, um die Ihr Vater Sie bat, hauptsächlich um ein Darlehen oder etwas Ähnliches ging?«

»Wenn ich ehrlich sein soll, ja.«

»Und Sie haben sich nicht darum gekümmert, obwohl der Brief so besorgt und beunruhigend klang.«

»Nun ja, schauen Sie …«

»Verdienen Sie gut, Dottore?«

»Ich kann mich nicht beklagen.«

»Eine Frage: Warum wollten Sie mir den Brief zeigen?«

»Weil jetzt, nach dem Mord, alles anders aussieht. Ich dachte mir, der Brief könnte bei den Ermittlungen von Nutzen sein.«

»Nein, das kann er nicht«, sagte Montalbano ruhig. »Nehmen Sie ihn wieder mit, und bewahren Sie ihn gut auf. Haben Sie Kinder, Dottore?«

»Eines. Calogerino, er ist vier.«

»Ich hoffe für Sie, dass Sie Ihren Sohn niemals brauchen werden.«

»Warum?«, fragte Dottor Antonino Lapecora irritiert.
»Der Apfel fällt nicht weit vom Stamm – wenn das wirklich so ist, säßen Sie schön in der Scheiße.«
»Was erlauben Sie sich?«
»Wenn Sie nicht innerhalb von zehn Sekunden verschwinden, lasse ich Sie unter irgendeinem Vorwand verhaften.«
Der Dottore verließ so fluchtartig das Zimmer, dass der Stuhl, auf dem er gesessen hatte, umkippte.
Aurelio Lapecora hatte seinen Sohn verzweifelt um Hilfe gebeten, doch der hatte mal eben einen Ozean zwischen sich und den Vater gebracht.

Bis vor dreißig Jahren bestand Villaseta aus etwa zwanzig Häusern oder vielmehr Hütten, die auf halbem Weg zwischen Vigàta und Montelusa links und rechts die Provinciale säumten. Doch in den Jahren des Wirtschaftsbooms gesellte sich zur Bauwut (auf der die Verfassung unseres Landes zu fußen scheint: »Italien ist eine Republik, die sich auf die Bautätigkeit gründet«) auch noch der Straßenbauwahn, und so war Villaseta eines Tages zur Schnittstelle von drei Schnellstraßen, einer Überlandstraße, einem so genannten »Hosenträger«, zwei Provinciali und drei Interprovinciali geworden. Einige dieser Straßen bereiteten dem leichtsinnigen ortsunkundigen Reisenden nach ein paar Kilometern touristischen Panoramas mit zweckmäßigerweise rot angestrichenen Leitplanken, an denen Richter, Polizisten, Carabinieri, Steuerfahnder und sogar Gefängniswärter ermordet worden waren, die Überraschung, unerklärlicher- oder allzu erklärlicherweise am Fuß eines

Hügels zu enden, der so öde war, dass man argwöhnen musste, er sei noch nie von einem Menschen betreten worden. Andere Straßen indes hörten unversehens am Meeresufer auf, am Strand mit seinem hellen feinen Sand, wo weit und breit kein Haus und bis zum Horizont kein Schiff zu sehen war und der leichtsinnige Reisende leicht dem Robinson-Syndrom anheimfallen konnte.

Villaseta, wo man immer schon dem Hauptinstinkt gefolgt war, rechts und links jedweder Straße Häuser hinzustellen, entwickelte sich in kürzester Zeit zu einem ausgedehnten Labyrinth.

»Wie sollen wir denn da die Via Garibaldi finden?«, jammerte Fazio, der am Steuer saß.

»Wo sind die Vororte von Villaseta?«, erkundigte sich der Commissario.

»An der Straße nach Butera.«

»Da fahren wir hin«, sagte Montalbano zu Fazio.

»Woher wissen Sie, dass die Via Garibaldi dort ist?«

»Überleg mal, Fazio.«

Er wusste, dass er nicht irrte. Er hatte selbst beobachten können, dass in den Jahren unmittelbar vor dem erwähnten Wirtschaftswunder im Zentrum jedes Dorfes und jeder Stadt die Straßen zur gebührenden Erinnerung nach den Vätern des Vaterlandes benannt worden waren (zum Beispiel Mazzini, Garibaldi, Cavour) sowie nach alten Politikern (Orlando, Sonnino, Crispi) und Klassikern (Dante, Petrarca, Carducci; Leopardi traf man seltener an). Nach dem Boom hatten sich die Straßennamen geändert – Väter des Vaterlandes, alte Politiker und Klassiker landeten in der Peripherie, während Pasolini, Pirandello, De Filippo, Togliatti, De Gasperi und der unvermeidliche Kennedy ins Zentrum einzogen (natürlich John und nicht Bob Kennedy, obwohl Montalbano in einem abgelegenen Dorf in den Monti Nebrodi mal auf eine Piazza F.lli Kennedy, einen Gebr.-Kennedy-Platz, gestoßen war).

Der Commissario hatte zwar Recht, aber auch wieder Unrecht. Recht hatte er, weil an der Straße nach Butera, wie er vorausgesehen hatte, tatsächlich die Zentrifugalverschiebung der historischen Namen stattgefunden hatte. Unrecht hatte er, weil die Straßen dieses sogenannten Viertels nicht nach den Vätern des Vaterlandes, sondern, weiß der Himmel warum, nach Verdi, Bellini, Rossini und Donizetti benannt waren. Fazio beschloss entmutigt, einen alten Bauern, der auf einem mit dürren Ästen beladenen Esel saß, um Auskunft zu bitten. Aber der Esel wollte einfach nicht stehen bleiben, und so war Fazio gezwungen, den Motor zu drosseln und ganz langsam neben ihm herzufahren.
»Können Sie uns bitte sagen, wo die Via Garibaldi ist?«
Der Alte schien nicht gehört zu haben.
»Wo geht's denn zur Via Garibaldi raus?«, fragte Fazio noch mal etwas lauter.
Der Alte wandte sich um und sah den Fremden zornig an.
»Garibaldi raus? In unserem Land geht alles den Bach runter, und da sagen Sie Garibaldi raus? Her mit Garibaldi! Er soll wiederkommen, und zwar sofort, und diesem Sauhaufen mal richtig in den Arsch treten!«

Sechs

Die Via Garibaldi, die sie schließlich doch noch fanden, grenzte an das unwirtliche gelbe Hinterland, das hin und wieder vom Grün eines kümmerlichen Gärtchens unterbrochen wurde. Die Nummer 70 war ein kleines Haus aus unverputztem Sandstein. Zwei Zimmer: Das untere betrat man durch eine ziemlich niedrige Tür neben einem schmalen Fenster; das obere, das einen kleinen Balkon hatte, erreichte man über eine Außentreppe. Fazio klopfte, und nach einer Weile öffnete eine alte Frau, die in ein verschlissenes, aber sauberes weites Hemd, eine *gallabiya*, gekleidet war. Als sie die beiden sah, erging sie sich in einem Schwall arabischer Worte, in den sich ab und zu spitze Schreie mischten.

»Na dann, gut Nacht«, stellte Montalbano irritiert fest und verlor sogleich den Mut (der Himmel war wieder leicht bewölkt).

»Warte mal!«, sagte Fazio zu der Alten und streckte ihr in der internationalen Geste, die »stopp« bedeutet, seine Handflächen entgegen. Die Alte verstand und verstummte augenblicklich.

»Ka-ri-ma?«, fragte Fazio, und weil er fürchtete, den Namen nicht richtig ausgesprochen zu haben, wackelte er

mit den Hüften und strich sich über eine ebenso wallende wie imaginäre Haarpracht. Die Alte lachte.
»Karima!«, sagte sie und wies mit dem Zeigefinger zu dem oberen Zimmer.
Sie stiegen die Außentreppe hinauf – Fazio vornweg, in der Mitte Montalbano und dann die Alte, die unverständliches Zeug vor sich hin kreischte. Fazio klopfte, aber niemand antwortete. Das Gekreisch der Alten wurde noch lauter. Fazio klopfte wieder. Da schob die Alte resolut den Commissario beiseite, überholte ihn, drängte Fazio weg, stellte sich mit dem Rücken zur Tür, machte Fazio nach, indem sie sich übers Haar strich und mit den Hüften wakkelte, und ließ ihrer Mimik die Geste folgen, die »weggegangen« besagte; dann senkte sie die ausgestreckte Hand, hob sie wieder, spreizte die Finger und wiederholte die Geste »weggegangen«.
»Hatte sie ein Kind dabei?«, fragte der Commissario erstaunt.
»Sie ist mit ihrem fünfjährigen Sohn weggegangen, wenn ich das richtig verstanden habe«, bestätigte Fazio.
»Ich will mehr darüber wissen«, sagte Montalbano. »Ruf im Ausländeramt in Montelusa an, sie sollen jemanden schicken, der Arabisch kann. So schnell wie möglich.«
Fazio ging, gefolgt von der Alten, die ununterbrochen auf ihn einredete. Der Commissario setzte sich auf eine Stufe, zündete sich eine Zigarette an und startete ein Wettstillsitzen mit einer Eidechse.
Buscaìno, der Polizeibeamte, der Arabisch sprach, weil er in Tunesien geboren war und bis zu seinem fünfzehnten

Lebensjahr dort gelebt hatte, kam bereits nach einer knappen Dreiviertelstunde. Als die Alte hörte, dass der Neuankömmling ihrer Sprache mächtig war, entschied sie sich unverzüglich zur Kooperation.

»Sie sagt, sie will alles dem Onkel erzählen«, übersetzte Buscaìno.

Erst ein Kind und jetzt auch noch ein Onkel?

»Und wer soll das sein?«, fragte Montalbano verblüfft.

»Der Onkel, also, der Onkel wären Sie, Commissario«, erklärte der Beamte, »das ist eine respektvolle Anrede. Sie sagt, dass Karima gestern früh gegen neun gekommen ist, ihren Sohn geholt hat und schnell wieder weggegangen ist. Sie meint, dass sie sehr nervös wirkte, als hätte sie Angst gehabt.«

»Hat sie den Schlüssel zu dem oberen Zimmer?«

»Ja«, sagte der Beamte, nachdem er gefragt hatte.

»Lass ihn dir geben, dann schauen wir mal rein.«

Während sie die Treppe hinaufstiegen, redete die Alte ohne Punkt und Komma, und Buscaìno übersetzte schnell. Karimas Sohn war fünf Jahre alt; die Mutter ließ ihn, wenn sie arbeiten ging, bei der Alten; der Junge hieß François, sein Vater war ein Franzose, der in Tunesien auf Durchreise gewesen war.

Karimas Zimmer war blitzsauber, es gab ein Doppelbett, ein Bettchen für das Kind, abgetrennt durch einen Vorhang, einen kleinen Tisch mit Telefon und Fernseher, einen größeren Tisch mit vier Stühlen, ein Toilettentischchen mit vier schmalen Schubladen und einen Schrank. Zwei der Schubladen waren voller Fotografien. In einem Winkel be-

fand sich hinter einer Schiebetür aus Plastik ein Kämmerchen mit Toilette, Bidet und Waschbecken. Hier roch es sehr intensiv nach *Volupté*, dem Parfum, das der Commissario schon in Lapecoras Büro gerochen hatte. Außer dem Balkon gab es noch ein Fenster, das hinten auf einen kleinen gepflegten Garten hinausging.
Montalbano nahm eine der Fotografien; sie zeigte eine schöne Frau Anfang dreißig mit dunkler Haut und großen, ausdrucksvollen Augen, die ein Kind an der Hand hielt.
»Frag sie, ob das Karima und François sind.«
»Ja«, sagte Buscaìno.
»Wo essen sie denn? Hier steht nirgends ein Herd.«
Die Alte und der Beamte unterhielten sich lebhaft miteinander, dann berichtete Buscaìno, dass das Kind immer bei der Alten aß und Karima auch, wenn sie daheim war, was abends manchmal vorkam.
Empfing sie zu Hause Männer?
Die Alte war ganz empört, als sie die Übersetzung vernahm. Karima sei beinah ein *dschinn*, eine Heilige, ein Mittelding zwischen Mensch und Engel, niemals könne sie *haram*, etwas Unerlaubtes, machen, sie verdiene sich ihr Brot im Schweiße ihres Angesichts als Dienerin, indem sie Männern ihren Dreck wegputze. Sie sei ein gutes Mädchen und sehr großzügig; für Einkäufe, Kinderhüten und Putzen gebe Karima ihr viel mehr, als sie dafür brauche, und nie wolle sie das Restgeld haben. Der Onkel, sprich Montalbano, sei doch gewiss ein feinfühliger und rechtschaffener Mann, wie könne er da so etwas von Karima denken?

»Erklär ihr«, sagte Montalbano und sah sich dabei die Fotografien in der Schublade an, »dass Allah groß und barmherzig ist, aber wenn sie Scheiße redet, wird Allah sicher böse, weil sie die Justiz hinters Licht führt, und dann schaut sie ziemlich blöd aus der Wäsche.«

Buscaìno übersetzte gewissenhaft, und die Alte schwieg, als ob ein Federantrieb abgelaufen wäre. Dann zog ein inwendiges Schlüsselchen ihn wieder auf, und die Alte fing erneut an, in einer Tour zu quasseln. Der Onkel sei sehr weise und habe natürlich Recht, er sehe das ganz richtig. In den letzten zwei Jahren habe Karima öfter Besuch von einem jungen Mann erhalten, der in einem großen Auto gekommen sei.

»Frag sie, welche Farbe es hatte.«

Der Dialog zwischen der Alten und Buscaìno war lang und mühselig.

»Ich glaube, sie meint metallicgrau.«

»Was taten dieser junge Mann und Karima?«

Was ein Mann und eine Frau eben machen, Onkel. Die Alte hatte über ihrem Kopf das Bett quietschen hören.

Verbrachte er die Nächte bei Karima?

Nur einmal, und am nächsten Morgen hatte er Karima mit dem Auto zur Arbeit gefahren.

Aber er war ein böser Mann. Einmal war nachts ein furchtbarer Krach gewesen.

Karima hatte geschrien und geweint, und dann war der böse Mann weggefahren.

Die Alte war raufgelaufen und hatte Karima schluchzend vorgefunden, Schläge hatten Spuren auf ihrem nackten

Körper hinterlassen. François war zum Glück nicht aufgewacht.
Hat der böse Mann sie zufällig auch Mittwochabend besucht?
Woher wusste der Onkel das nur? Ja, er war da, hat aber nichts mit Karima gemacht, er hat sie im Auto mitgenommen.
Um wie viel Uhr?
Vielleicht um zehn. Karima hatte François zu ihr runtergeschickt und gesagt, sie werde über Nacht wegbleiben. Sie kam am nächsten Morgen gegen neun zurück und verschwand dann mit dem Kind.
Hat der böse Mann sie begleitet?
Nein, sie kam mit dem Bus. Aber der böse Mann erschien eine Viertelstunde nachdem Karima und ihr Sohn weggegangen waren. Als er erfuhr, dass die Frau nicht da war, stieg er wieder ins Auto und fuhr los, um sie zu suchen.
Hat Karima gesagt, wo sie hin wollte?
Nein, sie hat gar nichts gesagt. Sie selbst hat gesehen, wie die beiden zu Fuß Richtung Villaseta Vecchia gingen, da ist die Bushaltestelle.
Hatte sie einen Koffer dabei?
Ja, einen ganz kleinen.
Die Alte solle nachsehen, ob etwas aus dem Zimmer fehle. Sie riss den Schrank auf, woraufhin sich augenblicklich eine Wolke *Volupté* ins Zimmer entlud, öffnete ein paar Schubladen und wühlte darin herum.
Schließlich sagte sie, Karima habe eine Hose, eine Bluse und Slips in ihrem Koffer, Büstenhalter trage sie keinen.

Dann habe sie noch Kleidung zum Wechseln und Wäsche für den Kleinen eingepackt.
Sie solle genau hinschauen, ob sonst noch etwas fehle.
Ja, das große Buch, das immer neben dem Telefon lag.
Es stellte sich heraus, dass das Buch eine Art Notiz- und Tagebuch war. Bestimmt hatte Karima es mitgenommen.
»Sie geht davon aus, dass sie nicht lange fortbleibt«, stellte Fazio fest.
»Frag sie«, sagte der Commissario zu Buscaìno, »ob Karima oft über Nacht wegblieb.«
Nicht oft, manchmal. Aber sie sagte immer Bescheid.
Montalbano dankte Buscaìno und fragte ihn:
»Kannst du Fazio nach Vigàta mitnehmen?«
Fazio sah seinen Chef erstaunt an.
»Warum, was machen Sie denn?«
»Ich bleibe noch ein bisschen hier.«

Unter den vielen Fotografien, die der Commissario sich jetzt genauer ansah, war ein großer gelber Umschlag mit zwei Dutzend Aktfotos von Karima, mal in provozierender, mal in eindeutig obszöner Pose, eine Art Musterkatalog für wirklich erstklassige Ware. Warum hatte eine solche Frau keinen Ehemann oder reichen Geliebten gefunden, der für sie sorgte, sondern war zur Prostitution gezwungen? Auf einem Foto sah die hochschwangere Karima verliebt zu einem großen blonden Mann hoch, an dem sie förmlich klebte, wahrscheinlich dem Vater von François, dem Franzosen auf Durchreise in Tunesien. Andere Fotos zeigten Karima als Kind mit einem kleinen Jungen, der nur wenig älter war als sie. Sie sahen sich ähnlich, hatten dieselben Augen und waren zweifellos Geschwister. Es gab sehr viele Fotos mit dem Bruder, die im Lauf der Jahre geschossen worden waren. Das jüngste musste das sein, auf dem Karima mit ihrem wenige Monate alten Sohn auf dem Arm und dem Bruder zu sehen war, der eine Art Uniform trug und eine Maschinenpistole in der Hand hatte. Montalbano nahm das Foto und ging die Treppe hinunter. Die Alte stampfte Hackfleisch in einem Mörser und fügte gekochte Getreidekörner hinzu. Auf einem Teller lagen Fleischspießchen zum Braten bereit, jeder Spieß in ein Weinblatt gewickelt. Montalbano legte seine Fingerspitzen wie zu einer Artischocke zusammen und bewegte sie von oben nach unten und wieder zurück. Die Alte verstand die Frage. Erst zeigte sie auf den Mörser.

»Kubba.«

Dann nahm sie ein Spießchen in die Hand.

»Kebab.«

Der Commissario hielt ihr das Foto hin und zeigte auf den Mann. Die Alte antwortete etwas Unverständliches. Montalbano ärgerte sich über sich selbst: Warum hatte er Buscaìno nur so schnell weggeschickt? Dann fiel ihm ein, dass die Tunesier jahrelang mit Franzosen zu tun gehabt hatten. Er versuchte es.

»Frère?«

Die Augen der Alten leuchteten auf.

»Oui. Son frère Ahmed.«

»Où est-il?«

»Je ne sais pas«, sagte die Alte und breitete die Arme aus.

Nach diesem Dialog, der aus einem Lehrbuch für Konversation hätte stammen können, ging Montalbano noch mal in das obere Zimmer und holte das Foto mit der schwangeren Karima und dem blonden Mann.
»Son mari?«
Die Alte machte eine verächtliche Geste.
»Simplement le père de François. Un mauvais homme.«
Die schöne Karima war schon zu vielen schlechten Männern begegnet und begegnete ihnen weiterhin.
»Je m'appelle Aisha«, sagte die Alte plötzlich.
»Mon nom est Salvo«, sagte Montalbano.

Er setzte sich ins Auto, fand die Pasticceria wieder, an der er vorher vorbeigefahren war, kaufte zwölf *cannoli* und fuhr wieder zurück. Aisha hatte unter einer winzigen Pergola hinter dem Haus, dort, wo es in den Garten ging, den Tisch gedeckt. Das Land außen herum war öde. Der Commissario wickelte als erstes sein Päckchen aus, und die Alte aß zur Vorspeise zwei *cannoli.* Die *kubba* begeisterte Montalbano nicht, aber die *kebab* schmeckten nach säuerlichen Kräutern, was sie richtig lebhaft machte; zumindest nannte er es so, denn manchmal fehlten ihm die passenden Adjektive.
Beim Essen erzählte Aisha ihm wahrscheinlich ihr Leben, aber das Französische war ihr abhanden gekommen, und sie redete nur noch arabisch. Dennoch nahm der Commissario regen Anteil: Wenn die Alte lachte, lachte auch er; wenn die Alte traurig aussah, machte er ein Gesicht wie drei Tage Regenwetter.

Als sie fertig gegessen hatten, räumte Aisha den Tisch ab, und Montalbano rauchte, mit sich und der Welt zufrieden, eine Zigarette. Dann kam die Alte zurück; sie machte ein geheimnisvolles und verschwörerisches Gesicht. In der Hand hielt sie eine längliche, flache schwarze Schatulle, in der sie möglicherweise einmal eine Kette oder etwas Ähnliches aufbewahrt hatte. Aisha öffnete sie, darin lag ein Sparbuch der Banca Popolare von Montelusa.

»Karima«, sagte die Alte und legte den Finger an die Lippen, um deutlich zu machen, dass das ein Geheimnis war und auch eines bleiben musste.

Montalbano nahm das Sparbuch aus der Schachtel und schlug es auf.

Volle fünfhundert Millionen.

Im vergangenen Jahr – hatte Signora Clementina Vasile Cozzo ihm erzählt – hatte sie schrecklich unter Schlaflosigkeit gelitten, gegen die sie nichts hatte tun können; zum Glück dauerte dieser Zustand aber nur ein paar Monate. Den größten Teil der Nacht verbrachte sie mit Fernsehen oder Radiohören. Lesen konnte sie nicht, das ging nicht so lange, weil ihre Augen nach kurzer Zeit müde wurden. Einmal, es mochte etwa vier Uhr morgens gewesen sein, vielleicht auch früher, hörte sie zwei Betrunkene grölen, die direkt unter ihrem Fenster eine Schlägerei begannen. Sie schob die Gardine beiseite, nur so, aus Neugierde, und sah, dass in Lapecoras Büro Licht war. Was hatte Signor Lapecora denn mitten in der Nacht noch zu tun? Und tatsächlich – Lapecora war gar nicht da, niemand

war da, das Zimmer war leer. Signora Vasile Cozzo glaubte, er hätte vielleicht vergessen, das Licht zu löschen. Plötzlich tauchte, aus dem anderen Zimmer, das sie zwar nicht sehen konnte, von dessen Existenz sie aber wusste, ein junger Mann auf, einer, der ab und zu ins Büro kam, auch wenn Lapecora nicht da war. Dieser junge Mann war völlig nackt, lief ans Telefon, nahm den Hörer ab und begann zu sprechen. Offenbar hatte das Telefon geklingelt, aber das hatte die Signora natürlich nicht gehört. Kurz darauf kam, ebenfalls aus dem anderen Zimmer, Karima herein. Auch sie war nackt; sie hörte zu, wie der junge Mann lebhaft diskutierte. Dann war das Gespräch beendet, der junge Mann packte Karima am Arm, und sie gingen in das andere Zimmer zurück, um zu Ende zu führen, worin das Telefon sie unterbrochen hatte. Später erschienen sie wieder, inzwischen angezogen, löschten das Licht und fuhren mit dem großen metallicgrauen Auto des Mannes weg.
Diese Geschichte hatte sich im Lauf des letzten Jahres vier- oder fünfmal wiederholt. Meistens taten oder sagten sie stundenlang gar nichts, und wenn er sie am Arm nahm und ins Nebenzimmer führte, dann geschah es aus purem Zeitvertreib. Er schrieb oder las manchmal, dann döste sie auf dem Stuhl, den Kopf in Erwartung des Telefonanrufs auf den Tisch gelegt. Ab und zu tätigte der junge Mann nach einem solchen Telefongespräch selbst ein oder zwei Anrufe.
Diese Frau, Karima, machte montags, mittwochs und freitags das Büro sauber – aber was, um Himmels willen, gab es da sauber zu machen? –, manchmal ging sie ans Telefon,

aber nie holte sie Signor Lapecora an den Apparat, obwohl er selbst anwesend war und ihr zuhörte, wenn sie sprach, mit gesenktem Kopf, den Blick auf den Boden gerichtet, als ob ihn die Sache gar nichts anginge oder er beleidigt wäre.
Nach Meinung von Signora Clementina Vasile Cozzo war die Putzfrau, die Dienerin, die Tunesierin eine schmutzige, üble Person.
Sie tat nicht nur, was sie mit dem dunkelhaarigen jungen Mann machte, sondern becircte manchmal auch den armen Lapecora, dem gar nichts anderes übrig blieb, als nachzugeben und mit ihr in das andere Zimmer zu gehen. Einmal, als Lapecora an dem Tischchen mit der Schreibmaschine saß und Zeitung las, hatte sie sich vor ihn hingekniet, seine Hose aufgeknöpft und, immer noch kniend... An dieser Stelle war Signora Vasile Cozzo errötet und hatte ihre Erzählung abgebrochen.
Es war klar, dass Karima und der junge Mann einen Schlüssel zum Büro besaßen; vielleicht hatten sie ihn von Lapecora bekommen, vielleicht hatten sie sich auch einen Nachschlüssel machen lassen. Ebenfalls klar war, auch ohne Zeugen, die unter Schlaflosigkeit litten, dass Karima in der Nacht, bevor Lapecora umgebracht wurde, mehrere Stunden in der Wohnung des Opfers verbracht hatte, wie der Geruch nach *Volupté* bewies. Besaß sie auch einen Wohnungsschlüssel, oder hatte Lapecora, den Umstand ausnutzend, dass seine Frau eine starke Dosis Schlafmittel genommen hatte, sie hereingelassen? Wie auch immer – die Geschichte ergab keinen Sinn. Warum sollten sie riskie-

ren, von Signora Antonietta überrascht zu werden, wenn sie sich doch bequem im Büro treffen konnten? Aus einer Laune heraus? Um einer Beziehung, die langweilig zu werden drohte, das Prickeln der Gefahr beizumischen?
Und dann war da noch die Sache mit den drei anonymen Briefen, die zweifellos im Büro verfasst worden waren. Warum hatten Karima und der dunkelhaarige junge Mann das getan? Um Lapecora in Schwierigkeiten zu bringen? Eher nicht. Davon hätten sie nichts gehabt. Sie hätten sogar riskiert, dass sie ihr Telefonquartier oder das, was die Firma inzwischen war, nicht mehr hätten nutzen können. Um all das besser zu verstehen, musste man die Rückkehr von Karima abwarten, die, da hatte Fazio ganz Recht, untergetaucht war, um nicht auf gefährliche Fragen antworten zu müssen, und erst zurückkommen würde, wenn sich die Wogen geglättet hatten. Der Commissario war sicher, dass Aisha ihr Wort halten würde. In unmöglichem Französisch hatte er ihr erklärt, dass Karima in schlechte Kreise geraten war und dass dieser böse Mann und seine Kumpane früher oder später nicht nur sie, sondern auch François und sogar Aisha selbst umbringen würden. Er hatte den Eindruck, dass er sie genug erschreckt und ganz gut überzeugt hatte.
Sie vereinbarten, dass die Alte ihn anrufen würde, sobald Karima auftauchte, sie brauche nur nach Salvo zu fragen und ihren Namen zu nennen, Aisha. Er gab ihr die Telefonnummern seines Büros und von zu Hause und legte ihr ans Herz, sie gut zu verstecken, wie sie es mit dem Sparbuch getan hatte.

Natürlich funktionierte diese Abmachung nur unter einer Voraussetzung – dass Karima nicht die Mörderin war. Aber wie der Commissario es auch drehte und wendete, mit einem Messer in der Hand konnte er sie sich nicht vorstellen.

Im Schein des Feuerzeugs blickte er auf die Uhr: fast Mitternacht. Seit über zwei Stunden saß er auf der Veranda, im Dunkeln, damit ihn die Schnaken und Sandmücken nicht bei lebendigem Leib auffraßen, und dachte immer wieder über das nach, was er von Signora Clementina und Aisha gehört hatte.

Eine Sache musste noch geklärt werden. Konnte er zu dieser späten Stunde die Vasile Cozzo noch anrufen? Die Signora hatte ihm erklärt, dass das Dienstmädchen sie nach dem Essen auskleidete und in den Rollstuhl setzte. Dann war sie zwar für die Nacht zurechtgemacht, aber sie legte sich noch nicht hin, sondern sah bis spät abends fern. Vom Rollstuhl ins Bett und umgekehrt schaffte sie es allein.

»Signora, es ist unverzeihlich, ich weiß.«

»Aber ich bitte Sie, Commissario! Ich war wach, ich habe ferngesehen.«

»*Ecco*, Signora. Sie sagten, der junge Mann habe manchmal gelesen oder geschrieben. Was hat er denn gelesen oder geschrieben? Konnten Sie das irgendwie erkennen?«

»Er las Zeitungen und Briefe. Und schrieb auch Briefe. Aber er benutzte nicht die Schreibmaschine, die im Büro steht, er hatte eine Reiseschreibmaschine dabei. Brauchen Sie noch etwas?«

»*Ciao, amore*, hast du schon geschlafen, Salvo? Nein? Wirklich nicht? Ich bin morgen Mittag gegen eins bei dir. Du brauchst dir meinetwegen gar keine Gedanken zu machen. Wenn ich komme und du bist nicht da, dann warte ich. Ich habe ja einen Hausschlüssel.«

Sieben

Offenbar hatte ein Teil seines Gehirns im Schlaf weiter am Fall Lapecora herumgeknobelt, denn gegen vier Uhr morgens fiel Montalbano etwas ein, und er stand auf und wühlte hastig in seinen Büchern herum. Plötzlich erinnerte er sich, dass Augello sich das Buch von ihm geliehen hatte, denn er hatte im Fernsehen einen Film gesehen, der danach gedreht worden war. Jetzt hatte er es schon seit einem halben Jahr und ihm immer noch nicht zurückgebracht. Montalbano wurde nervös.

»*Pronto*, Mimì? Ich bin's, Montalbano.«

»*Oddio*, was ist denn? Ist was passiert?«

»Hast du noch den Roman von Le Carré, *Schatten von gestern*? Ich weiß genau, dass ich ihn dir geliehen habe.«

»Bist du verrückt geworden? Es ist vier Uhr morgens!«

»Na und? Ich will das Buch zurück.«

»Salvo, in aller Freundschaft – du bist langsam reif für die Klapsmühle.«

»Ich will es sofort.«

»Ich habe geschlafen! Beruhig dich doch, ich bring's dir ja morgen früh ins Büro. Jetzt müsste ich mir eine Unterhose anziehen, das Buch suchen, mich fertig machen ...«

»Das ist mir scheißegal. Du suchst das Buch, findest es,

setzt dich ins Auto, von mir aus in Unterhosen, und bringst es mir.«
Eine halbe Stunde lang wanderte er durchs Haus und machte allerlei Überflüssiges, zum Beispiel versuchte er die Telefonrechnung zu verstehen oder das Etikett einer Mineralwasserflasche zu lesen. Dann hörte er, dass ein Auto angerast kam, etwas dumpf gegen die Haustür knallte und das Auto wieder abfuhr. Er öffnete die Tür, das Buch lag auf dem Boden, die Rücklichter von Augellos Auto waren kaum noch zu sehen. Er überlegte, ob er anonym bei der Arma anrufen sollte.
»Hier spricht ein Bürger. Ein Tobsüchtiger in Unterhosen fährt durch die Gegend ...«
Er ließ es bleiben und begann, in dem Roman zu blättern. Die Geschichte ging genau so, wie er sie in Erinnerung hatte. Seite 17:
»Smiley, hier ist Maston. Sie haben doch am Montag Samuel Arthur Fennan einvernommen, ist das richtig?«
»Ja ... ja, das stimmt.«
»Um was hat es sich gehandelt?«
»Ein anonymer Brief, in dem er beschuldigt wurde, in Oxford bei der Partei gewesen zu sein ...«
Und dann auf Seite 212 die Schlussfolgerungen, zu denen Smiley in seinem Bericht kommt:
»Es bestand jedoch die Möglichkeit, dass er nicht mehr Lust hatte weiterzumachen und dass seine Einladung an mich der erste Schritt zu einem Geständnis gewesen war. Wenn das der Fall war, dann kann er möglicherweise auch den anonymen Brief geschrieben haben, hinter dem die

Absicht stecken konnte, ihn mit dem Department in Kontakt zu bringen.«

Wenn man Smileys Logik folgte, war es also möglich, dass Lapecora die gegen ihn gerichteten anonymen Briefe selbst geschrieben hatte. Aber wenn er der Verfasser war, warum hatte er sich dann nicht – eventuell unter irgendeinem Vorwand – an die Polizei oder die Carabinieri gewandt?
Kaum hatte er die Frage zu Ende gedacht, musste er schon lachen – wie naiv er doch war. Hätte Lapecora die Polizei oder die Carabinieri eingeschaltet, dann hätte ein anonymer Brief, der zur Einleitung von Ermittlungen führte, für Lapecora selbst weitaus ernstere Folgen gehabt. Dadurch dass er sie an seine Frau adressierte, hoffte Lapecora, eine sozusagen nur innerfamiliäre Reaktion hervorzurufen, die jedoch ausreichen würde, ihn aus einer Situation zu erlösen, die entweder gefährlich war oder ihn belastete, weil er sie nicht mehr ertrug. Er wollte da raus, und die Briefe waren Hilferufe gewesen, aber seine Frau hatte sie als das genommen, was sie waren – irgendwelche anonymen Briefe, die sie über ein billiges, ordinäres Verhältnis aufklärten. Sie war gekränkt, hatte nicht reagiert und sich in verächtliches Schweigen gehüllt. Da hatte Lapecora in seiner Verzweiflung an seinen Sohn geschrieben, ohne sich hinter der Anonymität zu verstecken; aber der war, blind vor Egoismus und der Furcht, ein paar Lire zu verlieren, nach New York geflohen.
Dank Smiley passte alles zusammen. Er ging wieder schlafen.

Commendatore Baldassarre Marzachì, Leiter des Postamtes von Vigàta, war bekanntermaßen dumm und arrogant. Auch diesmal blieb er sich treu.

»Ich kann Ihrem Ersuchen nicht stattgeben.«

»Aber warum denn nicht?«

»Weil Sie keine richterliche Ermächtigung haben.«

»Und wozu sollte ich die brauchen? Jeder Angestellte Ihres Amtes würde mir die Auskunft, um die ich bitte, sofort geben. Es ist eine Sache ohne jede Bedeutung.«

»Das behaupten Sie. Wenn meine Angestellten Ihnen die Auskunft geben würden, wäre das eine Zuwiderhandlung, die einen Verweis zur Folge hätte.«

»Commendatore, überlegen Sie doch mal. Ich frage Sie nur nach dem Namen des Postboten, der die Gegend um die Salita Granet bedient. Das ist alles.«

»Und ich werde ihn Ihnen nicht geben, verstehen Sie? Falls ich ihn zufällig sagen würde, was würden Sie dann machen?«

»Dem Postboten ein paar Fragen stellen.«

»Sehen Sie? Sie wollen das Postgeheimnis verletzen!«

»Wieso denn das?«

Ein echter Schwachsinniger, wie sie in diesen Zeiten, in denen sich die Schwachsinnigen als intelligent ausgaben, nicht mehr leicht zu finden waren. Der Commissario beschloss, ein bisschen Theater zu spielen und so seinen Gegner fertigzumachen. Er ließ seinen Oberkörper nach hinten sinken, drückte den Rücken gegen die Stuhllehne, brachte seine Hände und Beine zum Zittern und versuchte verzweifelt, den Hemdkragen zu lockern.

»*Oddio!*«, röchelte er.
»*Oddio!*«, echote Commendator Marzachì, erhob sich und eilte zum Commissario. »Fühlen Sie sich schlecht?«
»Helfen Sie mir!«, keuchte Montalbano.
Als der andere sich zu ihm herunterbeugte und den Kragen zu öffnen versuchte, fing der Commissario an zu schreien.
»Lassen Sie mich los! *Perdio*, lassen Sie mich los!«
Im gleichen Augenblick packte er Marzachìs Hände, der ihn instinktiv hatte loslassen wollen, und hielt sie auf der Höhe seines Halses fest.
»Was machen Sie denn da?«, stotterte Marzachì verstört, er begriff gar nichts mehr. Montalbano schrie wieder.
»Lassen Sie mich los! Was erlauben Sie sich eigentlich!«, brüllte er aus Leibeskräften und hielt die Hände des Commendatore immer noch fest umschlossen.
Die Tür wurde aufgerissen, und zwei bestürzte Angestellte erschienen, ein Mann und eine Frau, die klar und deutlich sahen, dass ihr Chef den Commissario zu erwürgen versuchte.
»Gehen Sie weg!«, rief Montalbano den beiden zu. »Gehen Sie! Es ist nichts! Alles in Ordnung!«
Die Angestellten verzogen sich und schlossen die Tür. Montalbano zupfte sich in aller Ruhe seinen Kragen zurecht und sah Marzachì an, der sich mit dem Rücken an die Wand gelehnt hatte, sobald er wieder frei war.
»Jetzt hab ich dich reingelegt, Marzachì. Die beiden haben es gesehen. Und weil sie dich hassen, wie übrigens alle deine Angestellten dich hassen, sind sie gern bereit, aus-

zusagen. Körperverletzung eines Beamten. Was ist? Legst du Wert auf eine Anzeige?«

»Warum wollen Sie mich ruinieren?«

»Weil ich dich für verantwortlich halte.«

»Wofür denn, *Dio santo*?«

»Für das ganze Übel. Für die Briefe, die von Vigàta nach Vigàta zwei Monate brauchen, für die Pakete, die aufgeschlitzt und nur noch mit halbem Inhalt bei mir ankommen – und du erzählst mir was von Postgeheimnis, das du dir in den Arsch stecken kannst –, für die Bücher, die ich bestellt habe und die nie ankommen... Du bist ein Stück Scheiße, das sich mit Würde verbrämt, um diese Kloake zuzudecken. Reicht das?«

»Ja«, murmelte Marzachì, fix und fertig.

»Klar hat er Post gekriegt. Nicht viel, aber ab und zu kam schon welche. Eine Firma außerhalb Italiens hat ihm geschrieben, sonst niemand.«

»Von woher?«

»Ich habe nicht darauf geachtet. Aber es war eine ausländische Briefmarke. Ich weiß aber, wie die Firma hieß, der Name stand nämlich auf dem Umschlag. Aslanidis. Ich erinnere mich daran, weil mein Vater selig im Krieg in Griechenland war und da eine Frau kennen gelernt hat, die Galatea Aslanidis hieß. Er hat oft von ihr gesprochen.«

»Stand auf dem Umschlag auch, was diese Firma verkauft?«

»Ja. *Dattes*, das heißt Datteln.«

»Danke, dass Sie so schnell gekommen sind«, sagte Signora Palmisano, Antonietta, frisch verwitwete Lapecora, als sie ihm die Tür aufgemacht hatte.
»Warum? Wollten Sie mich sprechen?«
»Ja. Hat man Ihnen im Kommissariat nicht ausgerichtet, dass ich angerufen habe?«
»Ich war noch gar nicht dort. Ich bin von selbst hergekommen.«
»Das ist ja Kleptomanie!«, folgerte die Signora.
Der Commissario sah sie überrascht an, aber dann dämmerte ihm, dass sie Telepathie meinte.
Ich muss sie mal mit Catarella bekannt machen, dachte Montalbano, und dann schreibe ich die Dialoge der beiden auf. Ionesco ist ja nichts dagegen!
»Warum wollten Sie mich denn sprechen, Signora?«
Antonietta Palmisano wedelte schelmisch mit dem Finger.
»Nein, nein. Sie zuerst, Sie wollten ja zu mir.«
»Signora, ich möchte Sie bitten, mir genau vorzuführen, was Sie vorgestern früh alles gemacht haben, bevor Sie zu Ihrer Schwester gefahren sind.«
Bestürzt machte die Witwe ihren Mund auf und zu.
»Soll das ein Witz sein?«
»Nein, ganz und gar nicht.«
»Was verlangen Sie von mir, soll ich etwa das Nachthemd anziehen?«, fragte Signora Antonietta und wurde rot.
»Aber nein, um Himmels willen.«
»Also, lassen Sie mich nachdenken. Ich stand auf, sobald der Wecker klingelte. Ich nahm ...«

»Nein, Signora, ich habe mich vielleicht nicht klar genug ausgedrückt. Sie sollen mir nicht sagen, was Sie gemacht haben, Sie sollen es mir zeigen. Gehen wir rüber.«

Sie gingen ins Schlafzimmer. Der Schrank stand sperrangelweit offen, ein Koffer voller Frauenkleider lag auf dem Bett. Auf einem der beiden Nachtkästchen stand ein roter Wecker.

»Schlafen Sie auf dieser Seite?«, fragte Montalbano.

»Ja. Was muss ich tun, soll ich mich hinlegen?«

»Das ist nicht nötig, es genügt, wenn Sie sich auf die Bettkante setzen.«

Die Witwe gehorchte, doch dann fuhr sie auf:

»Aber was hat denn das alles mit dem Mord an Arelio zu tun?«

»Aber ich bitte Sie, Signora. Es ist wichtig. In fünf Minuten sind Sie mich wieder los. Sagen Sie, ist Ihr Mann auch aufgewacht, als der Wecker klingelte?«

»Er hatte einen leichten Schlaf. Beim geringsten Geräusch hat er schon die Augen aufgemacht. Aber wenn ich jetzt so darüber nachdenke, hat er den Wecker gestern früh nicht gehört. Ja, stimmt: Er war wohl ein bisschen erkältet, seine Nase war verstopft, er hat nämlich gleich angefangen zu schnarchen, was er fast nie tat.«

Was für ein miserabler Schauspieler, der arme Lapecora. Aber er hatte Glück, wenigstens diesmal.

»Weiter.«

»Ich stand auf, nahm meine Kleider, die über diesem Stuhl lagen, und ging ins Bad.«

»Gehen wir rüber.«

Verlegen ging die Signora voraus. Als sie im Bad waren, sah die Witwe beschämt auf den Boden.

»Muss ich alles machen?« fragte sie.

»Aber nein. Das Bad haben Sie angekleidet verlassen, stimmt's?«

»Ja, fertig angezogen, das mache ich immer so.«

»Und was haben Sie dann gemacht?«

»Ich bin ins Esszimmer gegangen.«

Inzwischen wusste sie, was zu tun war, und ging, gefolgt vom Commissario, hinüber.

»Ich nahm meine Handtasche, die ich am Abend vorher schon aufs Sofa gelegt hatte, machte die Wohnungstür auf und ging hinaus.«

»Sind Sie sicher, dass Sie die Tür zugemacht haben, als Sie hinausgingen?«

»Absolut. Ich rief den Fahrstuhl...«

»Das genügt, danke. Wie spät war es da, wissen Sie das noch?«

»Fünf vor halb sieben. Ich war spät dran und musste mich beeilen.«

»Was war denn dazwischengekommen?«

Die Signora sah ihn fragend an.

»Aus welchem Grund waren Sie spät dran? Ich meine, wenn man weiß, dass man am nächsten Morgen weg muss und den Wecker stellt, dann überlegt man doch, wie lange man braucht, um...«

Signora Antonietta lächelte.

»Ich habe ein schmerzendes Hühnerauge«, sagte sie. »Ich habe Salbe und ein Pflaster darauf getan und dadurch ein bisschen Zeit verloren, die ich natürlich nicht mitgerechnet hatte.«

»Vielen Dank noch mal und entschuldigen Sie bitte. *Buongiorno.*«

»Warten Sie! Wo wollen Sie hin? Gehen Sie schon?«

»Ach ja. Sie wollten mir ja was sagen.«

»Setzen Sie sich doch einen Augenblick.«

Das tat Montalbano. Was er wissen wollte, wusste er ja jetzt: Die Witwe Lapecora hatte das Arbeitszimmer, in dem höchstwahrscheinlich Karima versteckt gewesen war, nicht betreten.

»Wie Sie gesehen haben«, begann die Signora, »bereite ich mich auf meine Abreise vor. Sobald ich Arelio beerdigen kann, gehe ich.«

»Wohin denn, Signora?«

»Zu meiner Schwester. Sie hat ein großes Haus und ist krank, wie Sie wissen. Vigàta sieht mich nie mehr wieder, nicht mal, wenn ich tot bin.«

»Warum ziehen Sie nicht zu Ihrem Sohn?«

»Ich will ihm nicht zur Last fallen. Außerdem verstehe ich mich nicht mit seiner Frau, die das Geld zum Fenster rauswirft, und mein armer Sohn beklagt sich immer, dass er zu wenig Geld hat. Jedenfalls wollte ich Ihnen sagen, dass ich alles Mögliche durchgesehen habe, um wegzuwerfen, was ich nicht mehr brauche, und bei der Gelegenheit den Umschlag des ersten anonymen Briefes gefunden habe. Ich dachte, ich hätte ihn auch verbrannt, aber anscheinend habe ich nur den Brief selbst vernichtet. Und weil ich den Eindruck hatte, dass Sie besonderes Interesse an ...«

Die Adresse war mit der Maschine geschrieben.
»Kann ich ihn mitnehmen?«
»Natürlich. Das wär's.«
Sie erhob sich, und der Commissario ebenfalls, aber sie ging zur Kredenz, auf der ein Brief lag, nahm ihn und wedelte damit in Montalbanos Richtung.
»Sehen Sie, Commissario? Arelio ist noch keine zwei Tage tot, und ich darf schon die Schulden für sein widerliches Lotterleben zahlen. Wie man sieht, weiß man in der Post, dass er umgebracht wurde – gestern kamen zwei Rechnungen fürs Büro hier an: Licht zweihundertzwanzigtausend Lire und Telefon dreihundertachtzigtausend Lire! Dabei hat er gar nicht selbst telefoniert! Wen sollte er denn anrufen? Diese tunesische Schlampe hat telefoniert, ganz bestimmt, wahrscheinlich hat sie ihre Verwandten in Tunesien angerufen. Und heute Morgen habe ich auch noch den Brief hier gekriegt. Weiß der Himmel, welchen Floh ihm die miese Nutte ins Ohr gesetzt hat, und mein Mann, dieser Vollidiot, hat auch noch auf sie gehört!«
Signora Antonietta Palmisano, verwitwete Lapecora, zeigte wirklich ein enormes Maß an Pietät. Der Umschlag war nicht frankiert, er hatte so im Briefkasten gelegen. Montalbano beschloss, nicht allzu neugierig zu erscheinen, zumindest nicht mehr als notwendig.
»Wann haben Sie den Brief bekommen?«
»Heute Morgen, wie gesagt. Hundertsiebenundsiebzigtausend Lire, eine Rechnung der Druckerei Mulone. Ach ja, Commissario, kann ich den Büroschlüssel wiederhaben?«
»Ist es dringend?«

»Eigentlich nicht. Aber ich will mich allmählich um den Verkauf kümmern. Die Wohnung will ich auch verkaufen. Ich habe ausgerechnet, dass mich die Beerdigung mit allem Drum und Dran über fünf Millionen kosten wird.«
Wie die Mutter, so der Sohn.
»Mit dem Erlös aus dem Büro und der Wohnung«, stellte Montalbano in einer Anwandlung von Boshaftigkeit fest, »können Sie ein Dutzend Beerdigungen bezahlen.«

Empedocle Mulone, der Besitzer der Druckerei, sagte, ja, der selige Lapecora habe Briefbögen und Umschläge bei ihm bestellt, deren Briefkopf und Absender etwas anders als die vorherigen lauten sollten. Signor Arelio habe schon seit zwanzig Jahren bei ihm bestellt, und sie seien Freunde geworden.
»Worin bestand die Änderung?«
»*Import-Export* anstelle von *Importazione-Esportazione*. Aber ich habe ihm abgeraten.«
»Hätten Sie es nicht geändert?«
»Ich meinte nicht den Briefkopf, sondern seine Idee, das Geschäft wieder aufzunehmen. Seit fast fünf Jahren war er schon im Ruhestand, und inzwischen hat sich die Situation verändert, die Firmen gehen pleite, es sind schlechte Zeiten. Wissen Sie, was er gemacht hat, anstatt mir zu danken? Er ist wütend geworden. Er sagte, er würde schließlich Zeitung lesen und fernsehen und wüsste über die Lage genau Bescheid.«
»Haben Sie ihm das Paket mit der bestellten Ware nach Hause oder ins Büro geschickt?«

»Er wollte unbedingt, dass ich sie ins Büro schicke, an einem ungeraden Wochentag, und das habe ich auch getan. Den genauen Tag weiß ich nicht mehr, aber wenn Sie wollen...«

»Es ist nicht wichtig.«

»Aber die Rechnung habe ich der Signora geschickt, Signor Lapecora kommt jetzt ja wohl kaum noch im Büro vorbei.«

Er lachte.

»Ihr Espresso ist fertig, Commissario«, sagte der Barmann im Café Albanese.

»Sag mal, Totò, war Signor Lapecora manchmal mit Freunden hier?«

»Klar! Jeden Dienstag. Sie unterhielten sich oder spielten Karten. Es waren immer dieselben.«

»Wie heißen sie denn?«

»Also, da war Ragionier Pandolfo...«

»Warte, gib mir mal das Telefonbuch.«

»Sie brauchen ihn nicht anzurufen. Es ist der ältere Signore an dem Tisch da drüben, der die *granita* isst.«

Montalbano nahm seine Tasse und trat zu dem Ragioniere.

»Darf ich mich zu Ihnen setzen?«

»Meinetwegen, Commissario.«

»Danke. Kennen wir uns?«

»Ich Sie schon, Sie mich nicht.«

»Ragioniere, Sie haben öfters mit dem Verstorbenen Karten gespielt?«

»Was heißt hier öfters! Nur dienstags. Denn das war so: Montag, Mittwoch und …«
»Freitag war er im Büro«, vollendete Montalbano die mittlerweile bekannte Litanei.
»Was möchten Sie denn wissen?«
»Warum wollte Signor Lapecora sein Geschäft wieder aufnehmen?«
Der Ragioniere schien aufrichtig erstaunt.
»Wieder aufnehmen? Wieso denn das? Uns hat er davon nichts erzählt. Wir wussten alle, dass er zum Zeitvertreib und aus alter Gewohnheit ins Büro ging.«
»Hat er Ihnen von der Frau – einer gewissen Karima – erzählt, die stundenweise das Büro sauber machte?«
Ein Zucken der Pupillen, ein unmerkliches Zögern, was Montalbano entgangen wäre, hätte er ihn nicht genau im Auge behalten.
»Warum sollte er mir von seiner Putzfrau erzählen?«
»Kannten Sie Lapecora gut?«
»Wen kennt man schon gut? Vor dreißig Jahren lebte ich in Montelusa und hatte einen Freund, einen klugen Kerl, klarer Kopf, intelligent, witzig, aufgeweckt, ausgeglichen. Was man sich nur wünscht. Außerdem war er äußerst großzügig, wirklich ein Engel, er half jedem, der in Not war. Eines Abends brachte seine Schwester ihren kleinen Sohn zu ihm, er war noch nicht einmal sechs Monate alt. Mein Freund sollte nur zwei Stunden auf ihn aufpassen. Kaum war die Schwester aus der Tür, nahm er ein Messer, zerstückelte das Kind und kochte sich eine Suppe mit ein bisschen Petersilie und einer Knoblauchzehe. Das ist

kein Witz, sage ich Ihnen. Ich war am selben Tag noch mit ihm zusammen gewesen, und er war wie immer, ganz klar im Kopf und freundlich. Um auf den seligen Lapecora zurückzukommen – ja, ich kannte ihn schon, zum Beispiel habe ich gemerkt, dass er seit etwa zwei Jahren ziemlich verändert war.«

»Inwiefern?«

»Na ja, er war nervös, er lachte nicht mehr, fing immer gleich Streit an, motzte bei jeder Gelegenheit. So war er früher nicht.«

»Können Sie sich vorstellen, woher das kam?«

»Eines Tages habe ich ihn gefragt. Es sei ein gesundheitliches Problem, hat er geantwortet, eine beginnende Arteriosklerose, das hätte ihm der Arzt gesagt.«

In Lapecoras Büro setzte Montalbano sich gleich an die Schreibmaschine. Er öffnete die Schublade des Tischchens, da lagen Umschläge und Papierbögen, die den früheren Absender und Briefkopf trugen und schon stark vergilbt waren. Er nahm ein Blatt, holte den Umschlag, den Signora Antonietta ihm gegeben hatte, aus seiner Jackentasche, und schrieb die Adresse mit der Maschine ab – die Probe aufs Exempel, falls eine solche überhaupt notwendig war. Die *Rs* sprangen über, die *As* unter die Zeile, das *O* war ein schwarzes Kügelchen: Die Adresse auf dem Umschlag des anonymen Briefes war mit dieser Maschine geschrieben worden. Er sah hinaus. Das Dienstmädchen von Signora Vasile Cozzo stand auf einer kleinen Stehleiter und putzte Fenster. Er öffnete das Fenster und rief:

»Entschuldigen Sie, ist die Signora da?«
»Warten Sie«, sagte Pina und warf ihm einen schiefen Blick zu. Offenbar mochte sie den Commissario nicht besonders.
Sie stieg von der Leiter und verschwand; nach einer Weile erschien an ihrer Stelle auf der Höhe des Fensterbretts der Kopf der Signora. Sie waren keine zehn Meter voneinander entfernt und mussten nicht einmal besonders laut reden.
»Entschuldigen Sie bitte, Signora, aber wenn ich mich recht erinnere, sagten Sie, dieser junge Mann, Sie wissen schon…«
»Ich weiß, wen Sie meinen.«
»Dieser junge Mann schrieb doch auf der Schreibmaschine, nicht wahr?«
»Ja, aber nicht auf der im Büro. Es war eine Reiseschreibmaschine.«
»Sind Sie sicher? War es nicht vielleicht ein Computer?«
»Nein, es war eine Reiseschreibmaschine.«
Was war das eigentlich für eine bescheuerte Art und Weise, Ermittlungen durchzuführen? Ihm wurde plötzlich bewusst, dass er und die Signora wie zwei Klatschweiber von Balkon zu Balkon schwatzten.
Er verabschiedete sich von Signora Vasile Cozzo. Um seine Selbstachtung wiederzugewinnen, durchsuchte er – wie es sich für einen Profi gehörte – alles sehr sorgfältig nach dem Paket, das die Druckerei geschickt hatte. Er fand es nicht, und er fand auch weder einen Briefbogen noch einen Umschlag mit der neuen Aufschrift auf Englisch.
Sie hatten alles verschwinden lassen.

Und was die Reiseschreibmaschine betraf, die Lapecoras Pseudoneffe mitgebracht hatte, anstatt die Schreibmaschine im Büro zu benutzen, hatte der Commissario eine plausible Erklärung, wie er fand. Der junge Mann konnte mit der Tastatur der alten Olivetti nichts anfangen. Er brauchte offenbar ein anderes Alphabet.

Acht

Montalbano verließ das Büro, setzte sich ins Auto und fuhr nach Montelusa. Im Comando der Guardia di Finanza fragte er nach Capitano Aliotta, mit dem er befreundet war. Er wurde sogleich vorgelassen.

»Wie lang ist es eigentlich her, dass wir einen Abend miteinander verbracht haben? Ich mache nicht nur dir einen Vorwurf, sondern auch mir«, sagte Aliotta und umarmte ihn.

»Dann verzeihen wir uns einfach gegenseitig und geloben baldige Besserung.«

»Einverstanden. Kann ich dir irgendwie behilflich sein?«

»Ja. Wie heißt dieser Maresciallo, der mir letztes Jahr so wertvolle Informationen über einen Supermarkt in Vigàta gegeben hat? Der Waffenhandel, erinnerst du dich?«

»Natürlich. Er heißt Laganà.«

»Kann ich ihn sprechen?«

»Worum geht es denn?«

»Er müsste für einen halben Tag nach Vigàta kommen, länger nicht, glaube ich. Die Akten einer Firma, die diesem Toten im Fahrstuhl gehörte, müssen überprüft werden.«

»Ich lasse ihn gleich kommen.«

Der Maresciallo war Anfang fünfzig, kräftig gebaut, mit

Bürstenschnitt und Goldrandbrille. Er war Montalbano auf Anhieb sympathisch.
Montalbano erklärte ihm genau, was er von ihm wollte, und gab ihm den Schlüssel zu Lapecoras Büro. Der Maresciallo sah auf die Uhr.
»Gegen drei könnte ich nach Vigàta kommen, wenn der Capitano einverstanden ist.«

Montalbano und Aliotta plauderten noch eine Weile, und dann bat der Commissario, im Kommissariat anrufen zu dürfen – er hatte ein schlechtes Gewissen, weil er sich dort seit dem gestrigen Abend nicht mehr hatte blicken lassen.
»Dottori, sind Sie das wirklich?«
»Catarè, ich bin's wirklich. Hat jemand angerufen?«
»*Sissi*, zwei Gespräche für Dottori Augello, eins für ...«
»Catarè, es ist mir scheißegal, wenn die anderen angerufen werden!«
»Aber wenn Sie mich doch gerade gefragt haben!«
»Catarè, hat jemand extra nur für mich angerufen?«
Wenn man sich Catarellas Sprache anpasste, bekam man vielleicht eine sinnvolle Antwort.
»*Sissi*, Dottori. Da war ein Gespräch für Sie. Aber ich hab nichts verstanden.«
»Was war denn, was du nicht verstanden hast?«
»Gar nichts hab ich verstanden. Bestimmt jemand aus der Verwandtschaft.«
»Von wem?«
»Aus Ihrer, Dottori. Die Person hat Ihren Vornamen genannt, sie hat gesagt: Salvo, Salvo.«

»Und dann?«
»Sie hat gejammert, bestimmt hat ihr was wehgetan, ich hab immer nur verstanden: ai, ai, scha, scha.«
»War es ein Mann oder eine Frau?«
»Eine alte Frau, Dottori.«
Aisha! Er rannte hinaus, ohne Aliotta auf Wiedersehen zu sagen.

Aisha saß vor ihrem Haus und war in Tränen aufgelöst. Nein, Karima und François seien nicht zurückgekommen, sie habe ihn aus einem anderen Grund angerufen. Sie erhob sich und bat ihn ins Haus. Das Zimmer war auf den Kopf gestellt, sie hatten sogar die Matratze aufgeschlitzt. Und das Sparbuch, war das etwa weg? Nein, das hätten sie nicht gefunden, lautete Aishas beruhigende Antwort.
Im oberen Stock, wo Karima wohnte, sah es noch schlimmer aus: Ein paar Fliesen waren aus dem Boden gerissen, ein Spielzeug von François, ein kleiner Lastwagen aus Plastik, war zertrümmert. Die Fotos waren verschwunden, auch die, die Karima als Ware zeigten. Der Commissario dachte, dass er zum Glück ein paar von diesen Fotos mitgenommen hatte.
Aber die mussten doch einen furchtbaren Lärm gemacht haben! Wo hatte Aisha sich in der Zeit versteckt? Sie habe sich nicht versteckt, erklärte sie, sondern sei am Tag vorher zu einer Freundin nach Montelusa gefahren. Es war spät geworden, und sie war über Nacht geblieben. Gott sei Dank: Wenn sie im Haus gewesen wäre, hätten sie sie bestimmt umgebracht. Sie mussten im Besitz des Haus-

schlüssels sein, denn keine der beiden Türen war aufgebrochen. Bestimmt waren sie nur gekommen, um die Fotos an sich zu nehmen; alles wollten sie von Karima verschwinden lassen, sogar die Erinnerung daran, wie sie aussah. Montalbano sagte der Alten, sie solle ein paar Sachen zusammenpacken, er selbst werde sie nach Montelusa zu ihrer Freundin bringen. Vorsichtshalber solle sie ein paar Tage dort bleiben. Aisha stimmte traurig zu. Der Commissario machte ihr begreiflich, dass er, solange sie ihre Abreise vorbereite, schnell noch zum nächsten Tabaccaio fahre, was höchstens zehn Minuten dauern werde.

Kurz vor dem Tabaccaio sah er vor der Grundschule in Villaseta eine Ansammlung wild gestikulierender kreischender Mütter und weinender Kinder. Sie belagerten zwei Verkehrspolizisten aus Vigàta, die hierher versetzt worden waren und die Montalbano kannte. Er fuhr weiter und kaufte seine Zigaretten, aber auf der Rückfahrt plagte ihn die Neugierde doch zu sehr. Achtung gebietend bahnte er sich, ganz betäubt von dem Geschrei, einen Weg.
»Sogar Sie holt man wegen so einem Quatsch?«, fragte ihn einer der Polizisten erstaunt.
»Nein, ich bin zufällig hier. Was gibt's denn?«
Die Mütter hatten die Frage gehört und antworteten im Chor, mit dem Ergebnis, dass der Commissario überhaupt nichts verstand.
»Ruhe!«, brüllte er.
Die Mütter schwiegen, aber die Kinder weinten vor Schreck noch lauter.

»Commissario, es ist lächerlich«, sagte der Polizist von vorher. »Anscheinend war schon gestern ein kleiner Junge hier, der die anderen Kinder angegriffen hat, als sie in die Schule kamen. Er hat ihnen ihre Vesper weggenommen und ist wieder abgehauen. Heute früh hat er es noch mal gemacht.«

»*Taliasse ccà*, schauen Sie sich das an!«, mischte sich eine Mutter ein und zeigte Montalbano einen Jungen, dessen Augen von Fausthieben ganz geschwollen waren. »Mein Sohn wollte ihm seinen Eierkuchen nicht geben, da hat der ihn geschlagen. Er hat ihm wehgetan!«

Der Commissario beugte sich hinunter und streichelte dem Jungen über den Kopf.

»Wie heißt du denn?«

»Ntonio«, antwortete der Kleine, stolz, dass er der Auserwählte war.

»Kennst du den Jungen, der dir den Eierkuchen weggenommen hat?«

»Nein.«

»Hat ihn jemand erkannt?«, fragte der Commissario laut.

Ein Nein im Chor.

Montalbano beugte sich wieder zu Ntonio hinunter.

»Wie hat er denn gesagt, dass er deinen Eierkuchen haben will?«

»Er hat ausländisch geredet. Ich hab nichts verstanden. Da hat er mir den Schulranzen runtergerissen und aufgemacht. Ich wollte ihn wiederhaben, und da hat er mich zweimal gehauen. Er hat den Eierkuchen genommen und ist weggerannt.«

»Weiterermitteln!«, befahl Montalbano den beiden Verkehrspolizisten und brachte es merkwürdigerweise fertig, ernst zu bleiben.

In den Zeiten, als die Muselmanen in Sizilien waren und Montelusa Kerkent hieß, hatten die Araber am Rand des Dorfes ein Viertel errichtet, in dem sie unter sich waren. Als die Muselmanen besiegt und geflohen waren, zogen Leute aus Montelusa in ihre Häuser, und das Viertel bekam den sizilianischen Namen Rabàtu. In der zweiten Hälfte dieses Jahrhunderts wurde es von einem gewaltigen Erdrutsch verschlungen. Die wenigen stehen gebliebenen Häuser waren beschädigt und schief und hielten sich in einem rätselhaften Gleichgewicht. Als die Araber wiederkamen, diesmal als arme Schlucker, wohnten sie wieder hier; statt Dachziegeln verwendeten sie Bleche, und anstelle von Mauern errichteten sie Trennwände aus Karton.
Dorthin brachte Montalbano Aisha mit ihrem ärmlichen Bündel. Die Alte, die immer noch Onkel zu ihm sagte, wollte ihn umarmen und küssen.

Es war schon drei Uhr nachmittags, und Montalbano, der noch nicht zum Essen gekommen war, hatte schon Bauchgrimmen vor lauter Hunger. Er ging in die Trattoria San Calogero und setzte sich hin.
»Gibt's noch was zu essen?«
»Für Sie immer.«
Just in diesem Augenblick fiel ihm Livia ein. Er hatte sie völlig vergessen. Er stürzte ans Telefon und überlegte sich

fieberhaft eine Ausrede: Livia hatte gesagt, sie käme mittags an. Sie war bestimmt schon außer sich.
»Livia, mein Schatz.«
»Ich bin gerade erst gekommen, Salvo. Das Flugzeug ist mit zwei Stunden Verspätung gestartet, und niemand hat uns gesagt, warum. Hast du dir Sorgen gemacht, Liebling?«
»Und ob ich mir Sorgen gemacht habe«, log Montalbano schamlos, als er merkte, dass der Wind günstig für ihn stand. »Ich habe jede Viertelstunde zu Hause angerufen, aber du hast nicht abgenommen. Jetzt habe ich mich gerade am Flughafen in Punta Ràisi erkundigt, und da wurde mir gesagt, dass das Flugzeug mit zwei Stunden Verspätung gelandet ist. Da war ich natürlich beruhigt.«
»Verzeih, Liebling, ich konnte nichts dafür. Wann kommst du?«
»Livia, ich kann leider erst später kommen. Ich bin in Montelusa mitten in einer Besprechung, die bestimmt noch eine Stunde dauert. Dann mache ich mich sofort auf den Weg. Ach ja, noch was: Heute Abend sind wir beim Questore zum Essen.«
»Aber ich habe doch gar nichts dabei!«
»Komm in Jeans. Und schau in den Kühlschrank, Adelina hat bestimmt was gekocht.«
»Aber nein, ich warte auf dich, dann essen wir zusammen.«
»Ich hab jetzt schnell ein *panino* gegessen, das reicht schon. Bis nachher.«
Er kehrte an seinen Tisch zurück, wo ihn bereits ein halbes Kilo knusprig gebratener *triglie* erwartete.

Livia hatte sich ins Bett gelegt, sie war ein bisschen müde von der Reise. Montalbano zog sich aus und legte sich neben sie. Als sie sich küssten, rückte Livia plötzlich von ihm ab und schnupperte.
»Du riechst nach Gebratenem.«
»Kein Wunder. Ich war eine geschlagene Stunde in einer Bratküche und musste jemanden vernehmen.«
Sie liebten sich ohne Eile, sie wussten ja, dass sie alle Zeit der Welt hatten. Danach saßen sie im Bett, Kissen im Rücken, und Montalbano berichtete ihr von dem Mord an Lapecora. Im Glauben, sie zu amüsieren, sagte er, dass er Mutter und Tochter Piccirillo hatte festnehmen lassen, die so viel Wert auf ihre Ehrbarkeit legten. Er erzählte auch, wie er Ragionier Culicchia eine Flasche Wein hatte besorgen lassen, weil ihm seine Flasche abhanden gekommen war, als sie neben den Toten gerollt war. Anstatt zu lachen, wie er erwartete, sah Livia ihn kalt an.
»Arschloch.«
»Bitte?«, fragte Montalbano, Haltung bewahrend wie ein englischer Lord.
»Du bist ein Machoarsch. Diese beiden armen Frauen ziehst du in den Dreck, und dem Ragioniere, der, ohne zu zögern, mit einem Toten im Fahrstuhl rauf- und runterfährt, kaufst du eine Flasche Wein. Du musst zugeben, dass das völlig schwachsinnig ist!«
»Komm, Livia, so darfst du das nicht sehen.«
Aber Livia sah das genau so und nicht anders. Es war schon sechs Uhr, als er sie endlich beruhigt hatte. Um sie abzulenken, erzählte er ihr die Geschichte von dem Jungen aus

Villaseta, der anderen Kindern, die genauso klein waren wie er, ihre Vesper klaute.
Aber das fand Livia auch nicht komisch. Sie schien richtig schwermütig zu werden.
»Was ist denn? Was habe ich denn jetzt gesagt? Habe ich schon wieder was falsch gemacht?«
»Nein, ich muss nur an diesen armen kleinen Jungen denken.«
»Der die Schläge gekriegt hat?«
»Nein, an den anderen. Er muss wirklich Hunger haben und verzweifelt sein. Er sprach nicht italienisch, hast du gesagt? Vielleicht ist er das Kind von Ausländern, die ja nicht mal die Luft zum Atmen haben. Vielleicht ist er auch von seinen Eltern verlassen worden.«
»*Gesù!*«, schrie Montalbano, den die Offenbarung wie ein Blitz traf; er schrie so laut, dass Livia erschreckt zusammenzuckte.
»Was ist denn jetzt wieder los?«
»*Gesù!*«, sagte der Commissario noch mal und riss die Augen auf.
»Was habe ich denn gesagt?«, fragte Livia besorgt.
Montalbano gab keine Antwort, sondern stürzte, nackt wie er war, ans Telefon.
»Catarella, beweg deinen Arsch, und gib mir sofort Fazio! Fazio? In spätestens einer Stunde will ich alle, und damit meine ich *alle*, im Büro haben. Wenn einer fehlt, dann setzt's was!«
Er legte auf und wählte noch mal.
»Signor Questore? Hier ist Montalbano. Es tut mir sehr

leid, aber ich kann heute Abend nicht kommen. Nein, es ist nicht wegen Livia. Eine dienstliche Angelegenheit, ich werde Ihnen später berichten. Morgen zum Mittagessen? Ausgezeichnet. Und bitte entschuldigen Sie mich bei Ihrer Gattin.«

Livia war inzwischen aufgestanden und versuchte zu begreifen, warum ihre Worte eine so hektische Reaktion ausgelöst hatten.

Doch statt zu antworten, warf Montalbano sich aufs Bett und zog sie an sich. Seine Absichten waren eindeutig.

»Hast du nicht gesagt, du wärst in einer Stunde im Büro?«

»Ein Viertelstündchen früher oder später...«

In Montalbanos Büro, das nicht sehr geräumig war, drängten sich Augello, Fazio, Tortorella, Gallo, Germanà, Galluzzo und Grasso, der erst seit einem knappen Monat Dienst im Kommissariat tat. Catarella lehnte am Türpfosten, mit einem Ohr am Telefon. Montalbano hatte die sich sträubende Livia mitgenommen.

»Was soll ich denn da?«

»Du könntest uns sehr nützlich sein, glaub mir.«

Aber er wollte partout nichts erklären.

Es war ganz still, als der Commissario eine grobe, aber ziemlich korrekte topographische Karte zeichnete und den Anwesenden vorlegte.

»Das hier ist ein kleines Haus in der Via Garibaldi in Villaseta. Zurzeit wohnt niemand darin. Das dahinter ist ein Garten...«

Er fuhr fort und erklärte jedes Detail, Nachbarhäuser, Straßenkreuzungen, sich überschneidende Feldwege. Er hatte sich an dem Nachmittag, den er allein in Karimas Zimmer verbracht hatte, alles genau eingeprägt. Mit Ausnahme von Catarella, der im Kommissariat Wache halten sollte, waren alle an dem Einsatz beteiligt: Jedem zeigte er auf der Karte die Position, die er zu beziehen hatte. Er ordnete an, getrennt an Ort und Stelle zu kommen, keine Sirenen, keine Uniform, nicht einmal Streifenwagen, sie durften auf gar keinen Fall Aufmerksamkeit erregen. Wenn jemand mit dem eigenen Auto kommen wollte, musste er es mindestens fünfhundert Meter vom Haus entfernt stehen lassen. Sie könnten mitbringen, was sie wollten, *panini, caffè, birra*, weil sich die Sache wahrscheinlich in die Länge ziehen würde, vielleicht müssten sie die ganze Nacht auf ihrem Posten bleiben, es war nicht mal sicher, ob die Aktion gelang, es war sehr gut möglich, dass sich derjenige, den sie festnehmen mussten, gar nicht blicken ließ. Sobald die Straßenbeleuchtung eingeschaltet war, sollte die Aktion beginnen.

»Waffen?«, fragte Augello.

»Waffen? Wozu denn Waffen?« Montalbano war einen Augenblick lang verwirrt.

»Na ja, ich weiß nicht, die Sache klingt doch ziemlich ernst, da dachte ich ...«

»Wen müssen wir denn festnehmen?«, mischte sich Fazio ein.

»Einen kleinen Jungen, der Eierkuchen klaut.«

Atemlose Stille im Zimmer. Augello trat der Schweiß auf die Stirn.

Seit einem Jahr sage ich ihm schon, dass er sich mal untersuchen lassen soll, dachte er.

Es war eine schöne Nacht, mondhell und windstill. Sie hatte in Montalbanos Augen nur einen Fehler: Sie schien überhaupt nicht enden zu wollen, jede Minute zog sich hin und dehnte sich auf rätselhafte Weise auf das Fünffache aus.

Im Schein eines Feuerzeugs hatte Livia die aufgeschlitzte Matratze wieder auf das Bettgestell gelegt; sie hatte sich ausgestreckt und war irgendwann eingeschlafen. Jetzt schlief sie tief und fest.

Der Commissario saß auf einem Stuhl neben dem Fenster, das nach hinten hinausging, und konnte den Garten und das Umland deutlich sehen. Auf dieser Seite mussten Fazio und Grasso sein, aber so sehr er sich auch anstrengte, von den beiden war nicht einmal ein Schatten auszumachen, sie waren zwischen den Mandelbäumen verschwunden.

Er beglückwünschte sich dazu, dass seine Männer so professionell arbeiteten: Sie hatten vollen Einsatz gezeigt, nachdem er ihnen erklärt hatte, dass der Junge möglicherweise François war, Karimas Sohn. Er zog an seiner vierzigsten Zigarette und sah, als sie aufglimmte, auf die Uhr: zwanzig vor vier. Er beschloss, noch eine halbe Stunde zu warten, dann würde er seine Leute nach Hause schicken. Genau in diesem Augenblick fiel ihm da, wo der Garten endete und die *campagna* begann, eine kurze Bewegung auf; es war eigentlich gar keine Bewegung, eher fehlte einen Augenblick lang der Widerschein des Mondlichts auf den Stoppeln und dem gelben Gestrüpp. Das konnten weder Fazio noch Grasso sein, denn er hatte diese Stelle extra unbewacht lassen wollen, um dem Jungen den Zugang zu ermöglichen, ihn regelrecht dazu einzuladen. Die Bewegung oder was es auch sein mochte, wiederholte sich, und diesmal sah Montalbano deutlich eine kleine, dunkle Gestalt, die vorsichtig näher kam. Kein Zweifel, das war der Junge.

Langsam ging Montalbano zu Livia, wobei er sich von ihren Atemgeräuschen leiten ließ.

»Wach auf, er kommt.«

Er kehrte ans Fenster zurück, und Livia stand sofort neben ihm. Montalbano flüsterte ihr ins Ohr.

»Sobald sie ihn haben, rennst du runter. Er ist bestimmt völlig verängstigt, aber wenn er eine Frau sieht, beruhigt er sich vielleicht. Streichel ihn, küss ihn, sag ihm, was du willst.«

Inzwischen war der Junge am Haus angelangt, man konnte deutlich sehen, wie er den Kopf hob und zum Fenster hinaufsah. Plötzlich kam die Gestalt eines Mannes ins Blickfeld, der sich mit zwei langen Schritten auf das Kind stürzte und es packte. Es war Fazio.

Livia flog die Treppe hinunter. François trat um sich und stieß einen langen, gequälten Schrei aus, wie ein Tier, das in ein Fangeisen geraten ist. Montalbano machte das Licht an und lehnte sich aus dem Fenster.

»Bringt ihn rauf! Grasso, sag den anderen Bescheid, sie sollen herkommen!«

Der Schrei des Jungen war verstummt, jetzt schluchzte er. Livia hatte ihn in den Arm genommen und redete auf ihn ein.

Er war noch sehr angespannt, weinte aber nicht mehr. Mit blitzenden Augen und eindringlichem Blick beobachtete er die Gesichter um sich herum und gewann langsam Vertrauen. Er saß an dem Tisch, an dem bis vor ein paar Tagen noch seine Mutter neben ihm gesessen hatte; vielleicht wich er deshalb nicht von Livias Seite und hielt sie fest an der Hand.
Mimì Augello, der fort gewesen war, kam mit einem Päckchen zurück; alle begriffen, dass er das einzig Richtige getan hatte. In dem Päckchen waren *panini* mit Schinken, Bananen, Gebäck und zwei Dosen Cola. Mimì wurde mit einem gerührten Blick von Livia belohnt, der Montalbano natürlich ärgerte, und stammelte:
»Das… das habe ich gestern Abend noch besorgt… Ich dachte, weil wir es doch mit einem hungrigen Kind zu tun haben…«
Noch während er aß, wurde François immer müder und schlief schließlich ein. Nicht einmal das Gebäck schaffte er mehr: Plötzlich sank sein Kopf auf den Tisch, als hätte ihm jemand den Strom abgedreht.
»Und wo bringen wir ihn jetzt hin?«, fragte Fazio.
»Zu uns nach Hause«, sagte Livia entschieden.
Montalbano irritierte dieses »zu uns«. Und während er eine Jeans und ein T-Shirt für den Kleinen einpackte, wusste er nicht, ob er sich darüber ärgern oder freuen sollte.

Der Junge schlief während der ganzen Fahrt nach Marinella und wachte auch nicht auf, als Livia ihn auszog, nachdem sie ihm auf dem Sofa im Esszimmer ein Bett zurechtgemacht hatte.
»Und wenn er aufwacht und wegläuft, während wir schlafen?«, fragte der Commissario.
»Ich glaube nicht, dass er das tut«, beruhigte Livia ihn.
Doch vorsichtshalber machte Montalbano das Fenster zu, ließ den Rollladen herunter und schloss die Haustür zweimal ab.
Auch Montalbano und Livia legten sich ins Bett, aber obwohl sie so müde waren, konnten sie lange nicht einschlafen: Die Gegenwart von François, den sie im anderen Zimmer atmen hörten, bereitete ihnen unerklärliches Missbehagen.

Gegen neun Uhr morgens – was für den Commissario sehr spät war – wurde er wach; er stand vorsichtig auf, um Livia nicht zu stören, und sah nach François. Auf dem Sofa lag der Junge nicht, im Bad war er auch nicht. Er war abgehauen, wie er befürchtet hatte. Aber wie, zum Teufel, hatte er das angestellt, wenn die Tür abgesperrt und der Rollladen noch heruntergelassen war? Montalbano sah an allen Stellen nach, an denen er sich hätte verstecken können. Nichts, er war wie vom Erdboden verschluckt. Er musste Livia wecken, ihr sagen, was los war, und sich mit ihr beraten. Als er seine Hand ausstreckte, sah er den Kopf des Jungen neben der Brust seiner Livia. Sie schliefen Arm in Arm.

Neun

»Commissario? Bitte entschuldigen Sie, dass ich Sie zu Hause störe. Haben Sie heute Vormittag Zeit, damit ich Ihnen berichten kann?«
»Natürlich, ich komme nach Montelusa.«
»Nein, ich komme nach Vigàta. Wir könnten uns in einer Stunde in Lapecoras Büro in der Salita Granet treffen.«
»Gut, danke, Laganà.«

Er ging ins Bad und versuchte, so leise wie möglich zu sein. Ebenfalls um Livia und François nicht zu stören, zog er sogar die Kleider vom gestrigen Tag an, die nach der durchwachten Nacht ganz besonders mitgenommen aussahen.
Er schrieb einen Zettel: Im Kühlschrank sei genug zu essen, und er werde sicher bis Mittag zurück sein. Kaum hatte er die Nachricht zu Papier gebracht, fiel ihm ein, dass der Questore sie ja zum Mittagessen eingeladen hatte. Das war unmöglich, jetzt, wo François da war. Er beschloss, seinen Chef sofort anzurufen, sonst vergaß er es womöglich noch. Er wusste, dass der Questore den Sonntagvormittag zu Hause verbrachte, wenn nichts Außergewöhnliches anstand.

»Montalbano? Sagen Sie bloß nicht, Sie kommen nicht zum Mittagessen!«
»Doch, leider, Signor Questore.«
»Ist es was Ernstes?«
»Ziemlich. Die Sache ist die, dass ich heute früh – wie soll ich sagen – praktisch Vater geworden bin.«
»Herzlichen Glückwunsch!«, rief der Questore. »Signorina Livia wird also … Das muss ich gleich meiner Frau erzählen, sie wird sich sehr freuen. Aber ich begreife nicht, warum Sie deshalb nicht kommen können? Natürlich, das Ereignis steht ja kurz bevor.«
Buchstäblich erschüttert durch das Missverständnis, dem sein Chef anheimgefallen war, setzte Montalbano unvorsichtigerweise zu einer langen, gewundenen und stotternden Erklärung an, in der sich Mordopfer mit Eierkuchen und das Parfum *Volupté* mit der Druckerei Mulone vermischten. Das war zu viel für den Questore.
»Ist ja gut, erzählen Sie mir das später. Wann reist Signorina Livia denn ab?«
»Heute Abend.«
»Schade, dass wir sie nicht kennenlernen. Aber das holen wir auf jeden Fall nach. Wir verbleiben so, Montalbano: Rufen Sie mich an, wenn Sie glauben, ein paar Stunden Zeit zu haben.«
Bevor er ging, betrachtete er Livia und François, die immer noch schliefen. Wer sollte sie aus dieser Umarmung lösen? Er blickte finster, denn eine düstere Vorahnung beschlich ihn.

Der Commissario staunte: In Lapecoras Büro war alles so, wie er es hinterlassen hatte, kein Blatt war verrückt, keine Büroklammer, die nicht da lag, wo sie auch vorher gelegen hatte. Laganà begriff.

»Es war keine Durchsuchung, Dottore. Man brauchte gar nicht alles auf den Kopf zu stellen.«

»Was haben Sie herausgefunden?«

»Also, die Firma wurde 1965 von Aurelio Lapecora gegründet. Vorher hatte er als Angestellter gearbeitet. Die Firma importierte tropische Früchte und hatte ein Lager, das mit Kühlkammern ausgestattet war, in der Via Vittorio Emanuele Orlando, in der Nähe des Hafens. Sie exportierte Getreide, Kichererbsen, Saubohnen, auch Pistazien, alles Mögliche in dieser Richtung. Ein großes Geschäftsvolumen, zumindest bis in die zweite Hälfte der Achtzigerjahre. Dann ging es immer weiter bergab. Kurzum – im Januar 1990 musste Lapecora die Firma auflösen, wobei alles korrekt ablief. Er hat auch das Lager verkauft, mit gutem Gewinn. Seine Unterlagen sind alle in den Aktenordnern. Unser Signor Lapecora war ein ordentlicher Mensch, bei einer Buchprüfung hätte ich nichts auszusetzen gehabt. Vier Jahre später, ebenfalls im Januar, bekam er die Genehmigung zur Wiedereröffnung des Betriebs, dessen Firmenbezeichnung er nicht aufgegeben hatte. Ein Depot oder Lager hat er jedoch nicht mehr gekauft. Soll ich Ihnen etwas sagen?«

»Ich glaube, ich weiß es schon. Sie haben zwischen 1994 und heute keine Spur irgendeines Geschäfts gefunden.«

»Genau. Wenn es Lapecora danach war, ein paar Stunden

in seinem Büro zu verbringen – womit ich das meine, was ich im Zimmer nebenan gesehen habe –, wozu musste er dann die Firma neu gründen?«
»Haben Sie Korrespondenz aus der letzten Zeit gefunden?«
»*Nossignore*. Das ist alles vier Jahre alt.«
Montalbano nahm einen vergilbten Umschlag aus der Schublade des kleines Tisches und zeigte ihn dem Maresciallo.
»Haben Sie solche Umschläge gefunden, aber neue, mit englischer Beschriftung?«
»Keinen Einzigen.«
»Folgendes, Maresciallo. Eine hiesige Druckerei hat Lapecora letzten Monat einen Packen Briefpapier hierher ins Büro geschickt. Wenn Sie nichts dergleichen gefunden haben, halten Sie es dann für möglich, dass der ganze Vorrat innerhalb von vier Wochen aufgebraucht wurde?«
»Das glaube ich nicht. Auch wenn seine Geschäfte gut gelaufen wären, hätte er nie so viel schreiben können.«
»Haben Sie Briefe einer ausländischen Firma namens Aslanidis gefunden, die Datteln exportiert?«
»Nein.«
»Aber er hat welche bekommen, das weiß ich vom Postboten.«
»Haben Sie in Lapecoras Wohnung denn genau nachgeschaut, Commissario?«
»Ja. Da ist nichts, was mit seinen neuen Geschäften zu tun haben könnte. Soll ich Ihnen noch etwas sagen? Laut einer mehr als glaubwürdigen Zeugenaussage wurde hier

in manchen Nächten, wenn Lapecora nicht da war, eifrigst gearbeitet.«

Und dann erzählte er Laganà von Karima und dem als Neffen ausgegebenen dunkelhaarigen jungen Mann, der telefonierte, Anrufe bekam und Briefe schrieb, aber nur auf seiner Reiseschreibmaschine.

»Ich verstehe«, sagte Laganà. »Sie auch?«

»Ich auch, aber ich würde gern zuerst hören, was Sie meinen.«

»Die Firma war ein Deckmantel, eine Fassade, eine Adresse für ich weiß nicht was für Geschäfte, aber bestimmt nicht, um Datteln zu importieren.«

»Das glaube ich auch«, sagte Montalbano. »Und als sie Lapecora umbrachten, oder zumindest in der Nacht vorher, waren sie hier und haben alles verschwinden lassen.«

Er ging ins Büro. Catarella saß in der Telefonvermittlung und löste Kreuzworträtsel.

»Sag mal, Catarè, wie lange brauchst du eigentlich für so ein Rätsel?«

»*Sono addifficili, dottori, addifficili assà*. Die sind schwer, Dottori, ganz schön schwer. An dem hier sitz ich schon seit einem Monat und schaff's nicht.«

»Gibt's was Neues?«

»Nichts, was man ernst nehmen müsste, Dottori. Jemand hat die Werkstatt von Sebastiano Lo Monaco angezündet, die Feuerwehr ist hin und hat das Feuer gelöscht. Fünf Autos sind in der Werkstatt verbrannt. Dann ist auf einen geschossen worden, der Quarantino Filippo heißt, aber sie haben ihn verfehlt und ins Fenster geschossen, wo Signora Pizzuto Saveria wohnt, und die hat sich so erschrocken, dass sie ins Krankenhaus musste. Und dann war noch ein Brand, bestimmt Brandstiftung, ein richtiges Feuer. Na ja, Dottori, halt so blödes Zeug, alberne Kleinigkeiten, nichts Wichtiges.«

»Wer ist im Büro?«

»Niemand, Dottori. Die sind alle wegen diesen Sachen unterwegs.«

Er ging in sein Zimmer. Auf dem Schreibtisch lag ein Päckchen, das in das Papier der Pasticceria Pipitone eingewickelt war. Er öffnete es. *Cannola, bignè, torroncini.*

»Catarè!«

»Zu Befehl, Dottori.«

»Von wem stammt das Gebäck da?«

»Von Dottori Augello. Er hat gesagt, dass er es für den kleinen Jungen gekauft hat, den von letzter Nacht.«

Wie zuvorkommend und aufmerksam unser Signor Mimì Augello plötzlich war, wenn es um verwahrloste Kinder ging! Erhoffte er sich etwa noch einen Blick von Livia?

Das Telefon klingelte.

»Dottori? Da ist Signor Giudice Lo Bianco. Er sagt, dass er mit Ihnen sprechen will.«

»Gib ihn mir.«

Giudice Lo Bianco, der Richter, hatte dem Commissario vor vierzehn Tagen ein Geschenk gemacht – er hatte ihm den ersten Band, siebenhundert Seiten, eines Werkes geschickt, dem er sich seit Jahren widmete: *Leben und Unternehmungen von Rinaldo und Antonio Lo Bianco, verei-*

digte Lehrmeister an der Universität von Girgenti zur Zeit König Martins des Jüngeren (1402–1409). Er war felsenfest davon überzeugt, dass sie seine Vorfahren waren. Montalbano hatte in einer schlaflosen Nacht darin geblättert.

»Also, Catarè, was ist, stellst du mir den Giudice jetzt durch?«

»Das geht nicht, Dottori, ich kann ihn nicht durchstellen, weil er nämlich persönlich selber hier neben mir steht.«

Fluchend stürzte Montalbano hinaus, bat den Giudice in sein Zimmer und entschuldigte sich. Der Commissario hatte ein schlechtes Gewissen, weil er den Giudice im Mordfall Lapecora nur ein einziges Mal angerufen und dann seine Existenz buchstäblich vergessen hatte. Jetzt war er bestimmt gekommen, um ihm die Leviten zu lesen.

»Ganz kurz nur, lieber Commissario. Ich bin auf dem Weg zu meiner Mutter, die bei Freunden in Durrueli zu Besuch ist. Ich habe mir gesagt: Na, wollen wir es mal versuchen? Ich hatte Glück, Sie sind da.«

Und was, zum Teufel, willst du von mir? fragte sich Montalbano. Der hoffnungsvolle Blick des Giudice sagte ihm nicht viel.

»Wissen Sie was, Giudice? Ich verbringe schlaflose Nächte.«

»Ach ja? Wie das?«

»Mit Ihrem Buch. Es ist faszinierender als ein Krimi und so voller Details!«

Es war todlangweilig: nichts als Daten und Namen. Da bot sogar ein Zugfahrplan mehr Abwechslung und Überraschungen.

Eine Episode fiel ihm ein, die der Giudice berichtete, nämlich als Antonio Lo Bianco, der in einem Auftrag nach Castrogiovanni unterwegs war, vom Pferd fiel und sich ein Bein brach. Über dieses unbedeutende Ereignis hatte sich der Giudice detailliert auf zweiundzwanzig Seiten wie ein Besessener ausgelassen. Um zu beweisen, dass er das Buch wirklich gelesen hatte, zitierte Montalbano leichtsinnigerweise diese Stelle.
Und Giudice Lo Bianco unterhielt ihn zwei Stunden lang mit immer neuen und ebenso überflüssigen wie genauen Einzelheiten. Als er sich schließlich verabschiedete, hatte der Commissario leichte Kopfschmerzen.
»Ach ja, mein Lieber, vergessen Sie nicht, mich über den Mordfall Lapecora auf dem Laufenden zu halten.«

Als Montalbano nach Marinella kam, waren weder Livia noch François da. Sie waren am Strand, Livia im Badeanzug und der Kleine in Unterhosen. Sie hatten eine riesige Sandburg gebaut. Sie lachten und redeten miteinander. Natürlich auf Französisch, das Livia genauso gut sprach wie Italienisch. Englisch übrigens auch. Und Deutsch ebenfalls, wenn man schon mal dabei war. Der Ignorant im Hause war natürlich er, er konnte gerade die paar Wörter Französisch, die er in der Schule gelernt hatte. Er deckte den Tisch; im Kühlschrank fand er *pasta 'ncasciata* und den *rollè* vom Tag vorher. Er stellte sie bei geringer Hitze in den Backofen. Rasch zog er sich aus und die Badehose an und ging zu den beiden hinaus. Das Erste, was er sah, waren ein Eimerchen, ein Schäufelchen, ein Sieb und Fische und

Sterne als Sandförmchen. So etwas hatte er natürlich nicht im Haus, und Livia konnte sie nicht gekauft haben, es war Sonntag. Und am Strand war außer ihnen dreien keine Menschenseele.
»Und das da?«
»Das was?«
»Die Schaufel, der Eimer...«
»Die hat Augello heute Morgen gebracht. Er ist so nett! Sie sind von seinem kleinen Neffen, der letztes Jahr...«
Er wollte nichts davon hören. Wütend warf er sich ins Meer.
Als sie wieder im Haus waren, sah Livia den Pappteller voller Gebäck.
»Warum kaufst du so etwas? Du weißt doch, dass Süßes schlecht für Kinder ist!«
»Ich weiß das schon, aber dein Freund Augello weiß es nicht. Er hat eingekauft. Und ihr esst das jetzt, du und François!«
»Ach übrigens, deine Freundin Ingrid, die Schwedin, hat angerufen.«
Angriff, Parade, Gegenangriff. Und was sollte dieses »ach übrigens«?
Mimì und Livia mochten sich, das war klar. Die Geschichte hatte im vorigen Jahr angefangen, als Mimì Livia einen ganzen Tag lang durch die Gegend kutschierte. Und sie ging weiter. Was machten sie, wenn er nicht da war? Tauschten sie kleine Blicke, Lächeln, Komplimente?
Sie setzten sich zum Essen, und Livia und François plauderten ab und zu miteinander; die beiden steckten unter

einer unsichtbaren Glocke der Verschwörung, zu der Montalbano keinen Zutritt hatte. Doch das Essen war so gut, dass er leider nicht so wütend sein konnte, wie er gern gewesen wäre.
»Köstlich, dieser *brusciuluni*«, sagte er.
Livia fuhr auf, ihre Gabel blieb auf halber Höhe stehen.
»Was hast du gesagt?«
»*Brusciuluni*. Der Rollbraten.«
»Das klingt ja furchtbar. Ihr habt vielleicht Wörter in Sizilien…«
»Da steht ihr in Ligurien uns aber in nichts nach. Apropos, wann geht dein Flug? Ich glaube, ich kann dich mit dem Auto hinbringen.«
»Das habe ich ja ganz vergessen. Ich habe den Flug storniert und meine Kollegin Adriana angerufen, sie kann mich vertreten. Ich bleibe noch ein paar Tage. Es wäre ja niemand da, bei dem du François lassen könntest, wenn ich weg bin.«
Die dunkle Vorahnung vom Morgen, als er sie Arm in Arm hatte schlafen sehen, begann reale Gestalt anzunehmen. Wer sollte die beiden jemals wieder voneinander lösen?
»Du scheinst dich ja nicht sehr zu freuen. Bist du ärgerlich?«
»Ich!? Aber woher denn, Livia!«

Kaum hatten sie fertig gegessen, wurden dem Kleinen die Augen bleischwer, er war müde und bestimmt noch arg mitgenommen. Livia trug ihn ins Schlafzimmer, zog ihn aus und legte ihn ins Bett.

Sie ließ die Tür halb offen. »Er hat mir etwas gesagt.«
»Erzähl.«
»Als wir die Sandburg bauten, hat er mich plötzlich gefragt, ob ich glaube, dass seine Mutter wiederkäme. Ich habe geantwortet, ich wüsste nichts von der ganzen Geschichte, sei aber sicher, dass seine Mutter eines Tages kommen und ihn holen werde. Er verzog das Gesicht, und ich sagte nichts weiter. Nach einer Weile kam er wieder darauf zurück und meinte, er glaube nicht an ihre Rückkehr. Mehr sagte er nicht dazu. Dieses Kind hat das dunkle Gefühl, dass etwas Furchtbares passiert ist. Plötzlich fing François wieder an zu reden. Er erzählte mir, dass seine Mutter an jenem Morgen ganz verängstigt nach Hause gerannt kam. Sie sagte zu ihm, dass sie weg müssten. Sie machten sich auf den Weg ins Zentrum von Villaseta, seine Mutter hatte gesagt, sie müssten zum Bus.«
»Zu welchem Bus?«
»Er weiß es nicht. Während sie auf den Bus warteten, hielt ein Auto neben ihnen, das er gut kannte, es war das Auto eines bösen Mannes, der seine Mama manchmal geschlagen hat. Fahrid.«
»Was hast du gesagt?«
»Fahrid.«
»Bist du sicher?«
»Absolut. Er hat mir sogar erklärt, dass man es mit einem *h* zwischen dem *a* und dem *r* schreibt.«
Der liebe Neffe von Signor Lapecora, der Eigentümer des metallicgrauen BMW, hatte also einen arabischen Namen.
»Erzähl weiter.«

»Dieser Fahrid stieg aus, packte Karima am Arm und wollte sie zwingen, ins Auto zu steigen. Die Frau hat sich gewehrt und François zugeschrien, er solle weglaufen. Der Kleine ist geflohen, Fahrid war zu sehr mit Karima beschäftigt, er musste sich entscheiden. François hat sich voller Angst versteckt. Er traute sich nicht zu der Frau zurück, die er ›meine Oma‹ nennt.«

»Aisha.«

»Vor lauter Hunger, um zu überleben, hat er den anderen Kindern das Essen geklaut. Nachts ging er zum Haus, aber es war dunkel, und er fürchtete, Fahrid könnte ihm auflauern. Er fühlte sich verfolgt und schlief unter freiem Himmel. Gestern Nacht konnte er nicht mehr, er wollte um jeden Preis wieder nach Hause. Das ist der Grund, warum er so nahe gekommen ist.«

Montalbano schwieg.

»Und, was denkst du?«

»Dass wir ein Waisenkind im Haus haben.«

Livia wurde blass und fragte mit zitternder Stimme:

»Wie kommst du darauf?«

»Hör zu, was ich mir zu der ganzen Geschichte überlegt habe, auch nach dem, was du mir gerade erzählt hast. Also, vor etwa fünf Jahren kommt diese bildschöne Tunesierin mit ihrem kleinen Sohn auf unsere Insel. Sie sucht Arbeit als Dienstmädchen, die sie leicht findet, auch weil sie die Geliebte älterer Herren wird. So lernt sie Lapecora kennen. Aber dann tritt dieser Fahrid in ihr Leben, der möglicherweise Zuhälter ist. Kurzum – Fahrid fasst den Plan, Lapecora zur Wiederaufnahme seiner alten Import-Ex-

port-Firma zu zwingen und sich ihrer als Fassade für unsaubere Geschäfte zu bedienen – Drogen oder Prostitution, das weiß ich nicht. Lapecora, der im Grunde eine ehrliche Haut ist, wird es angst und bange, weil ihm die Sache nicht geheuer ist, und er versucht sich auf ziemlich naive Art und Weise aus der schwierigen Situation auszuklinken. Stell dir vor, er schickt seiner Frau anonyme Briefe gegen sich selbst. Die Sache geht weiter, aber dann ist Fahrid gezwungen zu verschwinden, warum, weiß ich nicht. Doch jetzt muss er Lapecora aus dem Weg räumen. Er sorgt dafür, dass Karima eine Nacht in Lapecoras Wohnung verbringt, wo sie sich im Arbeitszimmer versteckt. Lapecoras Frau muss tags darauf nach Fiacca, dort lebt ihre kranke Schwester. Wer weiß, vielleicht hat Karima Lapecora auch tolle Liebesspiele im Ehebett in Aussicht gestellt, wenn seine Frau fort wäre. Sehr früh am nächsten Morgen, als Signora Lapecora weg ist, lässt Karima Fahrid in die Wohnung, und der bringt den alten Mann um. Vielleicht hat Lapecora auch versucht zu fliehen und wurde deshalb im Fahrstuhl gefunden. Aber nach dem, was du mir gerade erzählt hast, hat Karima wohl nichts von Fahrids Mordabsichten gewusst. Als sie sieht, dass ihr Komplize Lapecora erstochen hat, rennt sie weg. Aber sie kommt nicht weit. Fahrid findet sie und verschleppt sie. Bestimmt hat er sie dann umgebracht, damit sie nicht redet. Der Beweis dafür ist, dass er noch mal in Karimas Haus gegangen ist, um alle Fotos von ihr verschwinden zu lassen – er will nicht, dass sie identifiziert wird.«
Livia begann leise zu weinen.

Montalbano blieb allein zurück, Livia hatte sich zu François ins Bett gelegt. Der Commissario wusste nicht, was er tun sollte, und setzte sich in die Veranda. Am Himmel fand eine Art Duell zwischen zwei Möwen statt, am Strand ging ein Pärchen spazieren, die beiden küssten sich hin und wieder, aber gelangweilt, als folgten sie einem Drehbuch. Er ging wieder hinein, holte den letzten Roman des seligen Bufalino, den mit dem blinden Fotografen, und setzte sich wieder in die Veranda. Er sah den Umschlag an, las den Klappentext und schlug das Buch wieder zu. Er konnte sich nicht konzentrieren. Er spürte, wie langsam ein stechendes Unbehagen in ihm aufstieg. Und plötzlich wusste er, woher es kam.
Das war nämlich eine Kostprobe, ein Vorgeschmack auf ruhige, häusliche Sonntagnachmittage, die ihn da erwarteten, vielleicht nicht einmal in Vigàta, sondern in Boccadasse. Mit einem Kind, das ihn, wenn es aufwachte, Papà nannte und mit ihm spielen wollte …
Panik schnürte ihm die Kehle zu.

Zehn

Er musste auf der Stelle weg, weg aus diesem Haus, das im Begriff war, ihm familiäre Fallen zu stellen. Als er ins Auto stieg, musste er über den Anfall von Schizophrenie lachen, der ihm da zusetzte. Seine Vernunft sagte ihm, dass er die neue Situation, die im Übrigen nur in seiner Einbildung existierte, sehr gut kontrollieren könne; sein Gefühl drängte ihn zur Flucht, einfach so, ohne dass er lang überlegte.

Er fuhr nach Vigàta und ging ins Büro.

»Gibt's was Neues?«

Anstatt zu antworten, fragte Fazio seinerseits:

»Wie geht's dem Kleinen?«

»Sehr gut«, gab Montalbano leicht genervt zurück.

»Und?«

»Nichts Ernstes. Ein Arbeitsloser ist in den Supermarkt eingedrungen und hat angefangen, mit einem Stock die Theken zu zertrümmern …«

»Ein Arbeitsloser? Wie meinst du das? Gibt's denn bei uns noch Arbeitslose?«

Fazio sah ihn erstaunt an.

»Natürlich gibt's die noch, Dottore, wissen Sie das denn nicht?«

»Ehrlich gesagt, nein. Ich dachte, die hätten inzwischen alle Arbeit gefunden.«

Fazio war wirklich baff.

»Wo sollten sie denn Arbeit finden?«

»Als reuige Delinquenten, Fazio. Dieser Arbeitslose, der auf Ladentheken einhaut, ist in erster Linie blöd, und erst in zweiter Linie ist er arbeitslos. Hast du ihn festgenommen?«

»Sissi.«

»Geh zu ihm, und sag ihm einen schönen Gruß von mir, er soll bereuen.«

»Was denn?«

»Er soll irgendwas erfinden. Auf jeden Fall muss er sagen, dass er bereut und aussagt. Irgendeinen Blödsinn, du kannst ihm ja was vorschlagen. Sobald er bereut, ist alles in Ordnung. Er kriegt Geld und eine Wohnung umsonst, und seine Kinder werden in die Schule geschickt. Sag ihm das.«

Fazio sah ihn lange wortlos an. Dann sagte er:

»Dottore, heute ist doch ein schöner Tag, aber Sie sind genervt. Was ist denn los?«

»Das geht dich einen Scheißdreck an.«

Der Besitzer des Ladens, in dem es *càlia e simènza* gab und in dem Montalbano gewöhnlich einkaufte, hatte eine geniale Idee gehabt, um den gesetzlich verordneten sonntäglichen Ladenschluss zu umgehen: Er ließ den Rollladen herunter und stellte sich selbst und einen wohlsortierten Verkaufsstand davor.

»Die Erdnüsse sind frisch geröstet, sie sind noch heiß!«, verkündete der Händler.
Der Commissario ließ sich in die Tüte, in der schon Kichererbsen und Kürbiskerne waren, noch eine Handvoll Erdnüsse einfüllen.
Der einsame Spaziergang bis vorn an die östliche Mole, den er immer zum Nachdenken brauchte, dauerte länger als sonst, bis nach Sonnenuntergang.

»Dieses Kind ist hochintelligent!«, rief Livia ganz aufgeregt, kaum dass Montalbano zur Tür hereingekommen war. »Erst vor drei Stunden habe ich ihm erklärt, wie man Dame spielt, und schau – ein Spiel hat er bereits gewonnen, und das hier gewinnt er gerade.«
Der Commissario blieb neben ihnen stehen und sah bei den letzten Spielzügen zu. Livia machte einen Riesenfehler, und François heimste ihre beiden letzten Damen ein. Bewusst oder unbewusst hatte Livia es darauf angelegt, dass der Junge gewann: Wäre er, Montalbano, an François' Stelle gewesen, hätte sie ihm nicht mal über ihre Leiche die Genugtuung des Sieges gegönnt. Einmal hatte sie – wie niederträchtig! – sogar eine plötzliche Ohnmacht vorgetäuscht und bei der Gelegenheit die Spielsteine einfach auf den Boden fallen lassen.
»Hast du Hunger?«
»Ich kann schon noch warten«, antwortete der Commissario und ging damit auf ihre unausgesprochene Bitte ein, erst später zu Abend zu essen.
»Wir würden gern ein bisschen spazieren gehen.«

Sie und François natürlich; die Möglichkeit, dass er sich ihnen anschließen könnte, war ihr nicht im Traum eingefallen.

Montalbano deckte den Tisch besonders sorgfältig, und als er fertig war, ging er in die Küche, um zu sehen, was Livia vorbereitet hatte. Nichts – arktische Öde, Besteck und Teller glänzten makellos. Sie ging ganz und gar in François' Betreuung auf und hatte nicht einmal an ihr Abendessen gedacht.

Er machte eine ebenso rasche wie traurige Bestandsaufnahme: Als ersten Gang konnte er ein bisschen *pasta all'aglio e oglio* machen, für den zweiten Gang sich mit gesalzenen Sardinen, Oliven, *caciocavallo* und Tunfisch aus der Dose behelfen. Doch das Allerschlimmste war, dass Adelina, die am nächsten Tag zum Kochen und Putzen kommen wollte, Livia mit einem Kind antreffen würde. Die beiden Frauen konnten sich nicht ausstehen; auf gewisse Äußerungen Livias hin hatte Adelina einmal Knall auf Fall alles stehen und liegen lassen und war verschwunden; sie war erst wiedergekommen, als sie sicher wusste, dass ihre Rivalin abgereist war und mehrere hundert Kilometer zwischen ihnen lagen.

Es war Zeit für die Nachrichten, er schaltete den Fernseher an und stellte »Televigàta« ein. Auf dem Bildschirm erschien das Hühnerarschgesicht des Kommentators Pippo Ragonese. Er wollte schon umschalten, als er wie gelähmt Ragoneses erste Worte hörte.

»Was ist nur im Kommissariat von Vigàta los?«, fragte der Kommentator sich und die Schöpfung in einem Ton, dass

im Vergleich dazu ein Torquemada in Höchstform geklungen hätte, als erzählte er einen Witz.
Er fuhr fort und behauptete, seiner Meinung nach stehe Vigàta dem Chicago der Prohibition in nichts nach: Schießereien, Diebstähle, Brandstiftung; Leben und Freiheit des ehrbaren gemeinen Bürgers seien fortwährend gefährdet. Wüssten die Zuschauer eigentlich, womit sich mitten in diesen schlimmen Zeiten der weit überschätzte Commissario Montalbano beschäftige? Das Fragezeichen wurde so schwungvoll betont, dass der Commissario es sogar auf dem Hühnerarsch gestempelt zu sehen meinte.
Ragonese holte tief Luft, um sein Erstaunen und seine Empörung gebührend zum Ausdruck zu bringen, und betonte jede einzelne Silbe:
»Mit-der-Jagd-auf-ei-nen-Ei-er-ku-chen-dieb!«
Und er war nicht allein auf die Jagd gegangen, unser lieber Commissario, sondern hatte auch noch seine Leute eingespannt, und im Kommissariat hatte als Einziger ein unterbelichteter Telefonist die Stellung gehalten. Wie er, Ragonese, diese vielleicht komische, auf jeden Fall aber tragische Geschichte erfahren habe? Er habe mit Vicecommissario Augello sprechen wollen, weil er eine Information von ihm gebraucht habe, und am Telefon habe ihm der Telefonist diese unerhörte Auskunft gegeben. Zuerst habe er geglaubt, das alles sei ein grober Scherz, und habe nachgehakt, und schließlich sei ihm klar geworden, dass dies keineswegs ein Witz, sondern die ungeheuerliche Wahrheit war. Ob sich die Zuschauer in Vigàta eigentlich bewusst seien, in wessen Hand sie sich befänden?

Was habe ich denn nur verbrochen, dass Catarella mir immer dazwischenfunkt? fragte sich der Commissario verbittert und schaltete um.
»Retelibera« sendete aus Mazàra die Bilder von der Beerdigung des tunesischen Matrosen, der an Bord des Fischkutters *Santopadre* erschossen worden war. Nach dem Bericht sprach der Kommentator darüber, was für ein Pech der Tunesier gehabt habe, der zum ersten Mal angeheuert hatte und auf so tragische Weise ums Leben gekommen war; er sei erst vor kurzem nach Sizilien gekommen, und kaum jemand habe ihn gekannt. Er habe keine Familie oder zumindest habe er noch keine Zeit gehabt, sie nach Mazàra nachkommen zu lassen. Er sei zweiunddreißig Jahre alt, geboren in Sfax und heiße Ben Dhahab. Dann wurde ein Foto des Tunesiers gezeigt, und just in diesem Augenblick betraten Livia und François das Zimmer, die von ihrem Spaziergang zurück waren. Als der Junge das Gesicht auf dem Bildschirm sah, lachte er und zeigte mit dem Finger darauf.
»Mon oncle.«

Livia wollte Salvo gerade sagen, er solle den Fernseher ausmachen, weil er sie beim Essen störe; Montalbano seinerseits wollte ihr gerade vorwerfen, dass sie nicht gekocht hatte. Doch beiden blieb der Mund offen stehen, ihre Zeigefinger waren aufeinander gerichtet, während ein dritter Zeigefinger, der des Kindes, noch immer auf den Bildschirm wies. Wie bei Dornröschen erstarrten alle drei in ihrer jeweiligen Pose. Der Commissario kam wieder zu

sich und wollte eine Bestätigung, weil er an seinem dürftigen Französisch zweifelte.
»Was hat er gesagt?«
»Er hat gesagt: mein Onkel«, antwortete Livia, die ganz blass war.
Das Bild verschwand, und François setzte sich an den Tisch; er wollte endlich essen und war nicht weiter davon beeindruckt, dass er seinen Onkel im Fernsehen gesehen hatte.
»Frag ihn, ob der Mann, den er gesehen hat, sein richtiger Onkel ist.«
»Was ist denn das für eine blöde Frage?«
»Sie ist nicht blöd. Mich hat auch jemand Onkel genannt, und ich bin keiner.«
François erklärte, dass der Mann, den er gesehen hatte, sein richtiger Onkel sei, und zwar der Bruder seiner Mutter.
»Er muss sofort mit«, sagte Montalbano.
»Wohin denn?«
»Ins Büro, ich will ihm ein Foto zeigen.«
»Kommt gar nicht in Frage, das Foto nimmt dir keiner weg. François muss erst essen. Und dann fahre ich mit; du bist ja im Stande und verlierst das Kind unterwegs.«
Die *pasta* war zerkocht, praktisch ungenießbar.

Catarella hatte Wache. Als die nette kleine Familie um diese Uhrzeit bei ihm aufkreuzte und er das Gesicht seines Chefs sah, blickte er ganz finster und wurde nervös.
»Dottori, hier ist alles in Ordnung, alles ruhig.«
»Aber in Tschetschenien nicht.«

Der Commissario nahm die Fotos, die er aus Karimas Zimmer mitgenommen hatte, aus der Schublade, wählte eines aus und zeigte es dem Jungen. François führte es wortlos an die Lippen und küsste das Bild seiner Mutter.
Livia unterdrückte mühsam einen Schluchzer. Die Frage war eigentlich überflüssig – so eindeutig war die Ähnlichkeit zwischen dem Mann auf dem Bildschirm und dem Mann in Uniform auf dem Foto mit Karima. Doch der Commissario fragte dennoch.
»Ist das *ton oncle*?«
»*Oui.*«
»*Comment s'appelle-t'il?*«
Er beglückwünschte sich zu seinem Eiffelturm-Moulin-Rouge-Touristenfranzösisch.
»Ahmed«, antwortete das Kind.
»*Seulement* Ahmed?«
»*Oh, non.* Ahmed Moussa.«
»*Et ta mère? Comment s'appelle?*«
»Karima Moussa«, sagte François, zuckte mit den Schultern und lächelte, weil die Antwort doch logisch war.
Montalbano ließ seinen Ärger an Livia aus, die eine solche Attacke nicht erwartet hatte.
»Scheiße! Du bist Tag und Nacht mit dem Kind zusammen, spielst mit ihm, bringst ihm Dame bei und weißt nicht, wie es heißt! Du hättest es doch nur zu fragen brauchen, oder? Und Mimì, dieser Vollidiot! Der große Ermittler! Bringt ihm Eimerchen, Schäufelchen, Sandförmchen und süßes Zeug, und anstatt mit dem Kind zu reden, redet er nur mit dir!«

Livia reagierte nicht, und Montalbano schämte sich sofort für seinen Ausbruch.
»Entschuldige, Livia, aber ich bin nervös.«
»Das merkt man.«
»Frag ihn, ob er seinen Onkel überhaupt schon mal gesehen hat, auch in letzter Zeit.«
Sie sprachen miteinander, dann erklärte Livia, dass er ihn in letzter Zeit nicht gesehen habe, aber als François drei Jahre alt gewesen sei, habe seine Mutter ihn nach Tunesien mitgenommen, und dort habe er seinen Onkel zusammen mit anderen Männern gesehen. Aber so richtig könne er sich nicht daran erinnern, er sage das nur, weil seine Mutter ihm davon erzählt habe.
Es hatte also, folgerte Montalbano, vor zwei Jahren eine Art Gipfeltreffen stattgefunden, bei dem auf irgendeine Art und Weise das Schicksal des armen Lapecora entschieden wurde.
»Hör zu, du gehst jetzt mit François ins Kino, ihr schafft es noch rechtzeitig in die letzte Vorstellung, dann kommt ihr wieder her. Ich hab zu tun.«

»*Pronto*, Buscaìno! Montalbano hier. Ich habe gerade den vollständigen Namen dieser Tunesierin erfahren, die in Villaseta wohnt, erinnerst du dich?«
»Klar. Karima.«
»Sie heißt Karima Moussa. Könntest du dem bei euch im Ausländeramt mal nachgehen?«
»Commissario, soll das ein Witz sein?«
»Nein, ganz und gar nicht. Warum?«

»Wie bitte?! Sie mit Ihrer Erfahrung stellen mir eine solche Frage?«
»Wie meinst du das?«
»Sehen Sie, Commissario, nicht mal wenn Sie mir den Namen des Vaters und der Mutter, die Namen der Großeltern väterlicherseits und mütterlicherseits, Geburtsort und Geburtsdatum nennen ...«
»Zappenduster?«
»Wie sollte es anders sein? In Rom können sie Gesetze machen, so viele sie wollen, aber hier kommen und gehen Tunesier, Marokkaner, Libyer, Senegalesen, Nigerianer, Albaner, Serben, Kroaten, Leute von den Kapverdischen Inseln und aus Ruanda, wie es ihnen gerade passt. Es ist wie im Kolosseum, da gibt es keine Tür, die man zumachen könnte. Dass wir neulich die Adresse dieser Karima erfahren haben, gehört zu den Wundern, nicht zu den alltäglichen Dingen.«
»Versuch's trotzdem.«

»Montalbano? Was soll diese Geschichte, Sie seien hinter einem Eierkuchendieb her? Ein Verrückter?«
»Aber nein, Signor Questore, es handelte sich um einen kleinen Jungen, der anderen Kindern ihre Vesper gestohlen hat, weil er Hunger hatte. Das ist alles.«
»Was heißt hier ›das ist alles‹? Ich weiß ja, dass Sie bisweilen etwas neben der Spur sind, aber diesmal muss ich offen gestanden sagen ...«
»Signor Questore, ich verspreche, dass so etwas nicht mehr vorkommt. Es war unbedingt notwendig, ihn zu fassen.«

»Haben Sie ihn erwischt?«
»Ja.«
»Und was haben Sie mit ihm gemacht?«
»Ich habe ihn zu mir nach Hause gebracht, Livia kümmert sich um ihn.«
»Montalbano, sind Sie wahnsinnig geworden? Bringen Sie ihn auf der Stelle zu seinen Eltern zurück!«
»Er hat keine, möglicherweise ist er ein Waisenkind.«
»Was heißt hier ›möglicherweise‹? Finden Sie das gefälligst heraus!«
»Ich bin ja schon dabei, aber François…«
»*Oddio*, wer ist denn das?«
»So heißt der Junge.«
»Ist er kein Italiener?«
»Nein, Tunesier.«
»Hören Sie zu, Montalbano, wir lassen es für den Augenblick gut sein, mir ist das jetzt wirklich zu viel. Aber morgen früh kommen Sie zu mir nach Montelusa und erklären mir alles.«
»Das geht nicht, ich bin morgen Vormittag nicht in Vigàta. Glauben Sie mir, es ist sehr wichtig, ich will mich wirklich nicht drücken.«
»Dann eben am Nachmittag. Wehe, Sie kommen nicht! Und liefern Sie mir eine Verteidigungsstrategie, Onorevole Pennacchio wird da sein…«
»Der Abgeordnete, der wegen Zugehörigkeit zu einer kriminellen Vereinigung im Stil der Mafia angeklagt wurde?«
»Genau der. Er plant eine Anfrage beim Minister. Er will Ihren Kopf.«

Kein Wunder – Montalbano hatte die Ermittlungen gegen den Abgeordneten geleitet.

»Nicolò? Hier ist Montalbano. Ich muss dich um einen Gefallen bitten.«
»Das ist ja ganz was Neues. Sag schon.«
»Wie lange bist noch bei ›Retelibera‹?«
»Ich mache noch die Spätnachrichten, dann gehe ich nach Hause.«
»Jetzt ist es zehn. Wenn ich dir spätestens in einer halben Stunde ein Foto bringe, kannst du das dann in den letzten Nachrichten noch bringen?«
»Klar, komm nur.«

Er hatte doch gleich gewusst, dass diese Geschichte mit der *Santopadre*, dem Fischkutter, nichts für ihn war; er hatte ja auch alles dafür getan, sie sich vom Leibe zu halten. Aber jetzt hatte der Fall ihn am Wickel und dafür gesorgt, dass er mit der Nase mitten hineingestupst wurde, wie ein Kätzchen, dem man beibringen will, dass es nicht überall hinpinkeln darf. Livia und François hätten nur ein bisschen später zurückkommen müssen, dann hätte der Kleine nicht das Bild seines Onkels gesehen, sie hätten in aller Ruhe essen können, und alles wäre seinen rechten Weg gegangen. Er verfluchte sein Bullenhirn, das sich nie abschalten ließ. Ein anderer hätte an seiner Stelle gesagt: »Tatsächlich? Das Kind hat seinen Onkel wiedererkannt? Was für ein lustiger Zufall!« Und hätte die erste Gabel zum Mund geführt. Aber er konnte das nicht, er wollte es

ja immer unbedingt wissen. Jagdinstinkt hatte Hammett das genannt, und der verstand was von diesen Dingen.
»Wo ist das Foto?«, fragte Zito, kaum dass Montalbano eingetreten war.
Es war das Foto von Karima und ihrem Sohn.
»Soll ich es ganz aufnehmen lassen? Oder willst du irgendein Detail haben?«
»So wie es ist.«
Nicolò Zito ging hinaus und kam kurz darauf ohne Foto wieder. Er setzte sich gemütlich hin.
»Und jetzt erzähl mal. Vor allem diese Geschichte mit dem Eierkuchendieb, die Pippo Ragonese so lächerlich findet, ich aber nicht.«
»Nicolò, glaub mir, ich hab keine Zeit.«
»Nein, das glaube ich dir nicht. Eine Frage: Ist der Junge, der das Essen geklaut hat, der von dem Foto?«
Nicolò war gefährlich intelligent. Es war besser, ihm nicht zu widersprechen.
»Ja, das ist er.«
»Und wer ist die Mutter?«
»Eine Frau, die mit Sicherheit in den Mord von vor ein paar Tagen verwickelt ist, du weißt schon, die Leiche im Fahrstuhl. Und jetzt keine weiteren Fragen mehr. Ich verspreche dir, dass du es als Allerererster erfahren wirst, sobald mir selbst die Sache etwas klarer ist.«
Sagst du mir wenigstens, wie ich das Foto kommentieren soll?«
»Ach ja, genau. Du musst reden wie jemand, der eine traurige, ergreifende Geschichte erzählt.«

»Spielst du jetzt auch noch den Regisseur?«

»Du musst sagen, dass eine alte Tunesierin, in Tränen aufgelöst, zu dir gekommen ist und dich angefleht hat, das Foto im Fernsehen zu zeigen. Die Alte hat seit drei Tagen weder von der Frau noch von dem Jungen etwas gehört. Sie heißen Karima und François. Wer sie gesehen hat und so weiter und so fort, Anonymität zugesichert und so weiter und so fort, im Kommissariat anrufen und so weiter und so fort.«

»Du kannst mich mal mit deinem Und-so-weiter-und-so-fort«, sagte Nicolò Zito.

Zu Hause ging Livia gleich ins Bett, den Jungen nahm sie mit; Montalbano blieb auf und wartete auf die Spätnachrichten. Nicolò tat, was ihm aufgetragen worden war, und zeigte das Foto so lange wie möglich. Als die Nachrichten zu Ende waren, rief der Commissario ihn an, um sich zu bedanken.

»Tust du mir noch einen Gefallen?«

»Du kannst meine Dienste ja abonnieren. Was willst du denn?«

»Kannst du den Bericht morgen in den Dreizehn-Uhr-Nachrichten noch mal bringen? Ich fürchte, jetzt haben ihn nicht so viele Leute gesehen.«

»Zu Befehl.«

Er ging ins Schlafzimmer, löste François aus Livias Armen, hob ihn hoch, trug ihn ins Esszimmer und legte ihn auf das Sofa, das Livia schon zurechtgemacht hatte. Dann duschte er und legte sich ins Bett. Im Schlaf spürte Livia ihn neben sich und schmiegte sich mit dem Rücken an ihn. Das mochte sie schon immer, im Halbschlaf, in diesem wohligen Niemandsland zwischen dem Land des Schlafes und der Stadt des Bewusstseins. Doch diesmal rückte sie, sobald Montalbano sie zu streicheln begann, von ihm ab.

»Nein. François könnte aufwachen.«

Einen Augenblick lang war Montalbano wie versteinert – diesen weiteren Aspekt familiärer Freuden hatte er noch gar nicht bedacht.

Er stand auf, seine Müdigkeit war verflogen. Vorhin, auf dem Heimweg nach Marinella, hatte er sich etwas überlegt. Das fiel ihm jetzt wieder ein.

»Valente? Hier ist Montalbano. Bitte entschuldige, dass ich dich so spät zu Hause störe. Ich muss dich ganz dringend sprechen. Kann ich morgen Vormittag gegen zehn zu dir nach Mazàra kommen?«

»Natürlich. Worum ...«

»Es ist eine verworrene, komplizierte Geschichte. Ich kann nur Vermutungen nachgehen. Es hat auch mit dem erschossenen Tunesier zu tun.«

»Ben Dhahab.«

»Siehst du, das ist schon mal Punkt eins: Er heißt nämlich Ahmed Moussa.«

»Scheiße.«

»Du sagst es.«

Elf

»Es ist nicht gesagt, dass es da eine Verbindung gibt«, meinte Vicequestore Valente, als Montalbano zu Ende berichtet hatte.

»Wenn das deine Meinung ist, dann tust du mir einen Riesengefallen. Jeder kümmert sich um seinen eigenen Kram: Du stellst fest, warum der Tunesier einen falschen Namen benutzt hat, und ich versuche herauszufinden, warum Lapecora umgebracht wurde und Karima verschwunden ist. Sollten wir uns dabei zufällig über den Weg laufen, tun wir so, als würden wir uns nicht kennen, kein Gruß, kein Wort. Einverstanden?«

»Was regst du dich denn gleich so auf?«

Commissario Angelo Tomasino, ein Dreißigjähriger mit der Miene eines Bankangestellten, der fünfhunderttausend Lire zehnmal von Hand zählt, bevor er sie rausrückt, setzte noch eins drauf, als er für seinen Chef in die Bresche sprang.

»Das ist ja gar nicht gesagt, wissen Sie.«

»Was ist gar nicht gesagt?«

»Dass Ben Dhahab ein falscher Name ist. Es kann auch sein, dass er Ben Ahmed Dhahab Moussa heißt. Diese arabischen Namen kapiert doch kein Mensch.«

»Ich will nicht länger stören«, sagte Montalbano und erhob sich.
Das Blut war ihm in den Kopf gestiegen. Valente, der ihn schon lange kannte, verstand ihn.
»Was sollen wir deiner Meinung nach tun?«, fragte er einfach.
Der Commissario setzte sich wieder.
»Zum Beispiel herausfinden, wer ihn hier in Mazàra kannte. Wie er auf dem Fischkutter angeheuert hat. Ob seine Papiere in Ordnung waren. Seine Unterkunft durchsuchen. Muss *ich* dir das erklären?«
»Nein«, sagte Valente. »Ich wollte es nur gern von dir hören.«
Er nahm ein Blatt Papier von seinem Schreibtisch und reichte es Montalbano. Es war ein Durchsuchungsbefehl für die Wohnung von Ben Dhahab, hübsch gestempelt und unterschrieben.
»Ich habe den Giudice heute früh um sieben aufgeweckt«, sagte Valente und grinste. »Gehst du mit spazieren?«

Signora Pipìa, Ernestina, verwitwete Locicero, legte Wert auf die Feststellung, dass sie nicht professionell Zimmer vermiete. Ihr verstorbener Gatte habe ihr eine ebenerdige Kammer hinterlassen, die früher einmal eine *putìa di varbèri*, ein Frisiersalon, gewesen sei. Man nenne das zwar so, aber es sei alles andere als ein Salon, die Signori würden selbst gleich sehen, und wozu überhaupt dieses Ding da, dieser Durchsuchungsbefehl? Sie hätten doch nur kommen und zu sagen brauchen: Signora Pipìa, so und so, und sie hätte keine Schwierigkeiten gemacht. Die mache nur, wer was zu verbergen habe, aber ihr Lebenswandel – und das könne jeder in Mazàra bezeugen, zumindest die, die keine Mistkerle oder Hurensöhne seien – sei immer ohne Fehl und Tadel gewesen und bleibe das auch weiterhin. Wie der arme Tunesier gewesen sei? Sehen Sie, Signori, nie und nimmer hätte sie das Zimmer an einen Afrikaner vermietet, weder an einen tintenschwarzen noch an einen, der sich in seiner Hautfarbe nicht von einem Mazarese unterscheide. Na ja, der Afrikaner als solcher sei ihr nicht geheuer. Warum sie das Zimmer dann an Ben Dhahab vermietet habe? Er war so vornehm, *signori miei*, ein echter Herr mit guten Manieren, wie es sie in Mazàra ja gar nicht mehr gibt. *Sissignore*, er sprach Italienisch, zumindest konnte er sich ausreichend verständlich machen. Er habe ihr seinen Pass gezeigt...

»Augenblick mal«, sagte Montalbano.

»Moment mal«, sagte Valente gleichzeitig.

Sissignore, den Pass. Der sei in Ordnung gewesen. Er sei so geschrieben gewesen, wie die Araber schreiben, und manche Wörter seien auch ausländisch gewesen. *Ingrisi? Frangisi?* Keine Ahnung. Das auf dem Foto sei er gewesen. Und falls die Herren auch das unbedingt wissen wollten – sie habe die Vermietung korrekt angemeldet, wie es das Gesetz verlange.

»Wann genau ist er gekommen?«, fragte Valente.

»Heute vor zehn Tagen.«

Zehn Tage hatten ihm gereicht, sich einzugewöhnen, Arbeit zu finden und getötet zu werden.

»Hat er gesagt, wie lange er bleiben wollte?«, fragte Montalbano.
»Ungefähr noch mal zehn Tage. Aber...«
»Aber?«
»Aber er wollte einen Monat im Voraus bezahlen.«
»Und wie viel haben Sie von ihm verlangt?«
»Ich hab's gleich mal mit neunhunderttausend versucht. Aber ich wäre schon runtergegangen, was weiß ich, auf sechshundert-, fünfhunderttausend... Sie kennen die Araber ja, die feilschen, was das Zeug hält. Aber der hat mich gar nicht ausreden lassen, sondern in die Hosentasche gelangt und ein Bündel herausgezogen, das so dick war wie ein Flaschenbauch, das Gummiband abgestreift und mir neun Hunderttausenderscheine in die Hand gezählt.«
»Sie geben uns jetzt den Schlüssel und erklären uns, wo das Zimmer ist«, fiel Montalbano ihr ins Wort. Die guten Manieren des vornehmen Tunesiers steckten für die Witwe Pipìa anscheinend vor allem in dem flaschenbauchdicken Bündel.
»Ich ziehe mir nur rasch was über, dann begleite ich Sie.«
»Nein, Signora, Sie bleiben hier. Den Schlüssel bringen wir Ihnen zurück.«

Ein verrostetes Eisenbett, ein wackliger Tisch, ein Schrank mit einer Sperrholzplatte an Stelle des Spiegels, drei Stühle mit strohgeflochtener Sitzfläche. Dazu ein Kämmerchen mit Kloschüssel und Waschbecken, ein schmutziges Handtuch, auf der Ablage Rasiermesser, Seifenspender, ein Kamm. Sie gingen in das einzige Zimmer zurück. Auf

einem Stuhl ein blauer Stoffkoffer; sie öffneten ihn, er war leer.
Im Schrank eine neue Hose, ein sauberes dunkles Jackett, zwei Hemden, vier Paar Schuhe, vier Slips, sechs Taschentücher, zwei Unterhemden: alles nagelneu, noch ungetragen. In einer Ecke des Schranks stand ein Paar Sandalen in gutem Zustand; auf der anderen Seite eine Plastiktüte voller Schmutzwäsche. Sie leerten sie auf den Boden aus: nichts Ungewöhnliches.
Eine gute Stunde lang durchsuchten sie alles. Als sie die Hoffnung schon aufgeben wollten, hatte Valente Glück. Zwischen den Eisenstreben im Kopfteil des Bettes fand sich – nicht versteckt, sondern bestimmt versehentlich da hingeraten – ein Flugticket Rom-Palermo, ausgestellt vor zehn Tagen auf Mr. Dhahab.
Ahmed war demnach um zehn Uhr vormittags in Palermo gelandet und höchstens zwei Stunden später in Mazàra angekommen. An wen hatte er sich wegen einer Zimmervermittlung gewandt?
»Hast du aus Montelusa zusammen mit der Leiche auch die persönlichen Gegenstände des Toten bekommen?«
»Natürlich«, antwortete Valente. »Zehntausend Lire.«
»Und den Pass?«
»Nein.«
»Und das viele Geld, das er hatte?«
»Falls er es hiergelassen hat, wird sich Signora Pipìa darum gekümmert haben, die mit dem Lebenswandel ohne Fehl und Tadel.«
»Hatte er denn keinen Hausschlüssel in der Tasche?«

»Auch nicht. Sag mal, brauchst du etwa einen Dolmetscher? Nur zehntausend Lire, sonst nichts.«

Valente rief Professor Rahman an, der eine halboffizielle Funktion als Verbindungsmann zwischen seinen Landsleuten und den Behörden in Mazàra innehatte; er war um die vierzig, Grundschullehrer und sah aus wie ein waschechter Sizilianer. In zehn Minuten war er da.
Montalbano und er hatten sich im Jahr zuvor kennen gelernt, als der Commissario in einem Fall ermittelte, der als *Der Hund aus Terracotta* bekannt geworden war.
»Hatten Sie gerade Unterricht?«, fragte Valente.
In einem ungewöhnlichen Anfall von gesundem Menschenverstand hatte der Direktor einer Schule in Mazàra, ohne das Schulamt einzuschalten, Räume zur Verfügung gestellt, damit tunesische Kinder unterrichtet werden konnten.
»Ja, aber ich habe mich vertreten lassen. Kann ich irgendwie helfen?«
»Sie können vielleicht etwas klären.«
»Worum geht es denn?«
»Nicht um etwas, sondern um jemanden. Ben Dhahab.«
Valente und Montalbano hatten beschlossen, dem Lehrer erst mal nur Andeutungen zu machen und ihm dann, je nachdem, wie Rahman reagierte, die Geschichte ganz zu erzählen oder auch nicht.
Als Rahman diesen Namen hörte, machte er kein Hehl aus seinem Missbehagen.
»Bitte, fragen Sie.«

Valente sollte die Partie übernehmen, Montalbano war ja nur Gast.

»Kannten Sie ihn?«

»Er kam vor ungefähr zehn Tagen zu mir. Er kannte meinen Namen und wusste von meiner Tätigkeit. Letzten Januar, glaube ich, ist in Tunis nämlich ein Artikel erschienen, in dem von unserer Schule die Rede war.«

»Was hat er Ihnen erzählt?«

»Dass er Journalist sei.«

Valente und Montalbano warfen sich einen schnellen Blick zu.

»Er plante eine Reportage über das Leben unserer Landsleute in Mazàra. Aber er hatte vor, sich als Arbeitsuchender auszugeben. Er wollte sich sogar anheuern lassen. Ich machte ihn mit meinem Kollegen El Madani bekannt. Der verwies Ben Dhahab an Signora Pipìa, die ihm ein Zimmer vermietete.«

»Haben Sie ihn danach noch mal gesehen?«

»Ja, wir trafen uns ein paar Mal zufällig. Wir waren auch zusammen auf einem Fest. Er hatte sich sozusagen perfekt integriert.«

»Haben Sie ihm den Job an Bord besorgt?«

»Nein. Und auch El Madani nicht.«

»Wer hat die Beerdigung bezahlt?«

»Wir haben eine kleine Kasse für Notfälle eingerichtet.«

»Woher hatte der Fernsehsender das Foto und all die Angaben zu Ben Dhahab?«

»Von mir. Schauen Sie, zu diesem Fest, von dem ich gerade gesprochen habe, erschien auch ein Fotograf. Ben Dhahab protestierte, er sagte, er wolle nicht fotografiert werden. Aber das hatte der Fotograf schon getan. Und als dann dieser Fernsehjournalist kam, holte ich mir das Foto, gab es ihm und sagte ihm das wenige, was ich über Ben Dhahab wusste.«

Rahman wischte sich den Schweiß ab. Er fühlte sich immer unbehaglicher. Valente war ein tüchtiger Polizist und ließ ihn schmoren.

»Aber etwas war merkwürdig«, entschloss sich Rahman zu sagen.

Montalbano und Valente schienen nicht gehört zu haben, und man hätte meinen können, sie seien in Gedanken ganz woanders, dabei waren sie hellwach wie Katzen, die die Augen geschlossen halten und vorgeben zu schlafen, in Wirklichkeit aber Sterne zählen.

»Gestern habe ich in Tunis bei der Zeitung angerufen, um sie über diesen unglücklichen Vorfall zu informieren und zu fragen, was mit dem Leichnam geschehen soll. Als ich dem Chefredakteur sagte, Ben Dhahab sei tot, hat er gelacht. Er sagte, das sei ja wohl ein schlechter Scherz, denn Ben Dhahab befinde sich im Augenblick im Nebenzimmer und telefoniere. Dann hat er aufgelegt.«

»Könnte es sich nicht um eine Namengleichheit handeln?«, fragte Valente ihn herausfordernd.

»Niemals! Er hat sich mir gegenüber ganz klar ausgedrückt. Er sagte, er sei im Auftrag der Zeitung hier. Dann hat er also gelogen.«

»Wissen Sie, ob er Verwandte in Sizilien hatte?«, mischte sich zum ersten Mal Montalbano ein.

»Ich weiß es nicht, wir haben nicht darüber gesprochen. Wenn er in Mazàra welche gehabt hätte, hätte er sich doch nicht an mich gewandt.«
Valente und Montalbano berieten sich wieder mit einem Blick, und Montalbano gab dem Freund wortlos seine Zustimmung, den Schuss abzufeuern.
»Sagt Ihnen der Name Ahmed Moussa etwas?«
Das war kein Flintenschuss, sondern ein richtiger Kanonendonner. Rahman sprang von seinem Stuhl auf, sank wieder zurück und fiel in sich zusammen.
»Was ... was ... was hat denn Ahmed Moussa damit zu tun?«, stammelte der Lehrer und rang nach Luft.
»Verzeihen Sie mir meine Unwissenheit«, fuhr Valente ungerührt fort. »Wer ist denn dieser Signore, dass er Ihnen einen solchen Schrecken einjagt?«
»Er ist ein Terrorist. Einer, der ... ein Mörder. Ein äußerst gefährlicher Mann. Aber was ... was hat er damit zu tun?«
»Wir haben Grund zu der Annahme, dass Ben Dhahab in Wirklichkeit Ahmed Moussa ist.«
»Mir ist nicht gut«, ließ Professor Rahman sich mit fadendünner Stimme vernehmen.

Aufgewühlt erzählte ihnen Rahman, der fix und fertig war, dass Ahmed Moussa, dessen wahrer Name mehr geflüstert als ausgesprochen wurde und von dem kaum jemand wusste, wie er aussah, vor längerer Zeit ein paramilitärisches Grüppchen von Desperados gegründet hatte. Vor drei Jahren hatte er mit einer unmissverständlichen Visitenkarte die Bühne betreten: Er hatte einen kleinen

Kinosaal in die Luft gejagt, in dem gerade ein französischer Zeichentrickfilm für Kinder lief. Das meiste Glück hatten noch die Toten gehabt: Zu Dutzenden waren die Zuschauer erblindet, verstümmelt oder für den Rest des Lebens entstellt worden. Der Nationalismus dieser Gruppe war, zumindest in den Zielen, fast abstrakt in seinem Absolutheitsanspruch. Selbst die verbohrtesten Fundamentalisten standen Moussa und seinen Leuten skeptisch gegenüber. Die Gruppe verfügte über nahezu unbegrenzte Geldmittel, deren Quelle nicht bekannt war. Die Regierung hatte eine hohe Prämie auf Ahmed Moussas Kopf ausgesetzt.

Das war alles, was Professor Rahman wusste, und die Vorstellung, dem Terroristen auch nur ein bisschen geholfen zu haben, verstörte ihn dermaßen, dass er zitterte und schwankte, als hätte er einen schweren Malariaanfall.

»Aber er hat Sie doch getäuscht«, versuchte Montalbano ihn zu trösten.

»Wenn Sie Konsequenzen fürchten«, fügte Valente hinzu, »können wir bezeugen, dass Sie wirklich in gutem Glauben gehandelt haben.«

Rahman schüttelte den Kopf. Er erklärte, er empfinde keine Angst, sondern Grauen. Grauen deshalb, weil sich sein Leben, wenn auch nur für kurze Zeit, mit dem Leben eines eiskalten Kindermörders, eines Mörders unschuldiger Geschöpfe, gekreuzt habe.

Sie trösteten ihn, so gut sie konnten, und verabschiedeten ihn mit der Bitte, Stillschweigen über ihre Unterredung zu bewahren, auch gegenüber seinem Kollegen und

Freund El Madani. Wenn sie ihn noch mal bräuchten, würden sie ihn anrufen.
»Auch nachts, *pas de problème!*«, sagte der Lehrer, dem es jetzt schwer fiel, Italienisch zu sprechen.

Bevor sie damit begannen, all das, was sie erfahren hatten, zu besprechen, ließen sie sich einen Kaffee bringen, den sie langsam und schweigend tranken.
»Klar ist, dass der nicht angeheuert hat, um Erfahrungen zu sammeln«, fing Valente an.
»Und auch nicht, um sich abknallen zu lassen.«
»Ich bin ja gespannt, was uns der Kapitän des Fischkutters zu erzählen hat.«
»Willst du ihn kommen lassen?«
»Warum nicht?«
»Er wird nur wiederholen, was er Augello schon gesagt hat. Vielleicht sollten wir erst in Erfahrung bringen, was die Fischer reden. Hier und da ein Wort, dann sind wir vielleicht schon schlauer.«
»Ich schicke Tomasino.«
Montalbano verzog den Mund. Er konnte Valentes Vize nicht ausstehen, aber das war kein besonders stichhaltiger Grund, der dagegen sprach, und vor allem war es kein Grund, den er vorbringen konnte.
»Passt dir das nicht?«
»Mir? Dir muss es passen. Das sind deine Leute, und du kennst sie besser als ich.«
»Komm, Montalbano, sag schon, was los ist.«
»Na gut. Ich halte ihn für ungeeignet. Der wirkt doch wie

ein Steuereintreiber, ich glaube nicht, dass ihm jemand was Vertrauliches mitteilt.«

»Du hast Recht. Dann schicke ich Tripodi, der ist ein aufgeweckter, couragierter Junge, und sein Vater ist Fischer.«

»Dann müssen wir herausfinden, was genau in der Nacht passiert ist, als der Fischkutter auf das Patrouillenboot stieß. Wie man es auch dreht und wendet, immer passt irgendwas nicht zusammen.«

»Was meinst du damit?«

»Lassen wir im Moment mal beiseite, wie er angeheuert hat, einverstanden? Ahmed geht in einer bestimmten Absicht an Bord, die wir nicht kennen. Jetzt frage ich mich: Hat er dem Kapitän und der Crew diese Absicht mitgeteilt oder nicht? Und hat er sie ihnen erst unterwegs oder schon vor der Abfahrt mitgeteilt? Ich weiß zwar nicht genau wann, aber meiner Meinung nach hat er sie über sein Vorhaben informiert, und alle waren einverstanden, sonst hätten sie kehrtgemacht und ihn wieder an Land gesetzt.«

»Er kann sie mit Waffengewalt gezwungen haben.«

»In diesem Fall hätten der Kapitän und die Crew nach ihrer Rückkehr nach Vigàta oder Mazàra erzählt, was passiert ist, sie hatten doch nichts zu befürchten.«

»Stimmt.«

»Also weiter. Wenn man davon ausgeht, dass Ahmed nicht die Absicht hatte, sich auf hoher See vor seinem Heimatland erschießen zu lassen, bleiben eigentlich nur zwei Möglichkeiten. Die erste ist, dass er sich nachts an der Küste an einer einsamen Stelle absetzen lassen wollte, um

heimlich in sein Land zurückzukehren. Die zweite ist ein Treffen auf hoher See, eine Unterredung, zu der er unter allen Umständen persönlich erscheinen musste.«
»Das überzeugt mich mehr.«
»Mich auch. Und dann ist etwas Unvorhergesehenes dazwischengekommen.«
»Das Patrouillenboot.«
»Richtig. Und jetzt kann man nur noch Vermutungen anstellen. Angenommen, das tunesische Patrouillenboot weiß nicht, dass Ahmed an Bord des Fischkutters ist. Es trifft auf ein Schiff, das in tunesischen Hoheitsgewässern fischt, fordert es zum Stoppen auf, der Kutter versucht zu entkommen, von dem Patrouillenboot geht eine Garbe los, und aus purem Zufall wird ausgerechnet Ahmed Moussa getroffen. Zumindest hat man es uns so erzählt.«
Diesmal verzog Valente den Mund.
»Überzeugt dich das nicht?«
»Es klingt wie die Theorie, die Senator Warren für den Mord an Präsident Kennedy aufgestellt hat.«
»Also eine weitere Möglichkeit. Nehmen wir mal an, Ahmed trifft nicht den Mann, den er treffen wollte, sondern einen anderen, der auf ihn schießt.«
»Oder es ist schon der richtige Mann, aber sie haben eine Meinungsverschiedenheit, einen Streit, und der andere macht kurzen Prozess und schießt.«
»Mit dem Bordmaschinengewehr?«, fragte Montalbano zweifelnd.
Augenblicklich wurde ihm bewusst, was er da gesagt hatte. Ohne Valente um Erlaubnis zu fragen, griff er fluchend

zum Telefon und wählte Jacomuzzis Nummer in Montelusa. Während er auf die Verbindung wartete, fragte er Valente:

»Waren in den Berichten, die du bekommen hast, genauere Angaben über das Kaliber der Kugeln?«

»Es war allgemein von Schüssen aus einer Schusswaffe die Rede.«

»*Pronto?* Wer ist da?«, fragte Jacomuzzi.

»Hör mal, Baudo...«

»Wieso Baudo? Hier ist Jacomuzzi.«

»Aber du wärst gern Pippo Baudo. Könntest du mir vielleicht sagen, womit dieser Tunesier auf dem Fischkutter eigentlich umgebracht wurde?«

»Mit einer Schusswaffe.«

»Ach nee. Ich dachte, sie hätten ihn mit einem Kissen erstickt.«

»Deine blöden Witze sind zum Kotzen.«

»Ich will genau wissen, was es für eine Waffe war.«

»Eine Maschinenpistole, wahrscheinlich eine Skorpion. Steht das nicht in meinem Bericht?«

»Nein. Bist du sicher, dass es nicht das Bordmaschinengewehr war?«

»Natürlich bin ich sicher. Die Waffe, mit der das Patrouillenboot ausgerüstet ist, kann ein Flugzeug abschießen, wusstest du das nicht?«

»Tatsächlich? Deine erkennungsdienstliche Präzision raubt mir den Atem, Jacomù.«

»Wie soll man mit einem Ignoranten wie dir denn sonst reden?«

Montalbano berichtete Valente, was er am Telefon erfahren hatte, und dann schwiegen die beiden eine Weile. Als Valente wieder das Wort ergriff, äußerte er einen Gedanken, der in diesem Augenblick auch dem Commissario durch den Kopf ging.
»Steht es eigentlich fest, dass wir es mit einem tunesischen Patrouillenboot zu tun haben?«

Es war spät geworden, und Valente lud seinen Kollegen zu sich nach Hause zum Essen ein. Montalbano, der mit den jämmerlichen Kochkünsten von Signora Valente schon Bekanntschaft gemacht hatte, lehnte ab und sagte, er müsse sofort nach Vigàta zurück.
Er fuhr los und sah nach ein paar Kilometern eine Trattoria direkt am Ufer. Er hielt an, stieg aus und setzte sich an einen Tisch. Er bereute es nicht.

Zwölf

Sein Gewissen drückte ihn, weil er sich schon seit Stunden nicht mehr bei Livia gemeldet hatte; wahrscheinlich machte sie sich schon Sorgen um ihn. Während er auf seinen Anisschnaps zur Verdauung wartete (die doppelte Portion *spìgole* setzte seinem Magen etwas zu), beschloss er, sie anzurufen.

»Alles in Ordnung bei euch?«

»Jetzt hast du uns geweckt.«

Von wegen Sorgen um ihn.

»Habt ihr geschlafen?«

»Ja, wir haben lange gebadet, das Wasser ist ganz warm.«

Sie amüsierten sich ohne ihn.

»Hast du was gegessen?«, fragte Livia aus reiner Höflichkeit.

»Ein *panino*. Ich bin unterwegs, in spätestens einer Stunde bin ich in Vigàta.«

»Kommst du nach Hause?«

»Nein, ich muss ins Büro, wir sehen uns heute Abend.«

Bestimmt bildete er sich das nur ein, aber er glaubte, am anderen Ende der Leitung etwas wie einen Seufzer der Erleichterung gehört zu haben.

Er brauchte länger als eine Stunde nach Vigàta. Kurz vor der Stadt, fünf Minuten vom Büro, beschloss das Auto plötzlich zu streiken. Es tat keinen Muckser mehr. Montalbano stieg aus, öffnete die Motorhaube und warf einen Blick auf den Motor. Das war eine rein symbolische Geste, eine Art rituelle Geisterbeschwörung, denn er hatte keinen blassen Schimmer vom Innenleben eines Autos. Wenn ihm jemand gesagt hätte, man müsse den Motor wie ein Spielzeugauto mit einer Schnur oder einer Gummikordel aufziehen, hätte er das womöglich geglaubt. Ein Wagen der Carabinieri mit zwei Leuten darin fuhr vorbei, fuhr weiter und hielt dann an; sie hatten wohl Gewissensbisse bekommen. Es waren ein Appuntato, ein Gefreiter, und ein Carabiniere, der am Steuer saß. Der Commissario hatte sie noch nie gesehen, und sie kannten Montalbano auch nicht.
»Können wir helfen?«, fragte der Appuntato höflich.
»Das wäre nett. Das Auto ist plötzlich stehen geblieben, und ich weiß nicht warum.«
Sie parkten am Straßenrand und stiegen aus. Der Nachmittagsbus, der von Vigàta nach Fiacca fuhr, hielt unweit von ihnen, ein älteres Ehepaar stieg ein.
»Der Motor scheint in Ordnung zu sein«, diagnostizierte der Carabiniere und fügte grinsend hinzu: »Wie steht's denn mit dem Benzin?«
Kein Tropfen, der noch mit Gold aufzuwiegen wäre.
»Dann machen wir Folgendes, Signor...«
»Martinez. Ragionier Martinez«, sagte Montalbano.
Kein Mensch würde jemals erfahren, dass Commissario Montalbano sich von den Carabinieri hatte helfen lassen.

»Also, Ragioniere, Sie warten hier. Wir fahren zur nächsten Tankstelle und bringen Ihnen genug Benzin, dass Sie bis Vigàta kommen.«
»Sie sind wirklich sehr freundlich.«
Sie fuhren los. Kaum hatte Montalbano sich ins Auto gesetzt und eine Zigarette angezündet, hörte er ohrenbetäubendes Hupen hinter sich.
Es war der Bus, der von Fiacca nach Vigàta fuhr und freie Bahn haben wollte. Montalbano stieg aus und erklärte gestenreich, dass er eine Autopanne habe. Der Busfahrer überholte das Auto des Commissario nach einem mühsamen Lenkmanöver und blieb an der Stelle stehen, an der auch der Bus in Gegenrichtung gehalten hatte. Vier Personen stiegen aus.
Montalbano starrte dem Bus noch hinterher, als dieser Richtung Vigàta weiterfuhr. Dann kamen die Carabinieri zurück.

Um vier Uhr nachmittags war er endlich im Büro. Augello war nicht da; Fazio teilte ihm mit, er habe ihn am Morgen aus den Augen verloren, gegen neun sei er aufgetaucht, dann habe er sich nicht mehr blicken lassen. Montalbano wurde wütend.
»Hier macht ja jeder, was er will! Jeder stochert nur in seinem eigenen Kram herum! Ragonese hat eben doch Recht!«
Neuigkeiten gab es keine. Ach ja, die Witwe Lapecora hatte angerufen und dem Commissario ausrichten lassen, dass die Beerdigung ihres Mannes am Mittwochvormittag

stattfände. Und der Vermessungsingenieur Finocchiaro wartete schon seit zwei Uhr und wollte ihn sprechen.
»Kennst du ihn?«
»Vom Sehen. Er ist Rentner, ein älterer Mann.«
»Was will er denn?«
»Das wollte er mir nicht sagen. Er macht einen etwas verstörten Eindruck.«
»Lass ihn rein.«
Fazio hatte Recht, der Geometra war ganz durcheinander. Der Commissario bat ihn, Platz zu nehmen.
»Kann ich einen Schluck Wasser haben?«, fragte der Geometra; man merkte, dass er eine trockene Kehle hatte.
Als er getrunken hatte, sagte er, er heiße Giuseppe Finocchiaro, sei fünfundsechzig Jahre alt, ledig, pensionierter Vermessungsingenieur und wohne in der Via Marconi 38. Unbescholten, nicht einmal einen Strafzettel habe er je bekommen.
Er hielt inne und trank den letzten Schluck Wasser aus dem Glas.
»Heute Mittag um eins wurde im Fernsehen ein Foto gezeigt. Eine Frau und ein Kind. Und es hieß, man sollte sich an Sie wenden, wenn man sie erkennt, wussten Sie das?«
»Ja.«
Ja, und nichts weiter. In diesem Augenblick ein Wörtchen zu viel, und schon konnten Zweifel und eine Sinnesänderung auftreten.
»Ich kenne diese Frau, sie heißt Karima. Den Kleinen habe ich noch nie gesehen, ich wusste gar nicht, dass sie ein Kind hat.«

»Woher kennen Sie sie?«
»Sie kommt einmal die Woche zu mir zum Putzen.«
»An welchem Tag?«
»Dienstagvormittags. Für vier Stunden.«
»Sagen Sie... Wie viel haben Sie ihr gezahlt?«
»Fünfzigtausend. Aber...«
»Aber?«
»Sie hat zweihunderttausend gekriegt, wenn sie noch was extra gemacht hat.«
»Wenn sie Ihnen einen geblasen hat?«
Diese Frage, so berechnend gemein, ließ den Geometra erst erblassen und dann erröten.
»Ja.«
»Lassen Sie mich überlegen. Zu Ihnen kam sie also viermal im Monat. Wie oft hat sie da was extra gemacht?«
»Einmal, höchstens zweimal.«
»Wie haben Sie sie kennen gelernt?«
»Ein Freund hat mir von ihr erzählt, auch ein Rentner. Professor Mandrino. Er lebt mit seiner Tochter zusammen.«
»Also keine Extras für Professor Mandrino?«
»Doch, bei ihm war es genauso. Seine Tochter ist Lehrerin und vormittags nicht zu Hause.«
»An welchem Tag war Karima beim Professore?«
»Samstags.«
»Geometra, wenn Sie nichts weiter zu sagen haben, können Sie jetzt gehen.«
»Danke für Ihr Verständnis.«
Verlegen stand er auf. Er sah den Commissario an.
»Morgen ist Dienstag.«

»Und?«
»Glauben Sie, dass sie kommen wird?«
Er brachte es nicht übers Herz, ihn zu enttäuschen.
»Vielleicht. Und wenn sie kommt, dann lassen Sie es mich wissen.«

Das war erst der Anfang einer wahren Prozession. Hinter seiner heulenden Mutter erschien Ntonio, der kleine Junge, den Montalbano in Villaseta gesehen hatte und der Schläge hatte einstecken müssen, weil er seine Vesper nicht rausrücken wollte. Ntonio hatte auf dem Foto den Dieb erkannt, da gab es keinen Zweifel, das war er. Ntonios Mutter, die lauthals schimpfte und wilde Verwünschungen ausstieß, servierte dem bestürzten Commissario ihre Forderungen: dreißig Jahre Knast für den Dieb und lebenslänglich für die Mutter; sollte die irdische Gerechtigkeit dem nicht folgen, fordere sie galoppierende Schwindsucht für sie und eine lange und zermürbende Krankheit für ihn.
Aber der Junge, der von dem hysterischen Anfall seiner Mutter völlig unbeeindruckt schien, schüttelte den Kopf.
»Und du, willst du etwa auch, dass er im Gefängnis stirbt?«, fragte der Commissario.
»Nein«, sagte Ntonio entschieden. »Auf dem Foto sieht er eigentlich ganz nett aus.«

Das Extra für Professor Paolo Guido Mandrino, sechzig Jahre alt und pensionierter Lehrer für Geschichte und Geografie, bestand darin, dass er sich baden ließ. An einem der vier Samstagvormittage, an denen Karima kam, erwar-

tete er sie nackt unter der Bettdecke. Auf Karimas Aufforderung hin, ins Bad zu gehen und sich zu waschen, gab Paolo Guido sich ausgesprochen widerspenstig.
Karima riss daraufhin die Bettdecke weg, zwang ihn, sich auf den Bauch zu legen, und versohlte ihm den Hintern. Wenn er endlich in der Badewanne saß, seifte Karima ihn ordentlich ein und wusch ihn. Das war's dann auch schon. Der Lohn für das Extra: hundertfünfzigtausend Lire; der Lohn fürs Putzen: fünfzigtausend.

»Montalbano? Ich kann unsere Verabredung leider nicht einhalten, es geht heute nicht. Ich habe eine Besprechung mit dem Prefetto.«
»Dann schlagen Sie einen anderen Zeitpunkt vor, Signor Questore.«
»Ach, es ist nicht so dringend. Und nach der Erklärung von Dottor Augello im Fernsehen ...«
»Mimì?!«, schrie er; es klang, als singe er die *Bohème*.
»Ja. Wussten Sie das denn nicht?«
»Nein. Ich war in Mazàra.«
»Er war in den Fünfzehn-Uhr-Nachrichten. Er hat kurz und bündig dementiert und versichert, Ragonese habe sich verhört. Es handele sich nicht um einen Jungen, der anderen Kindern ihre Vesper gestohlen hat, sondern um einen Dieb, der Vespas entwendet. Ein gefährlicher Typ, ein Drogensüchtiger, der einen mit der Spritze bedrohte, wenn er erwischt wurde. Im Namen des gesamten Kommissariats hat er eine Entschuldigung verlangt. Sehr effektiv. Ich denke, Onorevole Pennacchio wird sich wieder beruhigen.«

»Wir kennen uns bereits«, sagte Ragionier Vittorio Pandolfo, als er das Büro betrat.
»Ach ja«, sagte Montalbano. »Was gibt's?«
Er war reserviert, das musste er nicht spielen: Wenn der Ragioniere etwas über Karima erzählen wollte, bedeutete das, dass er gelogen hatte, als er die Frage, ob er sie kenne, verneinte.
»Ich bin gekommen, weil im Fernsehen...«
»... das Foto von Karima gezeigt wurde, von der Sie ja nichts wussten. Warum haben Sie nichts gesagt?«
»Commissario, das ist eine heikle Geschichte, und ich wollte mich nicht bloßstellen, es war mir peinlich. Sehen Sie, in meinem Alter...«
»Sind Sie der Kunde vom Donnerstagvormittag?«
»Ja.«
»Wie viel zahlen Sie fürs Saubermachen?«
»Fünfzigtausend.«
»Und für die Extradienste?«
»Hundertfünfzigtausend.«
Offensichtlich ein fester Tarif. Nur gab es bei Pandolfo das Extra zweimal monatlich. Diesmal stieg Karima in die Badewanne. Danach legte der Ragioniere sie nackt aufs Bett und schnupperte lange an ihr. Ab und zu leckte er auch ein bisschen.
»Eins noch, Ragioniere. Spielten Sie, Lapecora, Mandrino und Finocchiaro immer Karten miteinander?«
»Ja.«
»Und wer hat zuerst von Karima gesprochen?«
»Der selige Lapecora.«

»Sagen Sie mal, wie kam Lapecora eigentlich finanziell zurecht?«
»Sehr gut. Er hatte fast eine Milliarde an Wertpapieren, außerdem gehörten ihm die Wohnung und das Büro.«

Die drei Nachmittagskunden der geraden Wochentage wohnten in Villaseta. Alles Männer in vorgerücktem Alter und entweder verwitwet oder ledig. Der Tarif war derselbe wie in Vigàta. Bei Martino Zaccarìa, Obst- und Gemüsehändler, bestand das Extra darin, dass er sich die Fußsohlen küssen ließ; mit Luigi Pignataro, Rektor der Mittelschule im Ruhestand, spielte Karima Blindekuh. Der Rektor zog sie nackt aus und verband ihr die Augen, dann versteckte er sich. Karima musste ihn suchen und finden, dann setzte sie sich auf einen Stuhl, nahm den Rektor auf den Schoß und gab ihm die Brust. Auf Montalbanos Frage an Calogero Pipitone, worin denn bei ihm das Extra bestehe, sah der staatlich geprüfte Landwirt ihn erstaunt an.
»Worin wohl, Commissario? *Lei sutta e iu supra.* Sie unten und ich oben.«
Montalbano hätte ihn am liebsten umarmt.

Da Karima montags, mittwochs und freitags einen Ganztagsjob bei Lapecora hatte, gab es keine weiteren Kunden. Merkwürdigerweise hatte Karima sonntags und nicht freitags ihren Ruhetag, offensichtlich hatte sie sich den hiesigen Sitten angepasst. Er war neugierig, wie viel sie im Monat verdiente, aber mit Zahlen stand er auf Kriegsfuß, und so öffnete er die Tür und rief:

»Hat jemand einen Taschenrechner?«

»Ich, Dottori.«

Catarella kam herein und zog stolz einen Taschenrechner aus seiner Hosentasche, der kaum größer als eine Visitenkarte war.

»Was rechnest du denn damit aus, Catarè?«

»Die Tage«, antwortete er geheimnisvoll.

»Du kriegst ihn gleich wieder.«

»Dottori, ich muss Ihnen noch sagen, dass der Rechner mit *ammuttuna* funktioniert.«

»Und das heißt?«

Es war ein Missverständnis, Catarella glaubte, sein Chef habe das Wort nicht verstanden. Er streckte den Kopf zur Tür hinaus und fragte seine Kollegen:

»Wie sagt man denn *ammuttuna* auf Italienisch?«

»Draufhauen«, übersetzte jemand.

»Und wie soll ich das mit dem Rechner jetzt machen?«

»Wie bei einem Wecker, der nicht geht.«

Also, abgesehen von dem, was Lapecora zahlte, verdiente Karima als Putzfrau monatlich eine Million zweihunderttausend Lire. Dazu kam noch eine Million zweihunderttausend für Extradienste. Lapecora zahlte ihr für den Ganztagsjob mindestens eine weitere Million. Zusammen also pro Monat drei Millionen vierhunderttausend steuerfrei. Vierundvierzig Millionen zweihunderttausend im Jahr. Karima war, wie sich herausgestellt hatte, seit mindestens vier Jahren in diesem Sektor tätig, was zusammen einhundertsechsundsiebzig Millionen achthunderttausend Lire machte.

Und die restlichen dreihundertdreiundzwanzig Millionen auf dem Sparbuch, woher stammten die?
Der Taschenrechner hatte tadellos funktioniert, auch ohne dass er draufgehauen hatte.

Aus den anderen Räumen des Büros drang tosender Applaus an sein Ohr. Was war da wohl los? Er machte die Tür auf und stellte fest, dass der Gefeierte Mimì Augello war. Montalbano schäumte vor Wut.
»Schluss damit, ihr Idioten!«
Überrascht und eingeschüchtert, sahen sie ihn an. Nur Fazio versuchte die Situation zu erklären.
»Sie wissen es möglicherweise noch nicht, aber Dottor Augello...«
»Ich weiß es schon! Der Questore hat mich persönlich angerufen und mich zur Rede gestellt. Unser lieber Signor Augello tritt – aus eigener Initiative, ohne Erlaubnis meinerseits, und das habe ich dem Questore auch gesagt – im Fernsehen auf und erzählt die größte Scheiße!«
»Erlaube mal!«, wagte Augello einzuwerfen.
»Ich erlaube gar nichts! Du hast das Blaue vom Himmel gelogen!«
»Ich habe es getan, um uns alle zu verteidigen, die wir...«
»Man verteidigt sich nicht, indem man Lügen über jemanden verbreitet, der die Wahrheit gesagt hat!«
Er ging zurück in sein Zimmer und knallte die Tür hinter sich zu – er, Montalbano, der so unbeirrbar aufrichtig war und fast geplatzt wäre vor Wut, als er sah, wie Augello sich im Applaus aalte.

»Entschuldigen Sie«, sagte Fazio, als er die Tür öffnete und vorsichtig den Kopf hereinsteckte. »Patre Jannuzzo möchte Sie sprechen.«

»Lass ihn rein.«

Don Alfio Jannuzzo, immer in Zivil, war in Vigàta berühmt für seine Wohltätigkeitsveranstaltungen. Er war Anfang vierzig, groß und kräftig.

»Ich fahre Fahrrad«, fing er an.

»Ich aber nicht«, antwortete Montalbano, dem bei der Vorstellung, der Pfarrer wollte ihn für die Teilnahme an einem Wohltätigkeitsrennen gewinnen, ganz anders wurde.

»Ich habe das Foto dieser Frau im Fernsehen gesehen.«

Das eine schien mit dem anderen nichts zu tun zu haben, und der Commissario wurde ein bisschen verlegen. Arbeitete Karima etwa auch sonntags, und der Kunde war ausgerechnet Don Jannuzzo?

»Letzten Donnerstagmorgen war ich mit dem Fahrrad von Montelusa nach Vigàta unterwegs. Etwa um neun, vielleicht eine Viertelstunde früher oder später, war ich in der Nähe von Villaseta, und da stand ein Wagen in entgegengesetzter Fahrtrichtung an der Straße.«

»Wissen Sie noch, was für einer?«

»Natürlich. Ein grauer BMW, metallic.«

Montalbano spitzte die Ohren.

»Im Auto saßen ein Mann und eine Frau. Ich dachte, sie küssen sich. Aber als ich genau auf ihrer Höhe war, löste sich die Frau heftig aus der Umarmung, sah zu mir herüber und öffnete den Mund, als ob sie mir was sagen wollte.

Aber der Mann zog sie mit Gewalt wieder an sich und umarmte sie noch mal. Aber ich habe da meine Zweifel.«

»Worüber?«

»Das war keine Auseinandersetzung zwischen zwei Menschen, die sich lieben. Die Augen der Frau waren voller Angst, als sie mich ansah. Ich hatte den Eindruck, sie wollte mich um Hilfe bitten.«

»Und was haben Sie gemacht?«

»Nichts, weil das Auto gleich losgefahren ist. Heute habe ich im Fernsehen das Foto gesehen: Es war die Frau aus dem Auto. Das kann ich beschwören, ich habe einen Blick für so was. Wenn ich ein Gesicht vor mir habe, prägt es sich mir ein, auch wenn ich es nur eine Sekunde lang gesehen habe.«

Fahrid, Lapecoras Pseudoneffe, und Karima.

»Ich bin Ihnen wirklich dankbar, Patre...«

Der Pfarrer unterbrach ihn mit einer Handbewegung.

»Ich bin noch nicht fertig. Ich habe das Kennzeichen des Wagens notiert. Weil ich, wie gesagt, meine Zweifel hatte.«

»Haben Sie es dabei?«

»Natürlich.«

Er zog ein viermal gefaltetes Blatt kariertes Papier hervor, das aus einem Heft herausgerissen war, und reichte es dem Commissario.

»Da steht es.«

Montalbano nahm den Zettel vorsichtig mit zwei Fingern, als wären es Schmetterlingsflügel.

AM 237 GW.

In amerikanischen Filmen brauchte der Polizist nur das Kennzeichen eines Autos zu nennen, und keine zwei Minuten später wusste er, wie der Eigentümer hieß, welche Farbe seine Augen hatten, wie viele Kinder er sein Eigen nannte und wie viele Haare er auf der Brust hatte.
In Italien war das anders. Einmal hatte man ihn achtundzwanzig Tage lang warten lassen, und derweil war der Fahrzeughalter (so stand es in dem Schreiben) *incapprettato* und verbrannt worden. Als die Antwort kam, brauchte er sie nicht mehr. Er konnte sich also nur an den Questore wenden; vielleicht war dessen Besprechung mit dem Prefetto ja schon zu Ende.
»Hier ist Montalbano, Signor Questore.«
»Ich bin gerade ins Büro zurückgekommen. Was gibt's?«
»Es geht um diese Frau, die verschleppt worden ist...«
»Welche Frau ist denn verschleppt worden?«
»Karima natürlich.«
»Und wer soll das sein?«
Mit Schrecken wurde ihm klar, dass dies wie ein Gespräch zwischen Gehörlosen war, denn er hatte dem Questore von der ganzen Geschichte noch gar nichts erzählt.
»Signor Questore, es tut mir furchtbar leid...«
»Schon gut. Was wollen Sie denn?«
»Ich habe ein Autokennzeichen und brauche so schnell wie möglich Name und Adresse des Fahrzeughalters.«
»Wie heißt das Kennzeichen?«
»AM 237 GW.«
»Sie hören morgen Vormittag von mir.«

Dreizehn

»Ich habe in der Küche für dich gedeckt. Der Tisch im Esszimmer ist besetzt. Wir haben schon zu Abend gegessen.«

Er war ja nicht blind, natürlich sah er, dass der Tisch mit einem gigantischen Puzzle belegt war, das die Freiheitsstatue praktisch in Lebensgröße darstellte.

»Denk dir, Salvo, er hat nur zwei Stunden dafür gebraucht!«

Wer, sagte sie nicht, aber es war klar, dass sie von François sprach, dem ehemaligen Eierkuchendieb und jetzigen Familiengenie.

»Hast du es ihm geschenkt?«

Livia vermied eine Antwort.

»Gehen wir zusammen an den Strand?«

»Jetzt oder nach dem Essen?«

»Jetzt.«

Der Mond schien, und es war ziemlich hell. Schweigend gingen sie nebeneinander her. Vor einem kleinen Sandhaufen seufzte Livia betrübt.

»Du hättest sehen müssen, was er für eine Burg gebaut hat! Einfach toll! Wie Gaudí!«

»Er kann ja wieder eine bauen.«

Aber er war fest entschlossen, nicht lockerzulassen, schließlich war er Polizist und obendrein eifersüchtig.
»In welchem Geschäft hast du das Puzzle gekauft?«
»Ich habe es nicht gekauft. Heute Nachmittag ist Mimì vorbeigekommen. Warte! Das Puzzle ist von einem seiner Neffen, der...«
Er wandte sich von Livia ab, bohrte die Hände in die Hosentaschen und ging davon, wobei er vor seinem inneren Auge Dutzende von Mimì Augellos Neffen sah, die in Tränen aufgelöst waren, weil der Onkel sie systematisch ihrer Spielsachen beraubte.
»Komm, Salvo, stell dich nicht so an!«, rief Livia, die hinter ihm hergelaufen war.
Sie wollte sich bei ihm einhängen, aber Montalbano wich ihr aus.
»Du kannst mich mal«, sagte Livia leise und ging nach Hause.
Was sollte er jetzt machen? Livia ging einer Auseinandersetzung aus dem Weg, und er musste seinem Ärger allein Luft machen. Grollend ging er am Strand entlang, machte sich die Schuhe nass und rauchte zehn Zigaretten.
Meine Güte, bin ich blöd! sagte er plötzlich zu sich selbst. Natürlich mag Mimì Livia, und Livia findet Mimì sympathisch. Aber abgesehen davon vergnügt sich Mimì auf meine Kosten. Es macht ihm einen Heidenspaß, mich auf die Palme zu bringen. Wir versuchen uns gegenseitig aufzureiben. Jetzt muss ich mir einen Gegenangriff überlegen.
Er ging zurück nach Hause; Livia saß vor dem Fernseher,

den sie ganz leise gestellt hatte, damit François, der in ihrem Bett schlief, nicht aufwachte.
»Bitte entschuldige, wirklich«, sagte er auf dem Weg in die Küche.
Im Ofen fand er einen *tortino di triglie e patate*, der verführerisch duftete. Er setzte sich und begann zu essen: einfach köstlich. Livia trat hinter ihn und strich ihm übers Haar.
»Schmeckt's dir?«
»Ausgezeichnet. Du musst Adelina sagen...«
»Adelina ist heute Morgen gekommen, hat mich gesehen, gesagt *non voglio dari distrubbo*, ich will nicht stören, hat auf dem Absatz kehrtgemacht und ist wieder verschwunden.«
»Willst du damit sagen, dass du diesen *tortino* gemacht hast?«
»Klar.«
Ganz kurz, aber wirklich nur ganz kurz, blieb ihm der *tortino* im Halse stecken, weil ihm ein Gedanke durch den Kopf ging: Das hat sie gemacht, damit ich ihr die Geschichte mit Mimì verzeihe. Aber dann gewann der Essensgenuss die Oberhand.

Bevor Livia sich zum Fernsehen neben Montalbano setzte, blieb sie bewundernd vor dem Puzzle stehen. Jetzt, wo er sich wieder beruhigt hatte, konnte sie ohne Scheu darüber reden.
»Er hat es wirklich erstaunlich schnell hingekriegt. Wir beide hätten länger dafür gebraucht.«

»Oder gelangweilt aufgegeben.«
»Genau, François findet Puzzles nämlich auch langweilig, weil sie so festgelegt sind. Jedes Teil, sagt er, ist so ausgestanzt, dass es zu einem anderen passt. Er hätte gern ein Puzzle, das mehrere Lösungen vorsieht.«
»Das hat er gesagt?!«
»Ja. Und er hat es noch genauer erklärt, nachdem ich ihn dazu ermuntert habe.«
»Und?«
»Ich glaube, ich habe verstanden, was er sagen wollte. Er wusste schon, wie die Freiheitsstatue aussieht. Als er mit dem Kopf der Statue fertig war, wusste er also, wie er weitermachen musste. Anders ging es ja auch gar nicht, weil der Hersteller des Puzzles die Teile in einer ganz bestimmten Form ausgestanzt hat, er wollte also, dass der Spieler seinem Entwurf folgt. Verstehst du, was ich meine?«
»So ziemlich.«
»Es wäre schön, hat François gesagt, wenn der Spieler die Möglichkeit hätte, sich mit denselben Teilen ein anderes Puzzle auszudenken. Findest du es nicht ungewöhnlich, dass ein kleines Kind sich so etwas überlegt?«
»Die sind heute alle frühreif«, sagte Montalbano und fluchte innerlich, weil diese Bemerkung so banal war. Er hatte noch nie über Kinder gesprochen, deswegen konnte er sich nur an Gemeinplätzen festhalten.

Nicolò Zito fasste das Kommuniqué der tunesischen Regierung zu dem Zwischenfall auf dem Fischkutter zusammen: Nach Abschluss der entsprechenden Ermittlungen müsse die tunesische Regierung den Protest der italienischen Regierung zurückweisen, die ihre Motorfischerboote nicht daran hindere, in tunesische Hoheitsgewässer einzudringen. In jener Nacht habe ein tunesisches Patrouillenboot des Militärs wenige Kilometer vor Sfax einen Fischkutter gesichtet. Es habe ihn zum Stoppen aufgefordert, aber der Fischkutter habe die Flucht ergriffen. Mit dem Bordmaschinengewehr seien Warnschüsse abgegeben worden, wobei bedauerlicherweise der tunesische Matrose Ben Dhahab getroffen und erschossen worden sei. Die Regierung in Tunis habe seiner Familie bereits eine größere Summe zukommen lassen. Der tragische Vorfall möge als Mahnung dienen.

»Weißt du inzwischen etwas von François' Mutter?«

»Ja. Ich habe eine Spur. Aber erwarte nichts Gutes«, antwortete der Commissario.

»Wenn ... wenn Karima nicht zurückkommt ... was ... was geschieht dann mit François?«

»Ich weiß es nicht, wirklich nicht.«

»Ich gehe ins Bett«, sagte Livia und stand schnell auf.

Montalbano nahm ihre Hand und führte sie an die Lippen.

»Häng dein Herz nicht zu sehr an ihn.«

Er löste François behutsam aus Livias Armen und legte ihn auf das zurechtgemachte Sofa. Als er ins Bett schlüpfte, schmiegte Livia sich mit dem Rücken an ihn und entzog sich seinen Liebkosungen nicht, ganz im Gegenteil.

»Und wenn der Kleine aufwacht?«, fragte Montalbano, der

das Sticheln nicht lassen konnte, im schönsten Augenblick.
»Wenn er aufwacht, tröste ich ihn«, keuchte Livia.

Es war sieben Uhr morgens. Der Commissario stand leise auf und ging ins Bad. Wie immer betrachtete er sich als Erstes im Spiegel und verzog den Mund. Er mochte sein Gesicht nicht, warum schaute er es überhaupt an?
Da hörte er, wie Livia einen spitzen Schrei ausstieß, er riss die Tür auf – Livia stand im Esszimmer, das Sofa war leer.
»Er ist weg!«, sagte sie zitternd.
Mit einem Satz war der Commissario in der Veranda. Und da sah er ihn, einen kleinen Punkt am Strand, auf dem Weg nach Vigàta. In Unterhosen, wie er war, nahm er die Verfolgung auf. François rannte nicht, er schritt entschlossen aus. Als er hörte, dass jemand hinter ihm herlief, blieb er stehen und drehte sich nicht einmal um. Montalbano kauerte sich schwer atmend vor ihn auf den Boden, stellte aber keine Fragen.
Der Kleine weinte nicht, seine Augen blickten starr an Montalbano vorbei.
»*Je veux maman*«, sagte er.
Montalbano sah, wie Livia, die in eines seiner Hemden geschlüpft war, auf sie zulief; er hielt sie mit einer Handbewegung auf und bedeutete ihr, ins Haus zurückzugehen. Livia gehorchte. Der Commissario nahm den Jungen an die Hand, und sie gingen ganz langsam nebeneinander her. Eine Viertelstunde lang sprach keiner ein Wort. Als sie zu einem auf den Strand gezogenen Boot kamen, ließ Mont-

albano sich im Sand nieder, François setzte sich neben ihn, und der Commissario legte einen Arm um seine Schultern.
»*Iu persi a me matri ch'era macari cchiù nicu di tia.* Als ich meine Mutter verlor, war ich noch kleiner als du«, fing er an.
Da begannen sie zu reden, der Commissario sizilianisch und François arabisch, und sie verstanden sich vollkommen.
Montalbano vertraute François Dinge an, die er noch nie jemandem erzählt hatte, nicht einmal Livia.
Wie er in manchen Nächten bitterlich weinte, den Kopf unter das Kissen gesteckt, damit der Vater ihn nicht hörte; wie er morgens verzweifelt war, weil er wusste, dass seine Mutter nicht in der Küche war, um ihm das Frühstück oder, ein paar Jahre später, die Vesper für die Schule zu richten. Und diese Lücke kann nie mehr gefüllt werden, man schleppt sie mit sich herum, bis man selbst stirbt. Der Junge fragte ihn, ob er die Macht habe, seine Mutter zurückzuholen. Nein, antwortete Montalbano, diese Macht habe niemand. Er müsse sich damit abfinden. Aber du hattest deinen Vater, stellte François fest, der wirklich intelligent war, nicht, weil Livia in ihrem Stolz das behauptete. Das stimmt, ich hatte meinen Vater. Und muss ich jetzt, fragte der Kleine, in so ein Haus, wo alle Kinder hinkommen, die keinen Vater und keine Mutter mehr haben?
»Nein, das musst du nicht. Das verspreche ich dir«, sagte der Commissario und reichte ihm die Hand. François drückte sie und sah ihm in die Augen.

Als Montalbano aus dem Bad kam und sich auf den Weg ins Büro machen wollte, sah er, dass François das Puzzle zerlegt hatte und jetzt mit einer Schere die Teile anders zurechtschnitt. Naiv versuchte er das vorgegebene Bild abzuwandeln. Plötzlich zuckte Montalbano zusammen, als hätte ihn ein elektrischer Schlag getroffen.

»*Gesù!*«, flüsterte er.

Livia sah ihn an, sie sah, dass er zitterte, die Augen weit aufgerissen, und erschrak.

»Salvo, *Dio mio*, was ist denn?«

Aber der Commissario antwortete nicht, sondern nahm den Jungen, hob ihn hoch, musterte ihn von oben bis unten, setzte ihn wieder hin und küsste ihn.

»François, du bist ein Genie!«, sagte er.

Als er ins Büro kam, wäre er um ein Haar mit Mimì Augello zusammengestoßen, der gerade hinausging.

»Ach ja, Mimì, danke für das Puzzle.«

Augello starrte ihn mit offenem Mund an.

»Fazio, schnell!«

»Zu Befehl, Dottore.«

Er erklärte Fazio genau, was er zu tun habe.

»Galluzzo, hierher!«

»Zu Ihren Diensten.«

Er erklärte Galluzzo genau, was er zu tun habe.

»Kann ich reinkommen?«

Es war Tortorella; er stieß die Tür mit dem Fuß auf, weil er in den Händen einen ungefähr achtzig Zentimeter hohen Papierstapel trug.

»Was gibt's denn?«
»Dottor Didio hat sich beschwert.«
Didio, der Verwaltungschef in der Questura von Montelusa, trug den Spitznamen *Il flagello di Dio*, die Geißel Gottes, oder *L'ira di Dio*, der Zorn Gottes, weil er so ein Sturkopf war.
»Worüber hat er sich denn beschwert?«
»Dass Sie so weit im Rückstand sind, Dottore. Mit dem Unterschreiben.« Er setzte die achtzig Zentimeter Papier auf Montalbanos Schreibtisch ab.
»Fangen Sie ganz gemütlich an.«

Nach einer Stunde, als ihm die Hand vor lauter Unterschreiben schon wehtat, kam Fazio.
»Dottore, Sie haben Recht. Gleich nach Vigàta, in Cannatello, hat der Bus auf der Strecke Vigàta-Fiacca eine Haltestelle. Fünf Minuten später kommt der Bus, der die Strecke in der Gegenrichtung bedient, von Fiacca nach Vigàta, und der hält auch in Cannatello.«
»Theoretisch könnte man also in Vigàta den Bus nach Fiacca nehmen, in Cannatello aussteigen, fünf Minuten später in den Bus Fiacca-Vigàta einsteigen und in die Stadt zurückfahren.«
»Natürlich, Dottore.«
»Danke, Fazio. Gut gemacht.«
»Warten Sie, Dottore. Ich habe den Fahrkartenverkäufer des Frühbusses kommen lassen, der heute die Strecke Fiacca-Vigàta gefahren ist. Er heißt Lopipàro. Kann er reinkommen?«

»Klar!«

Lopipàro, ein mürrischer, hagerer Mensch Anfang fünfzig, stellte als Erstes richtig, er sei kein Fahrkartenverkäufer, sondern Busfahrer mit den Befugnissen eines Fahrkartenverkäufers, denn Fahrkarten würden in den Tabakläden verkauft und er nehme sie den Leuten im Bus nur wieder ab.

»Signor Lopipàro, was in diesem Zimmer gesprochen wird, muss unter uns dreien bleiben.«

Der Busfahrer-Fahrkartenverkäufer legte zum Zeichen feierlichen Schwures eine Hand auf sein Herz.

»Ich kann schweigen wie ein Grab«, sagte er.

»Signor Lopìparo...«

»Lopipàro.«

»Signor Lopipàro, kennen Sie die Witwe Lapecora, die Signora, deren Mann umgebracht wurde?«

»Klar kenn ich die! Sie gehört zu meinen Stammkunden. Mindestens dreimal in der Woche fährt sie nach Fiacca und zurück. Sie besucht ihre kranke Schwester, und auf der Fahrt redet sie immer von ihr.«

»Jetzt bitte ich Sie, Ihr Gedächtnis anzustrengen.«

»Wenn Sie mir befehlen, mich anzustrengen, dann strenge ich mich an!«

»Haben Sie Signora Lapecora am Donnerstag letzter Woche gesehen?«

»Da muss ich mich gar nicht anstrengen. Natürlich habe ich sie gesehen. Ich habe sogar mit ihr gestritten!«

»Sie haben mit Signora Lapecora gestritten?«

»Allerdings! Signora Lapecora ist ziemlich geizig, wie jeder weiß. Also, Donnerstag früh nahm sie den Sechs-Uhr-Dreißig-Bus nach Fiacca. Aber in Cannatello sagte sie zu meinem Kollegen Cannizzaro, dem Fahrer, sie müsste wieder zurück, weil sie etwas vergessen hätte, was sie ihrer Schwester mitbringen wollte. Cannizzaro ließ sie aussteigen, das hat er mir am selben Abend noch erzählt. Fünf Minuten später kam ich auf dem Weg nach Vigàta da vorbei, ich hielt in Cannatello, und die Signora stieg in meinen Bus ein.«

»Und warum haben Sie mit ihr gestritten?«

»Weil Sie mir die Fahrkarte für die Strecke Cannatello-Vigàta nicht geben wollte. Sie fand, sie bräuchte nicht zweimal zahlen, nur weil sie was vergessen hätte. Aber ich muss so viele Fahrkarten haben, wie ich Fahrgäste dabei habe. Signora Lapecora wollte, dass ich ein Auge zudrücke, aber das geht doch nicht!«

»Natürlich nicht!«, sagte Montalbano. »Aber eine Frage noch: Angenommen, die Signora braucht eine halbe Stunde, um das, was sie angeblich zu Hause vergessen hat, zu holen. Wie kommt sie dann am Vormittag noch nach Fiacca?«

»Sie nimmt den Bus, der von Montelusa nach Trapani fährt. Der ist um Punkt halb acht in Vigàta. Dann kommt sie nur eine Stunde später an.«

»Genial«, stellte Fazio fest, als Lopipàro fort war. »Wie sind Sie denn darauf gekommen?«

»Der kleine François hat mich drauf gebracht, als er ein Puzzle legte.«

»Aber warum hat sie das gemacht? War sie eifersüchtig auf die tunesische Putzfrau?«
»Nein. Signora Lapecora ist geizig, wie wir von dem Busfahrer wissen. Sie fürchtete, ihr Mann könnte alles, was er hatte, für diese Frau ausgeben. Und dann gab es auch noch einen direkten Auslöser.«
»Nämlich?«
»Ich sag's dir später. Weißt du, was Catarella immer sagt? Geiz ist ein schlimmes Laster. Denk mal, vor lauter Geiz hat sie Lopipàros Aufmerksamkeit auf sich gezogen, wo sie doch alles dafür hätte tun müssen, dass niemand Notiz von ihr nimmt.«

»Erst hab ich eine halbe Stunde gebraucht, um das Haus zu finden, dann hat es noch mal eine halbe Stunde gedauert, bis ich die Alte überredet hatte. Sie war misstrauisch und hatte Angst. Sie hat sich erst beruhigt, als ich mit ihr vors Haus gegangen bin und sie den Wagen gesehen hat, auf dem groß *polizia* steht. Dann hat sie ein kleines Bündel geschnürt und sich ins Auto gesetzt. Und wie der Kleine geweint hat, als sie überraschend ankam! Sie hielten sich ganz fest umarmt. Ihre Frau war auch ganz gerührt.«
»Danke, Gallù.«
»Wann soll ich sie denn nach Montelusa zurückbringen?«
»Du brauchst dich nicht darum zu kümmern, ich mach das schon.«
Die kleine Familie vergrößerte sich gnadenlos. Jetzt gab es in Marinella auch noch eine Oma, Aisha.

Er ließ das Telefon lange läuten, aber niemand antwortete, die Witwe Lapecora war nicht zu Hause. Sie war bestimmt einkaufen. Es konnte jedoch auch eine andere Erklärung geben. Er wählte die Nummer der Cosentinos. Die sympathische schnurrbärtige Frau des Nachtwächters ging dran. Sie sprach mit gedämpfter Stimme.
»Schläft Ihr Mann?«
»*Sissi*, Commissario. Soll ich ihn ans Telefon holen?«
»Nicht nötig. Grüßen Sie ihn von mir. Signora, ich habe bei Signora Lapecora angerufen, aber sie ist nicht da. Wissen Sie zufällig...«
»Heute Vormittag ist sie nicht zu Hause, Commissario. Sie besucht ihre Schwester in Fiacca. Sie ist schon heute hingefahren, weil morgen um zehn die Beerdigung ihres seligen...«
»Danke, Signora.«
Er legte auf; was jetzt zu tun war, war vielleicht gar nicht mehr so kompliziert.
»Fazio!«
»Zu Befehl, Dottore!«
»Das ist der Schlüssel zu Lapecoras Büro in der Salita Granet 28. Geh rein, und hol einen Schlüsselbund, der im Schreibtisch in der mittleren Schublade liegt. Es hängt ein Schildchen dran, auf dem ›Wohnung‹ steht. Das müssen Ersatzschlüssel sein, die er im Büro aufbewahrte. Mit diesen Schlüsseln gehst du in die Wohnung von Signora Lapecora.«
»Und wenn die Witwe zu Hause ist?«
»Sie ist nicht da, sie ist weggefahren.«

»Und was soll ich dann machen?«
»Im Esszimmer steht eine Vitrine mit Tellern, Tassen, Tabletts und so weiter. Nimm irgendwas raus, von dem sie nicht leugnen kann, dass es ihr gehört, am besten eine Tasse aus einem kompletten Service, und bring es her. Und leg die Schlüssel unbedingt wieder in die Schublade im Büro.«
»Und wenn die Witwe zurückkommt und merkt, dass eine Tasse fehlt?«
»Das kann uns scheißegal sein. Und noch was. Ruf Jacomuzzi an, und sag ihm, ich brauche im Lauf des Tages das Messer, mit dem Lapecora erstochen wurde. Wenn er niemanden schicken kann, dann fahr du schnell bei ihm vorbei.«

»Montalbano? Hier ist Valente. Könntest du heute Nachmittag gegen vier nach Mazàra kommen?«
»Wenn ich jetzt gleich abfahre, schon. Warum?«
»Der Kapitän des Fischkutters kommt. Da hätte ich dich gern dabei.«
»Ich danke dir. Hat dein Mann was rausgekriegt?«
»Ja, und es war auch gar nicht schwer, hat er gesagt. Die Fischer waren ganz gesprächig.«
»Was sagen sie?«
»Ich erzähl's dir, wenn du kommst.«
»Nein, sag's mir jetzt, dann kann ich auf der Fahrt darüber nachdenken.«
»Wir gehen davon aus, dass die Crew von der Geschichte nur wenig oder gar nichts weiß. Alle versichern, dass

der Kutter knapp außerhalb unserer Hoheitsgewässer, die Nacht stockdunkel und auf dem Radar deutlich ein Wasserfahrzeug auf ihrem Kurs zu sehen war.«
»Und warum sind sie dann weitergefahren?«
»Weil niemand von der Crew auf die Idee gekommen ist, dass es sich um ein tunesisches Patrouillenboot, oder was auch immer es war, handeln könnte. Sie waren ja, wie gesagt, bereits in internationalen Gewässern.«
»Und dann?«
»Und dann kam völlig unerwartet das Stoppsignal. Unser Fischkutter, zumindest die Crew, vielleicht auch der Kapitän, nahm an, dass es sich um eine Kontrolle durch die Guardia di Finanza handelte. Sie stoppten und hörten, dass arabisch gesprochen wurde. Da ging der tunesische Matrose ans Heck und zündete sich eine Zigarette an. Und die haben auf ihn geschossen. Erst dann ist der Fischkutter auf und davon.«
»Und dann?«
»Und dann und dann! Montalbà, wie lang sollen wir denn noch telefonieren?«

Vierzehn

Anders als die meisten Seeleute war Angelo Prestìa, Kapitän und Eigner des Fischkutters *Santopadre*, ein dicker, schwitzender Mann. Aber er schwitzte von Natur aus, nicht wegen der Fragen, die Valente ihm stellte; ganz im Gegenteil – diesbezüglich schien er nicht nur unbesorgt, sondern auch leicht genervt.

»Ich verstehe wirklich nicht, warum es Ihnen immer noch um diese Geschichte geht, dafür interessiert sich doch kein Mensch mehr!«

»Wir wollen nur ein paar Details klären, dann können Sie wieder gehen«, sagte Valente beschwichtigend.

»Nur zu, *binidittu Diu*!«

»Sie haben immer gesagt, das tunesische Patrouillenboot habe rechtswidrig gehandelt, weil sich Ihr Fischkutter in internationalen Gewässern befand. Bestätigen Sie das?«

»Natürlich bestätige ich das. Aber warum interessieren Sie sich denn für Probleme, für die das Hafenamt zuständig ist?«

»Das werden Sie noch sehen.«

»Aber da gibt's nichts zu sehen, entschuldigen Sie mal! Hat die tunesische Regierung ein Kommuniqué herausgegeben, ja oder nein? Heißt es in diesem Kommuniqué, dass sie selbst den Tunesier erschossen haben, ja oder nein? Warum wollen Sie das alles noch mal aufrollen?«

»Eine widersprüchliche Aussage haben wir bereits«, stellte Valente fest.

»Welche denn?«

»Sie sagen zum Beispiel, der Angriff hätte in internationalen Gewässern stattgefunden, und die Tunesier behaupten, Sie hätten die Grenze ihrer Hoheitsgewässer überschritten. Finden Sie das nicht widersprüchlich, ja oder nein, um es mal mit Ihren Worten zu sagen?«

»*Nossignore*, da ist nichts widersprüchlich. Es ist ein Irrtum.«

»Von wem?«

»Von denen. Anscheinend haben sie die Position falsch bestimmt.«

Montalbano und Valente warfen sich einen raschen Blick zu; das war das vereinbarte Startsignal für Teil zwei der Vernehmung.

»Signor Prestìa, sind Sie vorbestraft?«

»Nossignore.«

»Aber Sie wurden schon mal verhaftet.«

»Alte Geschichten haben es Ihnen wohl angetan! Ich wurde verhaftet, *sissignore*, weil so ein blöder Kerl mir eins auswischen wollte und mich angezeigt hat. Aber der Richter hat kapiert, dass dieses Schwein gelogen hat, und hat mich freigesprochen.«

»Weswegen waren Sie denn angeklagt?«

»Schmuggel.«

»Zigaretten oder Drogen?«

»Drogen.«
»Ihre damalige Mannschaft hat auch gesessen, stimmt's?«
»*Sissignore*, sie sind aber alle wieder rausgekommen, sie waren genauso unschuldig wie ich.«
»Wie hieß der Richter, der das Verfahren eingestellt hat?«
»Weiß ich nicht mehr.«
»Hieß er Antonio Bellofiore?«
»Ja, ich glaube.«
»Wussten Sie, dass er letztes Jahr ins Gefängnis kam, weil er Gerichtsverfahren manipulierte?«
»Nein, das wusste ich nicht. Ich verbringe mehr Zeit auf See als an Land.«
Ein weiterer kurzer Blick, jetzt war Montalbano am Ball.
»Lassen wir die alten Geschichten mal beiseite«, fing der Commissario an. »Sind Sie Mitglied einer Kooperative?«
»Bei der *Copemaz*.«
»Was heißt das?«
»*Cooperativa pescatori mazaresi*.«
»Suchen Sie sich die tunesischen Matrosen selbst aus, oder bekommen Sie die Namen von der Kooperative?«
»Die kriegen wir von der Kooperative«, antwortete Prestìa und schwitzte schon ein bisschen mehr als sonst.
»Wir wissen, dass die Kooperative Ihnen einen bestimmten Namen genannt hatte, aber Sie haben Ben Dhahab genommen.«
»Also, diesen Dhahab kannte ich nicht, den hab ich vorher nie gesehen. Er kam, fünf Minuten bevor wir ausliefen, an Bord, und ich hielt ihn für den, den mir die Kooperative genannt hat.«

»Nämlich Assan Tarif?«
»Ich glaube, so hieß er.«
»Gut. Warum hat die Kooperative keine Erklärung von Ihnen verlangt?«
Kapitän Prestìa grinste, aber er sah angespannt aus und war mittlerweile schweißgebadet.
»So was kommt doch jeden Tag vor! Die tauschen untereinander, und solange niemand was dagegen hat, ist das kein Problem.«
»Und warum hatte Assan Tarif nichts dagegen? Er hat damit doch einen Tag Arbeit verloren.«
»Warum fragen Sie das mich? Fragen Sie ihn doch selbst!«
»Das habe ich getan«, sagte Montalbano ruhig.
Valente sah den Commissario verblüfft an; das war nicht ausgemacht.
»Und was hat er gesagt?«, fragte Prestìa in fast herausforderndem Ton.
»Dass Ben Dhahab tags zuvor zu ihm gekommen sei und ihn gefragt habe, ob er auf der Liste zum Anheuern auf der *Santopadre* sei, und als Assan Tarif bejahte, sagte er zu Tarif, er solle für drei Tage verschwinden, und zahlte ihm eine ganze Woche Arbeit.«
»*Di questa cosa non saccio nenti.* Davon weiß ich nichts.«
»Ich bin noch nicht fertig. Dhahab heuerte demnach nicht an, weil er arbeiten musste. Geld hatte er ja. Er hat also aus einem anderen Grund angeheuert.«
Valente verfolgte sehr aufmerksam, wie Montalbano seinen Fallstrick auslegte. Die Geschichte mit dem imaginären Tarif, der Geld von Dhahab bekommen haben sollte, hatte

der Commissario eindeutig erfunden; jetzt war Valente sehr gespannt, worauf er hinauswollte.
»Wissen Sie, wer Ben Dhahab war?«
»Ein Tunesier auf Arbeitssuche.«
»Nein, mein Lieber, er war einer der großen Fische im Drogenhandel.«
Prestìa wurde blass, und Valente war sich klar, dass er jetzt an der Reihe war. Innerlich grinste er zufrieden, Montalbano und er waren ein unschlagbares Duo, ungefähr wie Totò und Peppino.
»Es sieht nicht gut für Sie aus, Signor Prestìa«, sagte Valente mitfühlend, fast väterlich.
»Warum denn?!«
»Das ist doch eigentlich klar, oder? Ein Drogenhändler vom Kaliber Ben Dhahabs will um jeden Preis auf Ihrem Kutter anheuern. Und Sie haben nun mal Ihre Vorgeschichte. Zwei Fragen. Erstens: Wie viel ist eins plus eins? Zweitens: Was ist in jener Nacht schiefgelaufen?«
»Sie wollen mich fertig machen! Sie wollen mich ruinieren!«
»Das machen Sie schon selbst.«
»Nein! Nein! Das geht zu weit!«, rief Prestìa, inzwischen sehr nervös. »Die hatten mir zugesichert, dass...«
Er verstummte und wischte sich den Schweiß ab.
»Was hatten sie Ihnen zugesichert?«, fragten Valente und Montalbano wie aus einem Munde.
»... dass ich keine Unannehmlichkeiten kriege.«
»Wer?«
Kapitän Prestìa fuhr mit der Hand in die Hosentasche,

holte sein Portemonnaie heraus, entnahm ihm eine Visitenkarte und warf sie auf Valentes Schreibtisch.

Als Prestìa entlassen war, wählte Valente die Nummer auf der Visitenkarte. Es war die Prefettura in Trapani.

»*Pronto*? Hier ist Vicequestore Valente aus Mazàra. Ich möchte bitte mit Commendator Mario Spadaccia sprechen, dem Stabschef.«

»Einen Augenblick, bitte.«

»*Buongiorno*, Signor Valente. Hier ist Spadaccia.«

»Commendatore, ich habe eine Frage im Zusammenhang mit dem Tunesier, der auf dem Fischkutter erschossen wurde...«

»Aber dieser Fall ist doch aufgeklärt! Die Regierung in Tunis...«

»Ja, ich weiß, Commendatore, aber...«

»Und warum rufen Sie mich an?«

»Weil der Kapitän des Fischkutters...«

»Hat er Ihnen meinen Namen genannt?«

»Er hat uns Ihre Visitenkarte gegeben. Sie war für ihn wie... wie eine Art Garantie.«

»Das ist sie auch.«

»Wie bitte?«

»Ich erkläre es Ihnen gleich. Vor einiger Zeit wurde Sua Eccellenza...«

Der Titel ist doch seit einem halben Jahrhundert abgeschafft, dachte Montalbano, der an einem Zweitapparat mithörte.

»... wurde Sua Eccellenza il Prefetto aufgefordert, in jeder

Hinsicht einen tunesischen Journalisten zu unterstützen, der unter seinen Landsleuten eine Umfrage plante – eine heikle Geschichte – und aus diesem Grund auch als Matrose anheuern wollte. Sua Eccellenza hat mich beauftragt, mich darum zu kümmern. Mir wurde der Name von Kapitän Prestìa als unbedingt vertrauenswürdige Person genannt. Aber Prestìa fürchtete, das Arbeitsamt könnte ihm Schwierigkeiten machen. Deshalb habe ich ihm meine Visitenkarte gegeben. Das ist alles.«

»Commendatore, ich danke Ihnen sehr für diese umfassende Auskunft«, sagte Valente und beendete das Gespräch.

Sie sahen sich schweigend an.

»Entweder ist er strohdumm, oder er tut nur so«, meinte Montalbano.

»Irgendwie stinkt diese Geschichte«, sagte Valente nachdenklich.

»Das glaube ich auch«, sagte Montalbano.

Sie dachten gerade darüber nach, was als Nächstes zu tun sei, als das Telefon klingelte.

»Ich habe doch gesagt, dass ich für niemanden zu sprechen bin!«, rief Valente wütend. Er hörte kurz zu, dann reichte er Montalbano den Hörer.

Bevor er nach Mazàra gefahren war, hatte der Commissario im Büro eine Nachricht hinterlassen, wo er notfalls zu erreichen war.

»*Pronto*? Hier ist Montalbano. Wer spricht da? Ach, Sie sind es, Signor Questore.«

»Ja, ich bin es. Wo stecken Sie eigentlich?«

Er war verärgert.

»Ich bin bei meinem Kollegen, dem Vicequestore Valente.«

»Er ist nicht Ihr Kollege. Valente ist Vicequestore, und Sie nicht!«

Montalbano wurde mulmig.

»Was ist denn los, Signor Questore?«

»O nein, ich frage Sie, was, zum Teufel, da los ist!«

Teufel? Der Questore sagte »zum Teufel«?

»Wie meinen Sie das?«

»In welcher Kacke stochern Sie da herum?«

Kacke? Der Questore sagte »Kacke«? War das der Anfang der Apokalypse? Ertönten in Kürze die Posaunen des Jüngsten Gerichts?

»Was habe ich denn getan?«

»Sie haben mir ein Autokennzeichen genannt, erinnern Sie sich?«

»Ja. AM 237 GW.«

»Genau. Gestern bat ich einen Freund in Rom, sich darum zu kümmern, damit es schneller geht, wie Sie ja verlangten. Er war sehr verärgert, als er mich zurückrief. Ihm war gesagt worden, wenn er den Namen des Fahrzeughalters wissen wolle, müsse er einen schriftlichen Antrag stellen, in dem er die Gründe für diese Anfrage detailliert darlegt.«

»Kein Problem, Signor Questore. Ich erzähle Ihnen morgen alles, und dann können Sie in dem Antrag…«

»Montalbano, entweder Sie verstehen nicht, oder Sie wollen nicht verstehen. Es handelt sich um ein Kennzeichen, das der Geheimhaltung unterliegt.«

»Was heißt das?«

»Das heißt, dass dieses Auto dem Geheimdienst gehört. Ist das denn so schwer zu verstehen?«

Die Sache stank nicht nur ein bisschen. Die ganze Luft war verpestet.

Montalbano berichtete Valente von dem Mord an Lapecora, Karimas Verschleppung und von Fahrid und dem Auto, das nicht diesem, sondern dem Geheimdienst gehörte; da fiel ihm etwas ein, das ihm Sorgen bereitete. Er rief den Questore in Montelusa an.

»Bitte verzeihen Sie die Störung. Haben Sie Ihrem Freund in Rom, als Sie ihn wegen des Kennzeichens anriefen, gesagt, worum es sich handelt?«

»Wie denn? Ich habe doch keine Ahnung, was Sie treiben!«

Der Commissario seufzte erleichtert auf.

»Ich habe nur gesagt, dass es um Ermittlungen geht, die Sie, Montalbano, durchführen«, sagte der Questore noch.

Der Commissario nahm seinen Seufzer der Erleichterung sofort wieder zurück.

»*Pronto*, Galluzzo? Ich bin's, Montalbano. Ich rufe aus Mazàra an. Hier dauert es noch. Anders als ausgemacht, fährst du jetzt sofort zu mir nach Hause nach Marinella, holst die alte Tunesierin ab und bringst sie zurück nach Montelusa. Alles klar? Du darfst keine Minute verlieren!«

»*Pronto*? Livia, hör jetzt genau zu und tu, was ich dir sage, ohne Diskussion. Ich bin in Mazàra und nehme an, dass unser Telefon noch nicht abgehört wird.«

»*Oddio*, was redest du da?«

»Ich habe gesagt, keine Diskussion, keine Fragen, du sollst mir nur zuhören. Galluzzo kommt gleich zu dir. Er nimmt die Alte wieder mit und bringt sie nach Montelusa zurück. Verabschiedet euch nicht lange voneinander, sag François, dass er sie bald wiedersieht. Sobald Galluzzo weg ist, rufst du in meinem Büro an und fragst nach Mimì Augello. Du musst ihn erreichen, egal, wo er ist. Sag ihm, du musst ihn sofort sehen.«

»Und wenn er zu tun hat?«

»Für dich lässt er alles stehen und liegen und macht sich gleich auf den Weg. Du packst inzwischen ein paar Sachen für François zusammen...«

»Aber was...«

»Halt den Mund, verstanden? Du hältst den Mund. Erklär Mimì, dass der Junge auf meine Anordnung vom Erdboden verschwinden muss, er muss sich praktisch in Luft auflösen. Er soll François irgendwo verstecken, wo es ihm gut geht. Frag ihn nicht, wo er ihn hinbringt. Kapiert? Du darfst nicht wissen, wo François ist. Und heul ja nicht, das nervt. Hör gut zu. Wenn Mimì mit dem Kind fort ist, wartest du eine Stunde, dann rufst du Fazio an. Sag ihm heulend – du brauchst gar nicht so tun, weil du es sowieso schon tust –, dass der Junge verschwunden ist, dass er vielleicht zu der Alten wollte, auf jeden Fall soll er dir helfen, ihn zu suchen. Bis dahin bin ich dann auch da. Noch was:

Ruf in Punta Ràisi an, und buch einen Flug nach Genua. Einen gegen Mittag, bis dahin habe ich jemanden, der dich hinbringen kann. Bis bald.«
Er legte auf und sah Valentes verstörten Blick.
»Glaubst du, dass sie zu so was fähig sind?«
»Auch zu Schlimmerem.«

»Ist dir die Geschichte jetzt klar?«, fragte Montalbano.
»Ich glaube, so langsam fange ich an zu begreifen«, antwortete Valente.
»Ich erklär's dir«, sagte der Commissario. »Im Großen und Ganzen könnte es folgendermaßen abgelaufen sein: Ahmed Moussa beauftragt einen seiner Leute, Fahrid, für seine Zwecke eine Operationsbasis zu organisieren. Dabei bekommt Fahrid – wie freiwillig, weiß ich nicht – Unterstützung von Ahmeds Schwester Karima, die schon seit ein paar Jahren in Sizilien lebt. Sie erpressen einen Mann aus Vigàta namens Lapecora und benutzen als Deckmantel dessen alte Import-Export-Firma. Kannst du mir folgen?«
»Vollkommen.«
»Ahmed, der ein wichtiges Treffen plant – Waffen oder politische Unterstützung für seine Gruppe –, kommt nach Italien, wobei ihn einer unserer Geheimdienste deckt. Das Treffen findet auf hoher See statt, ist aber sehr wahrscheinlich ein Hinterhalt. Ahmed hat nicht im Traum dran gedacht, dass unser Geheimdienst ein doppeltes Spiel treibt und mit den Leuten in Tunis, die ihn ausschalten wollen, unter einer Decke steckt. Außerdem bin ich überzeugt,

dass auch Fahrid damit einverstanden war, dass Ahmed getötet wurde. Von der Schwester glaube ich das nicht.«

»Warum hast du solche Angst um den Jungen?«

»Weil er ein Zeuge ist. So wie er seinen Onkel im Fernsehen erkannt hat, könnte er auch Fahrid erkennen. Und der hat Karima schon getötet, da bin ich sicher. Er hat sie getötet und in einem Auto weggebracht, das offenbar unserem Geheimdienst gehört.«

»Was machen wir jetzt?«

»Du tust jetzt erst mal gar nichts, Valè. Ich sorge umgehend für ein Ablenkungsmanöver.«

»Viel Glück.«

»Dir auch, mein Freund.«

Es war schon fast Abend, als er ins Büro kam. Fazio erwartete ihn.

»Habt ihr François gefunden?«

»Waren Sie zu Hause, bevor Sie hierhergekommen sind?«, fragte Fazio, anstatt zu antworten.

»Nein. Ich komme direkt aus Mazàra.«

»Kommen Sie, Dottore, gehen wir in Ihr Büro.«

Als sie dort waren, schloss Fazio die Tür.

»Dottore, ich bin Polizist. Vielleicht nicht so ein guter wie Sie, aber trotzdem Polizist. Woher wissen Sie, dass der Kleine abgehauen ist?«

»Fazio, was ist denn mit dir los? Livia hat mich in Mazàra angerufen, und ich hab ihr gesagt, sie soll sich an dich wenden.«

»Aber die Signorina hat mir erklärt, sie bräuchte meine

Hilfe, weil sie nicht wüsste, wo Sie zu erreichen wären, Dottore.«

»Erwischt«, sagte Montalbano.

»Und dann hat die Signorina wirklich furchtbar geweint. Aber nicht weil der Junge weg ist, sondern aus irgendeinem anderen Grund, ich weiß nicht, warum. Da hab ich begriffen, was Sie, Dottore, von mir wollten, und hab es gemacht.«

»Was wollte ich denn von dir?«

»Möglichst viel Aufsehen und Lärm. Ich war also überall in der Nachbarschaft und hab jeden gefragt, der mir über den Weg gelaufen ist: Haben Sie zufällig einen kleinen Jungen gesehen, der so und so aussieht? Kein Mensch hatte ihn gesehen, aber inzwischen wussten alle, dass er weg war. Das wollten Sie doch, oder?«

Montalbano war ganz gerührt. Das war die sizilianische Freundschaft, die wahre Freundschaft, die auf dem Unausgesprochenen, auf der Intuition beruht: Man muss einen Freund nicht um etwas bitten – der andere begreift von selbst und handelt entsprechend.

»Und was soll ich jetzt machen?«

»Weiterhin möglichst viel Wirbel. Ruf die Arma an, alle Dienststellen der Provinz, sämtliche Kommissariate, Krankenhäuser und wen du willst. Mach es halboffiziell, nur per Telefon, nichts Schriftliches. Beschreib das Kind, und gib dich besorgt.«

»Dottore, meinen Sie nicht, dass sie ihn dann finden?«

»Keine Sorge, Fazio. Er ist in guten Händen.«

Er nahm ein Blatt Papier mit Briefkopf und schrieb auf der Maschine:

MINISTERIUM FÜR TRANSPORT UND
ZIVILES VERKEHRSWESEN
IM RAHMEN HEIKLER ERMITTLUNGEN
WEGEN ENTFÜHRUNG UND
WAHRSCHEINLICH MORD AN FRAU NAMENS
KARIMA MOUSSA WIRD DRINGEND NAME
DES HALTERS DES FAHRZEUGS AM 237 GW
BENÖTIGT.
MIT DER BITTE UM BALDIGE ANTWORT,
COMMISSARIO SALVO MONTALBANO.

Er wusste auch nicht, warum, aber wenn er ein Fax schrieb, klang es jedesmal wie ein Telegramm. Er las es noch mal durch. Er hatte sogar den Namen der Frau hingeschrieben, um den Köder ein bisschen appetitlicher zu machen. Jetzt waren sie gezwungen, mit ihm in Verbindung zu treten.
»Gallo!«
»Zu Ihren Diensten, Dottore!«
»Such die Faxnummer vom Verkehrsministerium in Rom raus, und schick das sofort ab!«
»Galluzzo!«
»Zu Befehl!«
»Und?«
»Ich hab die Alte nach Montelusa zurückgebracht. Alles in Ordnung.«
»Hör zu, Gallù. Sag deinem Schwager, er soll morgen nach

Lapecoras Beerdigung hier in der Nähe sein. Und einen Kameramann mitbringen.«
»Ich danke Ihnen von Herzen, Dottò.«
»Fazio!«
»Ja bitte?«
»Das hab ich total vergessen – warst du in der Wohnung von Signora Lapecora?«
»Klar. Ich hab eine Tasse aus einem Zwölferservice genommen. Ich hab sie drüben. Wollen Sie sie sehen?«
»Interessiert mich nicht. Morgen sage ich dir, was du damit machen sollst. Steck sie in eine Zellophantute. Ach ja, noch was. Hat Jacomuzzi das Messer geschickt?«
»*Sissignore.*«

Er hatte nicht den Mut, das Büro zu verlassen, zu Hause erwartete ihn der schwierigste Teil, Livias Schmerz. Apropos, wenn Livia wieder abreiste ... Er wählte Adelinas Nummer.
»Adelì? Hier ist Montalbano. Hör zu, morgen früh reist die Signorina ab. Ich muss wieder zu Kräften kommen. Weißt du was? Ich hab heut noch nichts gegessen.«
Irgendwie musste man schließlich über die Runden kommen, oder?

Fünfzehn

Livia saß vollkommen reglos auf der Bank in der Veranda und schien aufs Meer hinauszuschauen. Sie weinte nicht, aber an ihren geschwollenen roten Augen sah man, dass sie alle Tränen geweint hatte, die ihr zur Verfügung standen. Montalbano setzte sich neben sie, nahm ihre Hand und drückte sie. Ihm war, als habe er nach etwas Totem gegriffen, er bekam fast eine Gänsehaut. Er ließ die Hand los und zündete sich eine Zigarette an. Livia wollte er aus der ganzen Geschichte so weit wie möglich raushalten, aber dann stellte sie ihm eine klare Frage; anscheinend hatte sie lange nachgedacht.

»Glaubst du, sie wollen ihm etwas antun?«

»Etwas wirklich Schlimmes glaube ich nicht. Aber ihn für einige Zeit verschwinden lassen, das schon.«

»Und wie?«

»Was weiß ich, sie könnten ihn unter falschem Namen in ein Waisenhaus stecken.«

»Warum?«

»Weil er Leute kennen gelernt hat, die er nicht hätte kennen lernen dürfen.«

Livia starrte immer noch aufs Meer hinaus und dachte über Montalbanos letzte Worte nach.

»Ich verstehe das nicht«, sagte sie.
»Was?«
»Wenn diese Leute, die François gesehen hat, Tunesier sind, vielleicht illegale Einwanderer, könntet ihr als Polizei dann nicht...«
»Es sind nicht nur Tunesier.«
Langsam, als koste es sie Mühe, wandte Livia sich zu ihm um und sah ihn an.
»Nein?«
»Nein. Und jetzt sage ich kein Wort mehr.«
»Ich will ihn.«
»Wen?«
»François. Ich will ihn.«
»Aber, Livia...«
»Halt den Mund. Ich will ihn. Niemand kann ihn mir einfach wegnehmen, und du am allerwenigsten. Ich habe in diesen Stunden viel darüber nachgedacht, weißt du. Wie alt bist du, Salvo?«
Das kam so plötzlich, dass der Commissario einen Augenblick unsicher war.
»Ich glaube, vierundvierzig.«
»Vierundvierzig und zehn Monate. In zwei Monaten wirst du fünfundvierzig. Und ich bin inzwischen dreiunddreißig. Ist dir klar, was das heißt?«
»Nein. Was denn?«
»Wir sind jetzt seit sechs Jahren zusammen. Ab und zu reden wir vom Heiraten, und dann lassen wir das Thema wieder fallen. In stillem Einvernehmen treffen wir alle beide keine Entscheidung. Wir sind zufrieden, wie es ist,

und unsere Trägheit, unser Egoismus behält immer die Oberhand.«

»Trägheit? Egoismus? Was soll denn das heißen? Es gibt objektive Schwierigkeiten, die ...«

»... die du dir in den Arsch stecken kannst«, fiel Livia ihm grob ins Wort.

Montalbano schwieg bestürzt. Nur ein- oder zweimal in sechs Jahren war Livia so ordinär geworden, und da war die Situation jedesmal besorgniserregend und sehr angespannt gewesen.

»Entschuldige«, sagte Livia leise. »Aber manchmal ertrage ich deine Heuchelei nicht mehr, mit der du immer alles kaschierst. Dein Zynismus ist ehrlicher.«

Auch das steckte Montalbano schweigend ein.

»Lenk mich nicht von dem ab, was ich dir sagen will. Du bist ein guter Polizist, das ist dein Job. Jetzt frage ich dich etwas. Wann, glaubst du, können wir heiraten? Gib mir eine klare Antwort.«

»Das hängt nicht nur von mir ab ...«

Livia sprang auf.

»Jetzt reicht's! Ich gehe ins Bett, ich habe zwei Schlaftabletten genommen, mein Flug geht morgen Mittag in Palermo ab. Aber vorher will ich dieses Gespräch zu Ende führen. Wenn wir überhaupt jemals heiraten, dann bist du bis dahin fünfzig und ich achtunddreißig. Zu alt, um Kinder zu haben, werden wir sagen. Und haben gar nicht gemerkt, dass uns jemand, Gott oder wer auch immer an seiner statt, im richtigen Augenblick schon ein Kind geschickt hat.«

Sie drehte sich um und ging ins Haus. Montalbano blieb

in der Veranda sitzen und blickte aufs Meer hinaus, aber er sah es gar nicht richtig.

Eine Stunde vor Mitternacht vergewisserte er sich, dass Livia fest schlief. Er zog den Telefonstecker heraus, klaubte alle Münzen zusammen, die er finden konnte, löschte das Licht und verließ das Haus. Er fuhr zu der Telefonzelle, die in Marinella am Parkplatz der Bar stand.

»Nicolò? Hier ist Montalbano. Ich muss dir mehreres sagen. Schick morgen gegen Mittag jemanden mit einem Kameramann in die Nähe meines Büros. Es gibt Neuigkeiten.«

»Danke. Und weiter?«

»Habt ihr eine kleine Videokamera, die geräuschlos läuft? Je kleiner, desto besser.«

»Willst du deine Heldentaten im Bett für deine Nachkommen dokumentieren?«

»Kannst du diese Kamera bedienen?«

»Natürlich.«

»Dann bring sie mir bitte.«

»Wann?«

»Sobald du mit den Spätnachrichten fertig bist. Und laute nicht, wenn du kommst, Livia schläft.«

»Spreche ich mit Signor Prefetto in Trapani? Bitte entschuldigen Sie, dass ich so spät störe. Ich bin Corrado Menichelli vom ›Corriere della Sera‹. Ich rufe aus Mailand an. Wir haben Hinweise auf eine sehr ernste Angelegenheit, doch weil sie direkt Sie betrifft, wollten wir sie von Ihnen persönlich bestätigt wissen, bevor wir sie veröffentlichen.«

»Eine ernste Angelegenheit?! Worum geht es denn?«
»Stimmt es, dass Sie unter Druck gesetzt wurden, einem tunesischen Journalisten während seines Aufenthalts in Mazàra behilflich zu sein? Denken Sie in Ihrem eigenen Interesse einen Augenblick darüber nach, bevor Sie antworten.«
»Ich muss über gar nichts nachdenken!«, explodierte der Prefetto. »Wovon reden Sie eigentlich?«
»Können Sie sich nicht erinnern? Das ist sehr merkwürdig, weil die ganze Sache erst vor drei Wochen passiert ist.«
»Die Sache, von der Sie reden, ist überhaupt nicht passiert! Mich hat niemand unter Druck gesetzt! Ich weiß nichts von tunesischen Journalisten!«
»Signor Prefetto, wir haben aber Beweise, dass …«
»Sie können doch keine Beweise für etwas haben, was gar nicht passiert ist! Geben Sie mir sofort den Chefredakteur!«
Montalbano legte auf. Der Prefetto von Trapani sagte die Wahrheit, sein Stabschef allerdings nicht.

»Valente? Ich bin's, Montalbano. Ich habe mich als Journalist vom ›Corriere della Sera‹ ausgegeben und mit dem Prefetto von Trapani gesprochen. Er weiß nichts. Die Fäden hat unser Freund Commendator Spadaccia in der Hand.«
»Von wo sprichst du?«
»Keine Sorge, ich bin in einer Telefonzelle. Jetzt erkläre ich dir, was wir tun müssen, natürlich nur, wenn du einverstanden bist.«

Bis er alles erklärt hatte, waren sämtliche Münzen bis auf eine verbraucht.

»Mimì? Hier ist Montalbano. Hast du geschlafen?«
»Nein, getanzt. Frag doch nicht so blöd!«
»Bist du sauer auf mich?«
»Allerdings! Nach der Rolle, die du mir zugedacht hast!«
»Ich? Was für eine Rolle denn?«
»Dass ich den Kleinen holen musste. Livia hat mich voller Hass angeschaut, ich konnte die beiden gar nicht voneinander trennen. Ich hab richtig Magenschmerzen gekriegt.«
»Wo hast du François hingebracht?«
»Nach Calapiàno, zu meiner Schwester.«
»Ist er dort in Sicherheit?«
»Absolut. Sie und ihr Mann haben ein riesiges Haus fünf Kilometer außerhalb des Dorfes, einen allein stehenden Bauernhof. Meine Schwester hat zwei Kinder, eines ist in François' Alter, er wird sich bei ihnen bestimmt wohl fühlen. Ich habe zweieinhalb Stunden hin und zweieinhalb Stunden zurück gebraucht.«
»Bist du müde?«
»Hundemüde. Ich komme morgen nicht ins Büro.«
»Einverstanden, du brauchst nicht ins Büro zu kommen, aber spätestens um neun bist du bei mir in Marinella.«
»Wozu denn?«
»Du holst Livia ab und bringst sie nach Palermo zum Flughafen.«
»Ist doch klar!«
»Deine Müdigkeit ist ja wie verflogen, Mimì!«

Jetzt schlief Livia unruhig, hin und wieder stöhnte sie. Montalbano schloss die Schlafzimmertür, setzte sich in den Sessel und schaltete den Fernseher an, den er ganz leise stellte. In »Televigàta« erklärte Galluzzos Schwager gerade, das tunesische Außenministerium habe ein Kommuniqué herausgegeben, weil die Öffentlichkeit im Zusammenhang mit dem tragischen Tod des tunesischen Matrosen auf einem italienischen Fischkutter, der die Grenze der Hoheitsgewässer überschritten habe, falsch informiert worden sei. Das Kommuniqué dementierte die grotesken Gerüchte, nach denen der Matrose kein echter Matrose, sondern ein bekannter Journalist namens Ben Dhahab gewesen sei. Es handle sich offenbar um eine Namengleichheit, denn der Journalist Ben Dhahab sei am Leben und arbeite wie immer. Allein in Tunis, hieß es in dem Kommuniqué weiter, gebe es mindestens zwei Dutzend Ben Dhahabs. Montalbano schaltete den Fernseher aus. Das Wasser war also in Bewegung geraten, und man begann sich abzusichern, Schutzzäune zu errichten, Nebelwände aufsteigen zu lassen.

Er hörte das Motorgeräusch eines Autos, das näher kam und dann auf dem freien Platz vor der Haustür hielt. Der Commissario öffnete eilig die Tür, es war Nicolò.

»Ich bin so schnell gekommen, wie es ging«, sagte er und kam herein.

»Ich danke dir.«

»Schläft Livia?«, fragte der Journalist und sah sich um.

»Ja. Sie fliegt morgen Mittag zurück nach Genua.«

»Schade, ich hätte mich gern von ihr verabschiedet.«
»Nicolò, hast du die Kamera dabei?«
Der Journalist zog ein winziges Ding aus der Tasche, gerade so groß wie vier Päckchen Zigaretten, wenn man sie zu je zweien nebeneinanderlegte.
»Da, nimm. Ich muss ins Bett.«
»Nein, warte, du musst sie mir an einer Stelle verstecken, an der man sie nicht sehen kann.«
»Wie denn, wenn Livia drüben schläft?«
»Nicolò, du hast diese fixe Idee, dass ich mich beim Vögeln filmen lassen will. Du musst die Kamera hier in diesem Zimmer installieren.«
»Was soll sie denn aufnehmen?«
»Ein Gespräch zwischen mir und einem Mann, der genau da sitzt, wo du jetzt bist.«
Nicolò Zito sah geradeaus und grinste.
»Das vollgestopfte Bücherregal dort ist doch perfekt.«
Er nahm einen Stuhl, stellte ihn vor das Regal und stieg hinauf. Er schob ein paar Bücher beiseite, installierte die Kamera, stieg wieder herunter, setzte sich auf den Stuhl, neben dem er vorher gestanden hatte, und sah nach oben.
»Von hier sieht man nichts«, sagte er zufrieden. »Da, kontrollier selbst.«
Der Commissario kontrollierte.
»Scheint in Ordnung zu sein.«
»Bleib mal da, wo du bist«, sagte Nicolò.
Er kletterte noch mal auf den Stuhl, hantierte herum, stieg wieder herunter.
»Was macht die Kamera jetzt?«, fragte Montalbano.

»Sie nimmt dich auf.«

»Wirklich? Sie macht nicht das geringste Geräusch.«

»Ich hab dir doch gesagt, dass sie ein Wunderding ist.«

Umständlich kletterte Nicolò erneut auf den Stuhl und wieder herunter. Aber diesmal hatte er die Kamera in der Hand und zeigte sie Montalbano.

»Schau, Salvo, so musst du's machen. Wenn du auf diese Taste hier drückst, spult das Band zurück. Jetzt halt die Kamera auf Augenhöhe, und drück auf die andere Taste. Probier mal.«

Montalbano tat es und sah sich selbst winzig klein dasitzen und hörte eine würmchendünne Stimme, seine eigene Stimme, fragen: »Was macht die Kamera jetzt?« und dann Nicolòs Antwort: »Sie nimmt dich auf.«

»Großartig«, sagte der Commissario. »Aber kann man es nur so sehen?«

»Aber nein«, antwortete Nicolò und zog eine normale Kassette aus der Tasche, die jedoch ein besonderes Innenleben hatte. »Schau zu. Ich nehme das Band aus der Kamera – wie du siehst, ist es so klein wie das Band eines Anrufbeantworters – und stecke es in diese Kassette. Es ist eine spezielle Kassette, die du in dein Videogerät einlegen kannst.«

»Und was muss ich machen, damit sie aufnimmt?«

»Die andere Taste hier drücken.«

Der Commissario sah mehr verwirrt als überzeugt drein, und Nicolò hatte Bedenken.

»Meinst du, du kannst damit umgehen?«

»Also hör mal!«, erwiderte Montalbano beleidigt.

»Und warum schaust du dann so?«
»Weil ich doch nicht in Gegenwart der Person, die ich aufnehmen will, auf den Stuhl klettern kann, das würde sie nur argwöhnisch machen.«
»Versuch mal, ob du an die Kamera herankommst, wenn du auf Zehenspitzen stehst.«
Er kam heran.
»Dann ist es ganz einfach. Wenn die Person kommt, sitzt du mit einem Buch am Tisch. Dann stellst du es ganz ungezwungen an seinen Platz zurück und drückst dabei auf die Taste.«

Liebe Livia, ich kann leider nicht warten, bis
du aufwachst, ich muss nach Montelusa zum
Questore. Ich habe mit Mimì ausgemacht, dass er
dich nach Palermo bringt. Versuch so ruhig und
fröhlich wie möglich zu sein. Ich rufe dich heute
Abend an. Ich küsse dich,
Salvo

Ein drittklassiger Vertreter hätte sich bestimmt besser ausgedrückt, herzlicher und fantasievoller. Er schrieb einen neuen Zettel, aber auf dem stand schließlich merkwürdigerweise genau das Gleiche, da war nichts zu machen. Er musste gar nicht zum Questore, er wollte sich nur vor der Abschiedsszene drücken. Es war also eine Lüge, und er hatte doch Menschen, die er mochte, noch nie anlügen können. Aber ein bisschen schwindeln, das konnte er, und wie!

Im Büro erwartete ihn Fazio, der ganz aufgeregt war.
»Dottore, ich versuche Sie schon seit einer halben Stunde zu Hause zu erreichen, aber Sie müssen den Telefonstecker rausgezogen haben.«
»Was ist denn mit dir los?«
»Da hat einer angerufen, der zufällig die Leiche einer alten Frau gefunden hat. In Villaseta, in der Via Garibaldi. Vor demselben Haus, bei dem wir auf den Jungen gewartet haben. Deswegen hab ich versucht, Sie zu erreichen.«
Montalbano spürte etwas wie einen elektrischen Schlag.
»Tortorella und Galluzzo sind schon dort. Galluzzo hat gerade angerufen, ich soll Ihnen sagen, dass es die Alte ist, die er zu Ihnen nach Haus gebracht hat.«
Aisha.
Der Fausthieb, den Montalbano sich selbst verpasste, war zwar nicht so heftig, dass er sich die Zähne ausschlug, aber immerhin blutete seine Lippe.
»Was ist denn mit Ihnen los?«, fragte Fazio erstaunt.
Aisha war eine Zeugin, natürlich, genau wie François; er aber hatte sich nur um den Jungen gekümmert. Er war ein Arsch, anders konnte man das nicht nennen. Fazio reichte ihm ein Taschentuch.
»*S'asciucasse.* Wischen Sie sich ab.«

Aisha lag als gekrümmtes Bündel am Fuß der Treppe, die zu Karimas Zimmer hinaufführte.
»Anscheinend ist sie gestürzt und hat sich das Genick gebrochen«, sagte Dottor Pasquano, den Tortorella angerufen hatte. »Nach der Obduktion kann ich Ihnen mehr sagen.

Es reicht ja auch ein Windhauch, dass so eine alte Frau die Treppe runterfliegt.«

»Und wo ist Galluzzo?«, fragte Montalbano Tortorella.

»Er ist nach Montelusa zu einer Tunesierin, bei der die Tote gewohnt hat. Er will sie fragen, warum die Alte herkommen wollte, ob sie jemand angerufen hat.«

Als der Krankenwagen abfuhr, ging der Commissario in Aishas Haus, hob eine Steinplatte neben dem Herd ab, nahm das Sparbuch heraus, blies den Staub weg und steckte es ein.

»Dottore!«

Es war Galluzzo. Nein, Aisha war nicht angerufen worden. Sie wollte unbedingt wieder nach Hause, war früh am Morgen aufgestanden, hatte den Bus genommen und das Stelldichein mit dem Tod nicht versäumt.

Zurück in Vigàta, fuhr er nicht sofort ins Büro, sondern erst in die Kanzlei von Notaio Cosentino, den er gut leiden konnte.

»Was kann ich für Sie tun, Dottore?«

Der Commissario zog das Sparbuch hervor und reichte es dem Notaio. Dieser schlug es auf, sah es an und fragte:

»Und?«

Montalbano wand sich in kompliziertesten Erklärungen, denn er wollte dem Notaio nicht die ganze Geschichte erzählen.

»Wenn ich richtig verstanden habe«, fasste Notaio Cosentino zusammen, »gehört dieses Geld einer Frau, die Sie für tot halten und deren Erbe ihr minderjähriger Sohn wäre.«

»Richtig.«
»Sie möchten, dass dieses Geld auf irgendeine Weise festgelegt wird und das Kind darüber verfügen kann, wenn es volljährig ist.«
»Richtig.«
»Aber warum behalten Sie das Sparbuch nicht selbst und geben es dem Jungen, wenn es so weit ist?«
»Wer sagt denn, dass ich in fünfzehn Jahren noch lebe?«
»Stimmt«, meinte der Notaio. »Wir machen Folgendes«, fuhr er dann fort, »Sie nehmen das Sparbuch wieder mit, ich überlege mir etwas, und Sie kommen in einer Woche wieder. Man sollte das Geld vielleicht Gewinn bringend anlegen.«
»Machen Sie das«, sagte Montalbano und erhob sich.
»Nehmen Sie das Sparbuch wieder mit.«
»Behalten Sie es. Ich könnte es verlieren.«
»Dann gebe ich Ihnen eine Quittung.«
»Das ist doch nicht nötig.«
»Noch etwas, Dottore.«
»Ja?«
»Der Tod der Mutter muss zweifelsfrei feststehen.«

Vom Büro aus rief er zu Hause an. Livia wollte gerade abfahren. Sie verabschiedete sich ziemlich kühl, zumindest kam es Montalbano so vor. Er wusste nicht, was er sagen sollte.
»Ist Mimì gekommen?«
»Natürlich. Er wartet im Auto auf mich.«
»Gute Reise. Ich ruf dich heute Abend an.«

Er musste weitermachen, er durfte sich von Livia nicht anstecken lassen.
»Fazio!«
»Zu Diensten!«
»Geh in die Kirche zu Lapecoras Beerdigung, die muss schon angefangen haben. Nimm Gallo mit. Wenn die Leute auf dem Friedhof der Witwe kondolieren, gehst du zu ihr und sagst mit einem möglichst finsteren Gesicht: ›Signora, kommen Sie mit ins Kommissariat.‹ Sollte sie eine Szene machen und auf dumme Gedanken kommen, kannst du sie ohne Bedenken mit Gewalt ins Auto setzen. Und noch was: Lapecoras Sohn ist bestimmt auch auf dem Friedhof. Falls er auf die Idee kommt, seine Mutter zu verteidigen, legst du ihm Handschellen an.«

MINISTERIUM FÜR TRANSPORT UND ZIVILES VERKEHRSWESEN – HAUPTVERWALTUNG IM RAHMEN ÄUSSERST HEIKLER ERMITTLUNGEN WEGEN MORDES AN ZWEI TUNESIERINNEN NAMENS KARIMA UND AISHA BENÖTIGE ICH DRINGENDST PERSONALIEN UND ADRESSE DES HALTERS DES AUF DAS KENNZEICHEN AM 237 GW ZUGELASSENEN FAHRZEUGS STOP MIT DER BITTE UM BALDIGSTE ANTWORT STOP GEZ. SALVO MONTALBANO COMMISSARIATO VIGÀTA PROVINCIA DI MONTELUSA

Bevor man im Ministerium das Fax an die nach Dienstvorschrift zuständige Stelle weiterleitete, würde man sich bestimmt über ihn lustig machen, weil jemand, der auf diese Art und Weise einen Antrag stellte, entweder naiv oder schwachsinnig sein musste. Doch wenn die zuständige Person den Wink, die in der Botschaft versteckte Herausforderung, begriff, war sie zum Gegenzug gezwungen. Und genau das bezweckte Montalbano.

Sechzehn

Obwohl Montalbanos Büro am anderen Ende des Kommissariats lag, hörte er das Geschrei, das sich erhob, als Fazio mit der Witwe im Wagen eintraf. Es waren zwar nur ein paar Journalisten und Fotografen da, aber denen mussten sich Dutzende von Nichtstuern und Neugierigen angeschlossen haben.

»Signora, warum hat man Sie verhaftet?«

»Schauen Sie hierher, Signora!«

»Lassen Sie uns durch!«

Dann wurde es relativ ruhig, und es klopfte an seiner Tür. Fazio kam herein.

»Wie war's?«

»Sie hat keinen großen Widerstand geleistet. Sie hat sich erst aufgeregt, als sie die Journalisten gesehen hat.«

»Und ihr Sohn?«

»Ein Mann stand neben ihr auf dem Friedhof, dem alle kondolierten. Ich hielt ihn für den Sohn. Aber als ich zu der Witwe sagte, dass wir sie mitnehmen, hat er sich umgedreht und ist weggegangen. Das kann nicht ihr Sohn gewesen sein.«

»Doch, Fazio, das war er. Er ist ein zartes Seelchen und erträgt den Anblick seiner verhafteten Mutter nicht. Der

Gedanke an die Anwaltskosten versetzt ihn in Angst und Schrecken. Lass die Signora rein.«
»*Comu a una latra*! Wie eine Diebin behandelt man mich!«, rief die Witwe empört, sobald sie vor dem Commissario stand.
Montalbano setzte ein strenges Gesicht auf.
»Habt ihr die Signora etwa schlecht behandelt?!«
Drehbuchmäßig tat Fazio ganz verlegen.
»Na ja, es war doch eine Verhaftung...«
»Hat irgendjemand was von Verhaftung gesagt? Setzen Sie sich doch, Signora, und bitte entschuldigen Sie dieses bedauerliche Missverständnis. Wir brauchen nur ein paar Minuten, gerade so lange, bis wir Ihre Aussage zu Protokoll genommen haben. Dann sind Sie auch schon fertig und können nach Hause gehen.«
Fazio setzte sich an die Schreibmaschine, Montalbano ließ sich hinter seinem Schreibtisch nieder. Die Witwe schien sich wieder beruhigt zu haben, aber der Commissario sah, wie ihre Nerven unter der Haut hüpften wie Flöhe auf einem streunenden Hund.
»Signora, korrigieren Sie mich, wenn ich mich irre. Sie sagten, wie Sie sich bestimmt erinnern, dass Sie an dem Morgen, als Ihr Mann ermordet wurde, aufstanden, ins Badezimmer gingen, sich dort anzogen, Ihre Handtasche aus dem Esszimmer holten und dann die Wohnung verließen. Stimmt das?«
»Stimmt genau.«
»Ist Ihnen zu Hause nichts Ungewöhnliches aufgefallen?«
»Was sollte mir denn auffallen?«

»Zum Beispiel, dass die Tür zum Arbeitszimmer, anders als sonst, geschlossen war.«
Das war auf gut Glück gesagt, er hatte jedoch ins Schwarze getroffen. Die Gesichtsfarbe der Signora wechselte von rot zu weiß. Aber ihre Stimme war fest.
»Ich glaube, sie war offen, mein Mann hat sie nie zugemacht.«
»O nein, Signora. Als ich nach Ihrer Rückkehr aus Fiacca zusammen mit Ihnen die Wohnung betrat, war die Tür geschlossen. Ich habe sie dann aufgemacht.«
»Es ist doch egal, ob sie offen oder zu war.«
»Sie haben Recht, das ist völlig nebensächlich.«
Die Witwe konnte einen tiefen Seufzer nicht unterdrücken.
»Signora, an dem Morgen, als Ihr Mann umgebracht wurde, fuhren Sie nach Fiacca, um Ihre kranke Schwester zu besuchen. Stimmt das?«
»So war es.«
»Aber Sie hatten etwas vergessen. Deshalb stiegen Sie an der Abzweigung in Cannatello aus dem Bus, warteten auf den Bus aus der Gegenrichtung und fuhren nach Vigàta zurück. Was hatten Sie denn vergessen?«
Die Witwe lächelte, auf diese Frage war sie vorbereitet.
»Ich bin an jenem Morgen in Cannatello nicht ausgestiegen.«
»Signora, wir haben zwei Busfahrer, die es bezeugen.«
»Die haben schon Recht, aber das war nicht an dem Morgen, sondern zwei Tage vorher. Die Busfahrer irren sich im Tag.«

Sie war gewieft und schlagfertig. Jetzt musste die Falle her. Montalbano öffnete eine Schublade in seinem Schreibtisch und holte das Küchenmesser heraus, das in einer Zellophantüte steckte.
»Mit diesem Messer, Signora, wurde Ihr Mann ermordet. Ein einziger Stich in den Rücken.«
Die Witwe änderte ihren Gesichtsausdruck nicht und sagte kein Wort.
»Haben Sie es schon mal gesehen?«
»Solche Messer gibt es überall.«
Langsam griff der Commissario noch mal in die Schublade und holte die Zellophantüte mit der Tasse heraus.
»Kennen Sie diese Tasse?«
»Haben Sie sie genommen? Ich habe sie überall gesucht und meine ganze Wohnung auf den Kopf gestellt!«
»Sie gehört also Ihnen. Sie erkennen sie offiziell.«
»Natürlich. Was wollen Sie denn mit dieser Tasse?«
»Ich brauche sie, um Sie hinter Gitter zu bringen.«
Unter allen möglichen Reaktionen entschied sich die Witwe für eine, die der Commissario fast bewundernswert fand. Denn die Signora wandte ihren Kopf Fazio zu und fragte freundlich, als sei sie zu einem Höflichkeitsbesuch gekommen:
»Spinnt der jetzt?«
Fazio hätte am liebsten offen und ehrlich geantwortet, dass der Commissario seiner Meinung nach von Geburt an nicht richtig ticke, aber er hielt den Mund und starrte aus dem Fenster.
»Ich erzähle Ihnen jetzt, was geschehen ist«, sagte Mont-

albano. »Also, an jenem Morgen klingelt der Wecker, Sie stehen auf und gehen ins Bad. Sie müssen an der Tür zum Arbeitszimmer vorbei und sehen, dass sie geschlossen ist. Sie denken sich erst nichts dabei, aber dann fällt es Ihnen wieder ein. Und als Sie aus dem Bad kommen, öffnen Sie die Tür. Aber ich glaube nicht, dass Sie reingegangen sind. Sie bleiben einen Augenblick auf der Schwelle stehen, gehen in die Küche, holen ein Messer und stecken es in Ihre Handtasche. Dann gehen Sie aus dem Haus, nehmen den Bus, steigen in Cannatello aus, steigen um in den Bus nach Vigàta und fahren wieder heim. Sie öffnen die Tür und sehen Ihren Mann, der gerade die Wohnung verlassen will. Es kommt zu einem Streit, Ihr Mann öffnet die Tür des Fahrstuhls, der schon in Ihrer Etage ist, weil Sie ihn gerade benutzt haben, Sie folgen ihm, stechen ihn nieder, Ihr Mann dreht sich halb um sich selbst und fällt zu Boden. Sie setzen den Fahrstuhl in Bewegung, fahren ins Erdgeschoss und verlassen das Haus. Und niemand sieht Sie. Das war Ihr großes Glück.«

»Und warum soll ich das getan haben?«, fragte die Signora ruhig. Und fügte mit einer für den Ort und die Situation unglaublichen Ironie hinzu:

»Nur weil mein Mann die Tür zum Arbeitszimmer zugemacht hatte?«

Montalbano deutete im Sitzen eine bewundernde Verbeugung an.

»Nein, Signora, weil hinter dieser Tür etwas war.«

»Und was war da?«

»Karima. Die Geliebte Ihres Mannes.«

»Aber Sie haben doch gerade selbst gesagt, dass ich gar nicht in dem Zimmer war!«
»Sie brauchten nicht reinzugehen. Es kamen Ihnen nämlich Parfumschwaden entgegen, von demselben Parfum, das Karima überreichlich benutzte. Es heißt *Volupté*. Es ist sehr intensiv und hält lange an. Der Duft hing auch in den Kleidern Ihres Mannes, und Sie haben ihn wahrscheinlich schon öfter gerochen. Als ich an dem Abend, als Sie heimkamen, das Arbeitszimmer betrat, roch es dort immer noch danach, wenn auch weniger stark.«
Die Witwe Lapecora schwieg; sie dachte über die Worte des Commissario nach.
»Darf ich Sie was fragen?«, erkundigte sie sich dann.
»Was Sie wollen.«
»Warum bin ich Ihrer Meinung nach nicht in das Arbeitszimmer gegangen und habe erst diese Frau umgebracht?«
»Weil Ihr Gehirn präzise wie eine Schweizer Uhr und schnell wie ein Computer funktioniert. Wenn Karima gesehen hätte, dass die Tür aufgeht, wäre sie auf der Hut gewesen und hätte sofort reagieren können. Ihr Mann, der auf das Geschrei hin sofort gekommen wäre, hätte Sie mit Karimas Hilfe entwaffnet. Aber Sie taten, als hätten Sie nichts gemerkt, um die beiden kurz darauf in flagranti erwischen zu können.«
»Und wie erklären Sie sich – wenn man Ihren Gedankengängen folgt –, dass nur mein Mann umgebracht wurde?«
»Als Sie zurückkamen, war Karima nicht mehr da.«
»Sagen Sie mal, wer hat Ihnen diese hübsche Geschichte eigentlich erzählt, Sie waren doch gar nicht dabei?«

»Ihre Fingerabdrücke auf der Tasse und auf dem Messer.«
»Auf dem Messer nicht!«, fuhr sie auf.
»Warum nicht auf dem Messer?«
Die Signora biss sich auf die Lippen.
»Die Tasse gehört mir, das Messer nicht.«
»Auch das Messer gehört Ihnen, es ist ein Fingerabdruck von Ihnen drauf. Klar und deutlich.«
»Das kann gar nicht sein!«
Fazio starrte seinen Chef an, er wusste, dass auf dem Messer kein Fingerabdruck war; das war der heikelste Moment des Bluffs.
»Sie gehen davon aus, dass es keine Fingerabdrücke gibt, weil Sie Handschuhe trugen, als Sie Ihren Mann niederstachen. Die hatten Sie angezogen, als Sie sich vor der Abreise in Schale warfen. Aber wissen Sie, Signora, der Fingerabdruck, den wir abgenommen haben, stammt nicht von jenem Morgen, sondern vom Tag zuvor, als Sie mit dem Messer erst einen Fisch putzten und es dann sauber machten und in die Küchenschublade zurücklegten. Der Fingerabdruck ist nämlich nicht am Griff, sondern an der Klinge, und zwar genau an ihrem Ende. Und jetzt gehen Sie mit Fazio rüber, dann nehmen wir Ihre Fingerabdrücke ab und vergleichen sie.«
»Er war ein Schwein«, sagte Signora Lapecora, »und hat einen solchen Tod verdient. Er hat die Schlampe in meine Wohnung mitgenommen und sich den ganzen Tag mit ihr in meinem Bett vergnügt, wenn ich weg war.«
»Soll das heißen, Sie haben aus Eifersucht gehandelt?«
»*E pirchì sinnò?* Warum nicht?«

»Aber hatten Sie nicht schon drei anonyme Briefe bekommen? Sie konnten die beiden doch auch im Büro in der Salita Granet überraschen.«
»So etwas tue ich nicht. Mir ist das Blut zu Kopf gestiegen, als ich begriff, dass er die Nutte in meine Wohnung mitgenommen hatte.«
»Ich glaube, dass Ihnen das Blut schon ein paar Tage vorher zu Kopf gestiegen ist, Signora.«
»Wann denn?«
»Als Sie feststellten, dass Ihr Mann eine hohe Summe von seinem Bankdepot abgehoben hat.«
Auch diesmal bluffte der Commissario. Er hatte Glück.
»Zweihundert Millionen«, rief die Witwe wütend und verzweifelt. »Zweihundert Millionen für diese Nuttensau!«
Daher also stammte ein Teil des Geldes auf dem Sparbuch.
»Wenn ich ihm nicht Einhalt geboten hätte, hätte der noch das Büro, die Wohnung und das Bankdepot durchgebracht!«
»Wollen wir jetzt das Protokoll aufnehmen, Signora? Aber vorher noch eine Frage: Was sagte Ihr Mann zu Ihnen, als er Sie kommen sah?«
»Er sagte: ›Hau ab, ich muss ins Büro.‹ Vielleicht hatte er mit der Schlampe gestritten, die war schon weg, und er wollte hinter ihr her.«

»Signor Questore? Hier ist Montalbano. Ich wollte Ihnen sagen, dass ich Signora Lapecora gerade dazu gebracht habe, den Mord an ihrem Mann zu gestehen.«

»Gratuliere. Warum hat sie es getan?«
»Eigennutz, den sie als Eifersucht kaschiert. Ich möchte Sie um einen Gefallen bitten. Kann ich eine kurze Pressekonferenz abhalten?«
Keine Antwort.
»Signor Questore? Ich habe gefragt, ob ich...«
»Ich habe schon verstanden, Montalbano. Aber ich bin sprachlos vor Staunen. Sie wollen freiwillig eine Pressekonferenz abhalten? Ich kann es nicht glauben!«
»Aber es ist so!«
»In Ordnung, lassen Sie sich nicht aufhalten. Aber dann möchte ich von Ihnen hören, was dahinter steckt.«

»Sie behaupten also, dass Signora Lapecora schon lange von der Beziehung zwischen ihrem Mann und Karima gewusst hat?«, fragte Galluzzos Schwager in seiner Eigenschaft als Korrespondent von »Televigàta«.
»Ja. Aus immerhin drei anonymen Briefen, die ihr Mann ihr geschickt hatte.«
Sie begriffen nicht sofort.
»Meinen Sie damit, dass Signor Lapecora sich selbst bezichtigt hat?«, fragte ein Journalist verblüfft.
»Ja. Weil Karima begonnen hatte, ihn zu erpressen. Er hoffte auf eine Reaktion seiner Frau, die ihn aus der Situation, in die er sich gebracht hatte, erlöste. Aber die Signora schritt nicht ein. Und sein Sohn auch nicht.«
»Aber warum hat er sich dann nicht einfach an die Polizei gewandt?«
»Weil er einen großen Skandal befürchtete. Er hoffte auf

die Hilfe seiner Frau, dann hätte die Angelegenheit sozusagen in der Familie bleiben können.«
»Und wo ist diese Karima jetzt?«
»Wir wissen es nicht. Sie ist mit ihrem kleinen Sohn untergetaucht. Eine Freundin von ihr, die sich wegen des Verschwindens von Mutter und Sohn Sorgen machte, hat sogar ›Retelibera‹ gebeten, ein Foto von ihnen zu bringen. Aber bis jetzt ist keiner der beiden aufgetaucht.«
Sie dankten und gingen. Montalbano grinste zufrieden. Das erste Puzzle war – nach dem vorgegebenen Schema – perfekt gelegt. Fahrid, Ahmed und Aisha gehörten nicht dazu. Wenn man diese drei passend einsetzte, sähe das Bild des Puzzles ganz anders aus.

Es war noch zu früh für die Verabredung mit Valente. Montalbano hielt vor dem Restaurant, in dem er schon das letzte Mal gewesen war. Er verputzte ein *sauté di vongole col pangrattato*, eine üppige Portion *spaghetti in bianco con le vongole,* einen *rombo al forno con origano e limone caramellato* und zur Abrundung einen *sformatino di cioccolato amaro con salsa all'arancia.* Als er fertig war, stand er auf, ging in die Küche und drückte dem Koch bewegt die Hand, ohne ein Wort zu sagen. Auf dem Weg zu Valentes Büro sang er im Auto aus voller Kehle: *»Guarda come dondolo, guarda come dondolo, col twist...«*

Valente bat Montalbano in einen Raum neben seinem Zimmer.
»Das haben wir schon öfter gemacht«, sagte er. »Wir lassen

die Tür halb offen, und wenn du nicht gut hörst, kannst du mit diesem kleinen Spiegel sehen, was in meinem Büro vorgeht, wenn du ihn richtig einstellst.«
»Pass auf, Valente, es geht um Sekunden.«
»Lass uns nur machen.«

Commendatore Spadaccia kam in Valentes Büro; man sah sofort, dass er nervös war.
»Entschuldigen Sie, Dottor Valente, aber ich verstehe das nicht. Sie hätten doch auch in die Prefettura kommen können, dann würde ich nicht so viel Zeit verlieren. Ich habe nämlich viel zu tun.«
»Verzeihen Sie, Commendatore«, sagte Valente ekelhaft devot. »Sie haben vollkommen Recht. Ich werde es wiedergutmachen und Sie nicht länger als fünf Minuten aufhalten. Es gibt nur noch eine Kleinigkeit zu klären.«
»Bitte.«
»Sie sagten mir letztes Mal, der Prefetto sei gewissermaßen aufgefordert worden ...«
Der Commendatore hob gebieterisch die Hand, und Valente verstummte augenblicklich.
»Wenn ich das gesagt habe, dann habe ich mich falsch ausgedrückt. Sua Eccellenza ist nicht im Bilde. Im Übrigen handelte es sich um einen Schwachsinn, wie er jeden Tag hundertmal vorkommt. Das Ministerium in Rom hat *mich* angerufen, Sua Eccellenza wird wegen solcher Scheißgeschichten nicht behelligt.«
Anscheinend hatte der Prefetto von seinem Stabschef eine Erklärung verlangt, nachdem ihn der falsche Journalist

vom »Corriere« angerufen hatte. Es war wohl eine ziemlich lebhafte Unterredung gewesen, deren Echo in den starken Worten des Commendatore widerhallte.

»Und weiter?«, drängte Spadaccia.

Valente breitete die Arme aus; ein Heiligenschein schwebte über seinem Haupt.

»Ich bin fertig«, sagte er.

Spadaccia stutzte und blickte um sich, als wollte er sich der Wirklichkeit vergewissern, die ihn umgab.

»Heißt das, dass Sie keine weiteren Fragen an mich haben?«

»Genau.«

Spadaccia schlug mit der Hand so laut auf den Schreibtisch, dass sogar Montalbano im Nebenzimmer zusammenzuckte.

»Wenn Sie mich dermaßen verarschen, werde ich Sie dafür zur Rechenschaft ziehen!«

Wütend rauschte er hinaus. Montalbano lief ans Fenster; seine Nerven waren angespannt. Er sah, wie der Commendatore fluchtartig das Haus verließ und auf sein Auto zuging; der Chauffeur stieg aus, um ihm den Wagenschlag zu öffnen. Genau in diesem Augenblick entstieg einem eben angekommenen Streifenwagen Angelo Prestìa, den sogleich ein Polizeibeamter am Arm packte. Spadaccia und der Kapitän des Fischkutters standen sich fast Angesicht zu Angesicht gegenüber. Sie wechselten kein Wort, und jeder setzte seinen Weg fort.

Auf das Freudengewieher Montalbanos hin, das er manchmal ausstieß, wenn sich etwas in die richtige Richtung bewegte, stürzte Valente erschrocken ins Nebenzimmer.

»Was ist denn mit dir los?«
»Geschafft!«, rief Montalbano.
»Setzen Sie sich da hin!«, hörten sie einen Beamten sagen, der Prestìa ins Büro geführt hatte.
Valente und Montalbano blieben, wo sie waren, zündeten sich jeder eine Zigarette an, rauchten, ohne etwas zu sagen, und ließen den Kapitän der *Santopadre* derweil auf kleiner Flamme schmoren.

Ihre Gesichter verhießen gar nichts Gutes, als sie hereinkamen. Valente pflanzte sich hinter seinen Schreibtisch, Montalbano nahm sich einen Stuhl und setzte sich neben ihn.
»Jetzt reicht's aber langsam!«, fuhr der Kapitän die beiden an.
Ihm war nicht klar, dass er mit seinem aggressiven Gehabe Valente und Montalbano verriet, was ihm durch den Kopf ging: Er war nämlich überzeugt, Commendator Spadaccia sei gekommen, um zu bestätigen, dass er die Wahrheit gesagt habe. Er fühlte sich sicher, konnte sich also entrüstet zeigen.
Auf dem Schreibtisch lag eine dicke Aktenmappe, auf der in riesigen Lettern *Angelo Prestìa* stand; dick war sie, weil sie einen Stoß alter Rundschreiben enthielt, aber das wusste der Kapitän nicht. Valente schlug sie auf und nahm Spadaccias Visitenkarte heraus.
»Die hast du uns gegeben, bestätigst du das?«
Der Übergang vom früheren »Sie« zum bullenmäßigen »Du« beunruhigte Prestìa.

»Klar bestätige ich das. Der Commendatore hat sie mir gegeben und gesagt, ich könnte mich an ihn wenden, falls ich nach der Reise mit dem Tunesier Scherereien kriegen sollte. Das habe ich auch getan.«

»Irrtum!«, sagte Montalbano, kalt wie ein Fisch.

»Aber das hat er gesagt!«

»Klar hat er das gesagt, aber sobald es brenzlig wurde, hast du dich nicht an ihn gewandt, sondern uns die Visitenkarte gegeben. Und diesen *galantuomo* damit in Schwierigkeiten gebracht.«

»Schwierigkeiten? Welche Schwierigkeiten denn?«

»In einen vorsätzlichen Mord verwickelt zu sein ist ja wohl nicht lustig.«

Prestìa schwieg.

»Mein Kollege Montalbano«, mischte sich Valente ein, »erklärt dir gerade den Grund dafür, warum die Sache so gelaufen ist.«

»Wie denn?«

»Wenn du Spadaccias Visitenkarte nicht uns gegeben, sondern dich direkt an ihn gewandt hättest, hätte er versucht, unter der Hand alles in Ordnung zu bringen. Du aber hast die Polizei eingeschaltet, als du uns die Visitenkarte gegeben hast. Spadaccia hatte also gar keine andere Wahl, als alles abzustreiten.«

»Wie bitte?!«

»*Sissignore*. Spadaccia hat dich nie gesehen und nie von dir gehört. Er hat eine Erklärung abgegeben, die wir in unseren Akten haben.«

»Dieses Schwein!«, knurrte Prestìa und fragte: »Und wie

soll ich Ihrer Meinung nach zu seiner Visitenkarte gekommen sein?«
Montalbano lachte lauthals.
»Auch da hat er dich sauber angeschmiert«, sagte er. »Er hat uns die Fotokopie einer Anzeige gebracht, die er vor zehn Tagen bei der Questura in Trapani erstattet hat. Sein Portemonnaie war ihm gestohlen worden, in dem unter anderem auch vier oder fünf – ich weiß nicht mehr genau – Visitenkarten waren.«
»Er hat dich über Bord geworfen«, sagte Valente.
»Und das Wasser ist ziemlich tief«, fügte Montalbano hinzu.
»Wer weiß, wie lange du schwimmen kannst«, setzte Valente noch eins drauf.
Große Schweißflecken zeichneten sich unter Prestìas Achseln ab. Im Büro breitete sich ein unangenehmer Geruch nach Moschus und Knoblauch aus, den Montalbano in Gedanken faulig-grün nannte. Prestìa stützte seinen Kopf in die Hände und murmelte:
»Die haben mich reingelegt.«
Er blieb noch eine Weile so sitzen, dann fasste er offenbar einen Entschluss:
»Kann ich mit einem Anwalt sprechen?«
»Einem Anwalt?«, fragte Valente sehr erstaunt.
»Wozu brauchst du einen Anwalt?«, fragte auch Montalbano.
»Ich dachte...«
»Was dachtest du denn?«
»Dass wir dich verhaften?«

Das Duo funktionierte wie am Schnürchen.
»Verhaften Sie mich denn nicht?«
»Keineswegs.«
»Du kannst gehen, wenn du willst.«
Prestìa brauchte fünf Minuten, bis er sich von seinem Stuhl trennen konnte, und nahm dann buchstäblich Reißaus.

»Und jetzt?«, fragte Valente; ihm war klar, dass er in ein Wespennest gestochen hatte.
»Jetzt wird Prestìa Spadaccia auf die Pelle rücken. Und sie sind mit dem nächsten Schachzug dran.«
Valente machte ein besorgtes Gesicht.
»Was hast du denn?«
»Ich weiß nicht... Ich hab da meine Zweifel... Ich fürchte, sie bringen Prestìa zum Schweigen. Und wir wären dafür verantwortlich.«
»Prestìa spielt inzwischen eine zu große Rolle. Wenn sie ihn aus dem Weg räumen, können sie gleich ihre Unterschrift unter die ganze Geschichte setzen. Nein, ich bin überzeugt, dass sie ihn zwar zum Schweigen bringen werden, aber es wird sie einen Haufen Geld kosten.«
»Kann ich dich was fragen?«
»Natürlich.«
»Warum hängst du dich so in diese Geschichte rein?«
»Und du, warum hängst du dich mit rein?«
»Erstens weil ich genauso ein Bulle bin wie du, und zweitens amüsiere ich mich dabei.«
»Der erste Grund gilt auch für mich. Der zweite ist, dass ich mir einen Gewinn davon verspreche.«

»Was willst du denn da gewinnen?«
»Ich hab genau im Kopf, was für mich dabei rausspringt. Und wetten, dass du auch was davon haben wirst?«

Fest entschlossen der Versuchung zu widerstehen, raste Montalbano mit hundertzwanzig Sachen an dem Restaurant vorbei, in dem er sich zu Mittag den Bauch vollgeschlagen hatte. Doch nach fünfhundert Metern vergaß er alle guten Vorsätze und bremste, woraufhin das Auto hinter ihm wie wild hupte. Als der Wagen ihn überholte, warf der Mann am Steuer ihm wütende Blicke zu und zeigte ihm die Hörner. Montalbano machte eine Kehrtwendung, was auf diesem Straßenabschnitt strengstens verboten war, ging schnurstracks in die Küche und fragte den Koch ohne ein Wort der Begrüßung:
»Wie machen Sie denn die *triglie di scoglio*?«

Siebzehn

Am nächsten Morgen wurde er Punkt acht beim Questore vorstellig, der wie immer schon seit sieben Uhr im Büro saß; die Putzfrauen fluchten leise vor sich hin, weil sie sich bei der Arbeit gestört fühlten.
Montalbano berichtete ihm vom Geständnis Signora Lapecoras; er sagte, das arme Mordopfer habe, als ob es seinem tragischen Ende hätte zuvorkommen wollen, seiner Frau anonym und seinem Sohn unverschlüsselt geschrieben, aber die beiden hätten ihn schmoren lassen. Er sprach weder von Fahrid noch von Moussa, also nicht von dem großen Puzzle. Er wollte nicht, dass der Questore, inzwischen kurz vor der Pensionierung, in eine Geschichte hineingezogen würde, die bis zum Himmel stank.
Das gelang ihm auch soweit ganz gut, er musste dem Questore keine Lügengeschichten auftischen, sondern hatte nur das eine oder andere weggelassen und nur die halbe Wahrheit erzählt.
»Warum wollten Sie eigentlich eine Pressekonferenz abhalten, die scheuen Sie doch sonst wie der Teufel das Weihwasser?«
Mit dieser Frage hatte er natürlich gerechnet; er hatte also eine Antwort parat, die es ihm, wenigstens teilweise,

erlaubte, nicht zu lügen, sondern einfach etwas wegzulassen.
»Wissen Sie, diese Karima war eine besondere Art Prostituierte. Sie war nicht nur mit Lapecora zusammen, sondern auch mit anderen Männern. Alles ältere Herren, Rentner, Geschäftsleute, Lehrer. Die habe ich jedoch rausgehalten, weil ich nicht wollte, dass man Gift und Galle speit und Bosheiten über arme alte Männer verbreitet, die ja nichts Schlimmes getan haben.«
Er fand seine Erklärung ganz plausibel. Und tatsächlich sagte der Questore dazu nur:
»Sie haben seltsame Moralvorstellungen, Montalbano.«
Dann fragte er:
»Ist diese Karima denn wirklich verschwunden?«
»Es sieht ganz so aus. Als sie von der Ermordung ihres Liebhabers hörte, ist sie mit ihrem Kind untergetaucht, weil sie fürchtete, in den Mord verwickelt zu werden.«
»Was war das eigentlich für eine Geschichte mit dem Auto?«
»Mit welchem Auto?«
»Kommen Sie, Montalbano, das Auto, das sich als Wagen des Geheimdienstes herausgestellt hat. Diese Leute machen nur Scherereien, das wissen Sie doch.«
Montalbano lachte. Das Lachen hatte er am Abend vorher vor dem Spiegel geübt, und zwar so lange, bis er es hinkriegte. Und jetzt klang es, anders als er gehofft hatte, künstlich, irgendwie aufgesetzt. Aber wenn er seinen Chef, diesen feinen Menschen, aus der ganzen Geschichte raushalten wollte, half nichts, da musste er lügen.

»Warum lachen Sie?«, fragte der Questore überrascht.
»Weil mir das wirklich peinlich ist. Der Signore, der mir das Kennzeichen genannt hatte, hat mich nämlich am nächsten Tag angerufen und gesagt, er habe sich geirrt. Die Buchstaben stimmten zwar, aber die Nummer war nicht 237, sondern 837. Es tut mir furchtbar leid, bitte entschuldigen Sie.«
Der Questore sah ihm in die Augen, einen Moment lang, der dem Commissario wie eine Ewigkeit vorkam. Dann sagte er leise:
»Wenn Sie mir das unbedingt weismachen wollen, bitte sehr. Aber seien Sie vorsichtig, Montalbano. Mit diesen Leuten ist nicht zu spaßen. Sie sind zu allem fähig, und wenn sie Mist bauen, schieben sie die Schuld ihren auf Abwege geratenen Kollegen in die Schuhe. Die gar nicht existieren. Sie sind von ihrem Wesen und ihrer Verfassung her selbst auf Abwegen.«
Montalbano wusste nicht, was er sagen sollte. Der Questore wechselte das Thema.
»Kommen Sie heute Abend zu mir zum Essen. Keine Ausflüchte. Sie essen halt, was da ist. Ich muss Ihnen unbedingt zwei Dinge sagen. Hier im Büro will ich nicht darüber sprechen, es würde zu bürokratisch klingen, und das wäre mir unangenehm.«
Der Tag war schön, der Himmel wolkenlos, und doch hatte Montalbano das Gefühl, als ob sich ein Schatten vor die Sonne geschoben hätte und es im Zimmer plötzlich kalt geworden wäre.

Auf seinem Schreibtisch im Büro lag ein an ihn adressierter Brief. Wie immer versuchte er die Herkunft am Briefmarkenstempel zu erkennen, aber das ging diesmal nicht, er war nicht zu entziffern. Er öffnete den Umschlag und las.

Dottore Montalbano, Sie kennen mich nicht persönlich, und ich kenne Sie auch nicht. Ich heiße Prestifilippo, Arcangelo und bin der Sozius Ihres Vaters im Weingut, das gottlob ziemlich gut läuft und einträglich ist. Ihr Vater spricht nie von Ihnen, aber ich habe gesehen, dass er alle Zeitungen aufbewahrt, in denen etwas von Ihnen steht, und wenn Sie manchmal im Fernsehen sind, dann weint er, aber er versucht, sich nichts anmerken zu lassen.
Lieber Dottore, mir bricht es fast das Herz, weil die Nachricht, die ich Ihnen in diesem Brief mitteilen will, schlimm ist. Seit vier Jahren, seit Signora Giulia, die zweite Frau Ihres Vaters, im Himmel ist, ist mein Sozius und Freund nicht mehr derselbe. Und letztes Jahr fing es an, dass er sich schlecht fühlte, er bekam keine Luft mehr, er musste nur eine Treppe raufgehen, da wurde ihm schon schwindlig. Ich konnte ihn nicht dazu bringen, zum Arzt zu gehen, er wollte einfach nicht. Und als mein Sohn im Dorf war, der in Mailand arbeitet und ein guter Arzt ist, bin ich mit ihm zu Ihrem Vater gegangen. Mein Sohn hat

ihn untersucht. Er hat geschimpft und gesagt, Ihr Vater müsste ins Krankenhaus. Er hat so lange auf ihn eingeredet, bis Ihr Vater sich von ihm ins Krankenhaus bringen ließ. Dann ist mein Sohn nach Mailand zurückgekehrt. Ich habe Ihren Vater jeden Abend besucht, und nach zehn Tagen hat der Arzt zu mir gesagt, dass alles untersucht wurde und Ihr Vater diese schreckliche Lungenkrankheit hat. Von da an musste er oft ins Krankenhaus, weil sie diese Behandlung mit ihm gemacht haben, bei der man alle Haare verliert, aber es hat überhaupt nicht geholfen. Er hat mir ausdrücklich verboten, Ihnen von seiner Krankheit zu erzählen, er hat gesagt, er will nicht, dass Sie sich Sorgen machen. Aber gestern Abend habe ich mit dem Arzt geredet, und er hat gesagt, dass Ihr Vater am Ende ist, er hat nur noch einen Monat zu leben, einen Tag mehr oder weniger. Und da habe ich mir gedacht, dass ich Ihnen schreiben muss, wie es um Ihren Vater steht, obwohl er es mir strengstens verboten hat. Ihr Vater liegt in der Porticelli-Klinik, seine Telefonnummer ist 341234. Er hat ein Telefon im Zimmer. Aber vielleicht ist es besser, wenn Sie ihn besuchen und so tun, als wüssten Sie nichts von seiner Krankheit. Meine Telefonnummer haben Sie ja, es ist die vom Weingut, wo ich den ganzen Tag arbeite.

Es tut mir leid. Viele Grüße,
Prestifilippo, Arcangelo

Montalbanos Hände zitterten leicht, und er hatte Mühe, den Brief in den Umschlag zurückzuschieben und in die Tasche zu stecken. Eine bleierne Müdigkeit hatte ihn befallen, sodass er sich mit geschlossenen Augen im Stuhl zurücklehnen musste. Das Atmen war auf einmal mühsam, als ob keine Luft mehr im Zimmer wäre. Schwerfällig stand er auf und ging zu Augello hinüber.

»Was ist denn?«, fragte Mimì, als er sein Gesicht sah.

»Nichts. Hör zu, ich hab zu tun, das heißt, ich brauche eine Zeitlang Ruhe und will allein sein.«

»Kann ich dir irgendwie helfen?«

»Ja. Kümmere dich um alles. Wir sehen uns morgen. Und keine Anrufe zu mir nach Hause!«

Er ging in seinen Laden, kaufte eine große Tüte *càlia e simènza* und machte sich auf den Weg entlang der Mole. Tausend Gedanken gingen ihm durch den Kopf, aber er konnte keinen einzigen festhalten. Als er am Leuchtturm ankam, blieb er nicht stehen. Am Fuß des Leuchtturms befand sich ein großer Felsen, der mit glitschigem grünem Moos bewachsen war. Da kletterte er hinauf, wobei er bei jedem Schritt fast ins Wasser fiel, und setzte sich mit seiner Tüte in der Hand hin. Aber er machte sie nicht auf, er spürte eine Art Welle, die ihm von irgendwoher aus seinem Körper in die Brust stieg und dann weiter zur Kehle, wo sie einen Knoten bildete, der ihm die Luft nahm. Er hatte das dringende Bedürfnis zu weinen, aber er konnte nicht. Und dann drängten sich in dem Wirrwarr von Gedanken, die ihm durch den Kopf gingen, ein paar Worte mit Gewalt vor, bis sie einen Vers bildeten:

»Padre che muori tutti i giorni un poco...
Vater, der du jeden Tag ein wenig stirbst...«
Was war das? Ein Gedicht? Aber von wem? Woher kannte er es? Leise wiederholte er den Vers:
»Padre che muori tutti i giorni un poco...«
Und da kam aus seiner Kehle, die bis dahin wie zugeschnürt war, endlich der Schrei, aber es war weniger ein Schrei als vielmehr der durchdringende Klagelaut eines verletzten Tieres, und ihm folgten sofort die unaufhaltsamen und befreienden Tränen.

Als Montalbano im Jahr zuvor bei einem Schusswechsel verletzt worden war und im Krankenhaus gelegen hatte, erzählte Livia ihm, dass sein Vater jeden Tag anrief. Besucht hatte er ihn nur einmal, als er bereits rekonvaleszent war. Da musste der Vater schon krank gewesen sein. Montalbano war er nur ein bisschen dünner vorgekommen, das war alles. Aber er war noch eleganter als sonst; er hatte immer Wert darauf gelegt, sich gut zu kleiden. Bei dieser Gelegenheit fragte er seinen Sohn, ob er etwas brauche. »Ich kann mir das leisten«, hatte er gesagt.

Wann hatte diese schleichende Entfremdung zwischen ihm und seinem Vater begonnen? Er war, das konnte Montalbano nicht leugnen, ein fürsorglicher und liebevoller Vater gewesen. Er hatte alles getan, ihm den Verlust der Mutter so leicht wie möglich zu machen. Die glücklicherweise wenigen Male, die er als Kind krank gewesen war, war sein Vater nicht ins Büro gegangen, um ihn nicht al-

lein zu lassen. Was war es dann, was nicht funktioniert hatte? Vielleicht herrschte ein fast völliger Mangel an Kommunikation zwischen ihnen; keiner von beiden fand je die richtigen Worte, um dem anderen gegenüber seine Gefühle auszudrücken. Als Montalbano noch sehr jung war, hatte er oft gedacht: Mein Vater ist so verschlossen. Und wahrscheinlich – doch das begriff er erst jetzt, als er da oben auf dem Felsen saß – hatte sein Vater dasselbe von ihm gedacht. Aber er hatte großes Feingefühl gezeigt, als er abwartete, bis sein Sohn promoviert und sich erfolgreich beworben hatte, und dann erst wieder heiratete. Doch als der Vater seine neue Frau ins Haus brachte, fühlte sich Montalbano aus unerfindlichen Gründen gekränkt. Eine Wand hatte sich zwischen sie beide geschoben, eine gläserne zwar, aber eben eine Wand.
Und so kam es allmählich, dass sie sich nur noch ein- oder zweimal im Jahr sahen. Sein Vater kam für gewöhnlich mit ein paar Kisten Wein von seinem Weingut, blieb einen halben Tag und fuhr dann wieder ab. Montalbano schmeckte der Wein ausgezeichnet, und stolz bot er ihn seinen Freunden mit den Worten an, sein Vater habe ihn gemacht. Aber hatte er ihm selbst, seinem Vater, jemals gesagt, dass der Wein ausgezeichnet war? Er strengte sein Gedächtnis an: Nie. So wie sein Vater die Zeitungsausschnitte sammelte, in denen etwas über den Sohn stand, oder ihm die Tränen kamen, wenn er ihn im Fernsehen sah. Aber wenn Montalbano einen Fall erfolgreich abgeschlossen hatte, gratulierte er ihm nie persönlich.

Über zwei Stunden saß er auf dem Felsen, und als er dann aufstand, um ins Dorf zurückzufahren, hatte er einen Entschluss gefasst. Er würde seinen Vater nicht besuchen. Wenn er ihn sähe, würde er sicher begreifen, wie schwer krank er war, und alles würde nur noch schlimmer. Er wusste auch gar nicht, ob der Vater seinen Besuch genießen könnte. Außerdem erschreckten ihn Sterbende, es graute ihm vor ihnen. Er war nicht sicher, ob er den Schrecken und das Grauen, seinen Vater sterben zu sehen, ertragen könnte, er würde, einem Nervenzusammenbruch nahe, bestimmt das Weite suchen.

Als er in Marinella ankam, spürte er immer noch eine beklemmende, bleierne Müdigkeit. Er zog sich aus, schlüpfte in die Badehose und ging schwimmen. Er schwamm, bis er Krämpfe in den Beinen bekam. Dann kehrte er nach Hause zurück und wusste, dass er nicht in der Lage sein würde, zusammen mit dem Questore zu Abend zu essen.
»*Pronto*? Hier ist Montalbano. Ich bedaure es sehr, aber ...«
»Können Sie nicht kommen?«
»Tut mir furchtbar leid, nein.«
»Arbeit?«
Warum sollte er ihm nicht die Wahrheit sagen?
»Nein, Signor Questore. Ich habe einen Brief bekommen, in dem es um meinen Vater geht. Er liegt im Sterben.«
Der Questore sagte nicht sofort etwas; der Commissario hörte deutlich, wie er tief Luft holte.
»Montalbano, wenn Sie ihn besuchen wollen, auch für längere Zeit, dann tun Sie das. Sie brauchen sich keine Sorgen

zu machen, ich kümmere mich darum, dass Sie vorübergehend vertreten werden.«
»Nein, ich fahre nicht hin. Vielen Dank.«
Auch jetzt sagte der Questore nichts; bestimmt waren ihm die Worte des Commissario nahe gegangen, aber er wusste, was sich gehörte, und kam nicht mehr darauf zu sprechen.
»Montalbano, ich bin befangen.«
»Das brauchen Sie bei mir nicht zu sein.«
»Erinnern Sie sich, dass ich Ihnen bei unserem Abendessen zweierlei sagen wollte?«
»Natürlich.«
»Ich sage es Ihnen jetzt am Telefon, auch wenn mich das, wie gesagt, befangen macht. Und vielleicht ist es auch nicht gerade der richtige Augenblick, aber ich fürchte, Sie könnten es von anderer Seite erfahren, was weiß ich, aus der Zeitung… Sie wissen es wahrscheinlich nicht, aber ich habe vor fast einem Jahr meine Versetzung in den Ruhestand beantragt.«
»*Oddio*, Sie wollen doch nicht sagen…«
»Doch, sie wurde mir bewilligt.«
»Aber warum wollen Sie denn gehen?«
»Weil ich mit der Welt nicht mehr im Einklang bin und mich müde fühle. Ich nenne dieses Spiel mit den Ergebnissen der Fußballwetten *Sisal*.«
Der Commissario begriff nicht.
»Entschuldigen Sie, aber ich verstehe nicht.«
»Wie nennen Sie es denn?«
»*Totocalcio*.«

»Sehen Sie? Darin liegt der Unterschied. Vor einiger Zeit warf ein Journalist Montanelli vor, er sei zu alt. Als Beweis führte er unter anderem an, Montanelli nenne dieses Spiel noch immer *Sisal*, wie vor dreißig Jahren.«

»Aber das heißt gar nichts! Das ist doch nur so dahingesagt!«

»Das heißt schon was, Montalbano. Es heißt, dass man unbewusst an der Vergangenheit festhält und gewisse Veränderungen nicht sehen will oder sogar ablehnt. Außerdem hat mir nur noch ein knappes Jahr bis zu meiner Pensionierung gefehlt. In La Spezia besitze ich noch das Haus meiner Eltern, das ich zur Zeit renovieren lasse. Wenn Sie bei Signorina Livia in Genua sind, besuchen Sie uns doch mal, wenn Sie Lust haben.«

»Und wann …«

»Wann ich gehe? Welches Datum haben wir heute?«

»Den zwölften Mai.«

»Offiziell höre ich am zehnten August auf.«

Der Questore räusperte sich; da wusste der Commissario, dass jetzt die zweite Sache kam, die vielleicht noch schwieriger zu sagen war.

»Und was die andere Angelegenheit betrifft …«

Es fiel ihm offenbar schwer zu sprechen. Montalbano kam ihm zu Hilfe.

»Schlimmer als das, was Sie gerade gesagt haben, kann es gar nicht sein.«

»Es geht um Ihre Beförderung.«

»Nein!«

»Hören Sie zu, Montalbano. Ihre Position ist nicht länger

vertretbar, und Sie dürfen nicht vergessen, dass ich durch die Bewilligung meines Antrags sozusagen ein schwacher Verhandlungspartner bin. Ich muss Sie vorschlagen, und es wird keine Hindernisse geben.«

»Werde ich dann versetzt?«

»Zu neunundneunzig Prozent. Bedenken Sie, wenn ich Sie – bei den vielen Erfolgen, die Sie erzielt haben – nicht zur Ernennung zum Vicequestore vorschlage, könnte das Ministerium dies negativ auslegen und Sie am Ende ohne Beförderung irgendwohin versetzen. Sie hätten doch bestimmt nichts gegen eine Gehaltserhöhung!«

Montalbanos Hirn lief auf Hochtouren, es rauchte förmlich auf der Suche nach einem rettenden Strohhalm; er sah einen und griff danach.

»Und wenn ich ab sofort niemanden mehr verhafte?«

»Ich verstehe nicht.«

»Ich meine, wenn ich ab jetzt so tue, als würde ich keinen Fall mehr lösen, wenn ich nicht so ermittle, wie ich eigentlich müsste, wenn ich alle Verbrecher laufen lasse ...«

»Was Sie da von sich geben, ist zum Davonlaufen! Das ist doch Schwachsinn! Es ist mir unbegreiflich, aber jedes Mal, wenn ich auf Ihre Beförderung zu sprechen komme, regredieren Sie plötzlich. Sie argumentieren wie ein kleines Kind!«

Montalbano wanderte eine Stunde lang durchs Haus, rückte Bücher zurecht, fuhr mit dem Staubtuch über das Glas der fünf gerahmten Stiche, die er besaß, was Adelina nie machte. Den Fernseher schaltete er nicht ein. Er sah

auf die Uhr, es war inzwischen fast zehn Uhr abends. Er setzte sich ins Auto und fuhr nach Montelusa. In den drei Kinos gab es *Die Wahlverwandtschaften* der Brüder Taviani, *Gefühl und Verführung* von Bertolucci und *Goofy – Der Film*. Er zögerte keine Sekunde und entschied sich für den Zeichentrickfilm. Der Saal war leer. Er ging zurück zu dem Mann, der seine Karte abgerissen hatte.
»Da ist ja kein Mensch!«
»Sie sind doch da. Wollen Sie etwa Gesellschaft? Es ist spät, die Kinder schlafen längst. Nur Sie sind noch auf.«
Er amüsierte sich so, dass er in dem leeren Saal laut lachte.

Es kommt der Augenblick, dachte er, in dem man merkt, dass sich das Leben geändert hat. Aber wann ist das geschehen? fragt man sich. Und man findet keine Antwort, Geschehnisse, die man nicht wahrnehmen konnte, haben sich gehäuft und irgendwann die Wende eingeleitet. Vielleicht auch wahrnehmbare Geschehnisse, deren Tragweite und Folgen man nicht bedacht hat. Man fragt und hakt nach, aber die Antwort auf dieses »Wann« findet man nicht. Als ob das wichtig wäre! Bei ihm, Montalbano, war das anders, er hätte diese Frage sofort beantworten können. Mein Leben hat sich am zwölften Mai geändert, würde er sagen.

Montalbano hatte neben seiner Haustür eine kleine Lampe anbringen lassen, die sich bei Einbruch der Dunkelheit automatisch einschaltete. Im Schein dieser Lampe sah er schon von der Provinciale her ein Auto, das auf dem kleinen Platz vor dem Haus parkte. Er bog in den Feldweg ein, der zum Haus führte, und hielt ein paar Zentimeter hinter dem Auto. Es war, wie er erwartet hatte, ein metallicgrauer BMW. Das Kennzeichen lautete AM 237 GW. Aber keine Menschenseele war zu sehen, der Fahrer des Wagens hatte sich bestimmt irgendwo in der Nähe versteckt. Montalbano entschied, dass es am besten wäre, ganz gleichgültig zu tun. Er stieg pfeifend aus dem Auto und warf die Tür hinter sich zu, dann sah er jemanden, der auf ihn wartete. Er hatte den Mann vorher nicht gesehen, weil er auf der anderen Seite seines Wagens stand und so klein war, dass er nicht über das Autodach reichte. Praktisch ein Zwerg, vielleicht eine Idee größer. Korrekt gekleidet, Goldrandbrille.

»Ich warte schon lange auf Sie«, sagte er und trat auf Montalbano zu.

Montalbano ging, den Hausschlüssel in der Hand, Richtung Tür. Der Dreikäsehoch schob sich dazwischen und wedelte mit einer Art Ausweis.

»Ich kann mich ausweisen«, sagte er.

Der Commissario schob die kleine Hand mit dem Ausweis beiseite, schloss die Tür auf und ging ins Haus. Der andere folgte ihm.

»Ich bin Colonnello Lohengrin Pera«, sagte die Nippesfigur.

Der Commissario blieb wie angewurzelt stehen, als hätte ihm jemand eine Knarre in den Rücken gestoßen. Langsam drehte er sich um und musterte den Colonnello scharf. Seine Eltern hatten ihn wohl so genannt, um ihn irgendwie für seine Statur und seinen Nachnamen zu entschädigen. Montalbano war von den kleinen Schuhen des Colonnello fasziniert; sie waren sicher maßgefertigt, das war nicht mal eine Untergröße, wie die Schuhmacher es nennen. Aber er war einberufen worden, also musste er, wenn auch knapp, die Mindestgröße haben. Doch seine Augen hinter den Brillengläsern waren lebhaft, wach, gefährlich. Montalbano war sicher, den Kopf der Operation Moussa vor sich zu haben. Er ging in die Küche – immer gefolgt vom Colonnello –, stellte die *triglie al sugo*, die Adelina zubereitet hatte, zum Aufwärmen in den Ofen, deckte den Tisch und sagte bei alldem kein Wort. Auf dem Tisch lag ein siebenhundert Seiten dickes Buch, das er an einem Bücherstand gekauft und noch nie aufgeschlagen hatte; der Titel hatte ihn neugierig gemacht: *Metafisica dell'essere parziale* des sizilianischen Philosophen Carmelo Ottaviano. Er nahm es, stellte sich auf die Zehenspitzen, legte das Buch ins Regal und drückte auf den Knopf der Kamera. Als gehorche er der Aufforderung »Klappe«, setzte sich Colonnello Lohengrin Pera auf den richtigen Stuhl.

Achtzehn

Montalbano brauchte eine gute halbe Stunde, um die *triglie* zu essen; erstens wollte er sie genießen, wie sie es verdienten, zweitens sollte Lohengrin Pera den Eindruck haben, dass Montalbano das, was der Colonnello ihm zu sagen hatte, einen Dreck interessierte. Er bot ihm nicht mal ein Glas Wein an und benahm sich, als wäre er allein; einmal rülpste er sogar laut. Lohengrin Pera seinerseits rührte sich nicht mehr, nachdem er sich einmal hingesetzt hatte, und beschränkte sich darauf, den Commissario mit seinen kleinen Vipernaugen anzustarren. Erst als Montalbano seinen Kaffee getrunken hatte, begann der Colonnello zu reden.

»Ihnen ist natürlich klar, warum ich gekommen bin.«

Der Commissario stand auf, ging in die Küche, stellte die Tasse in den Spülstein und kam wieder zurück.

»Ich spiele mit offenen Karten«, fuhr der Colonnello erst dann fort. »Das ist bei Ihnen wahrscheinlich das Beste. Deshalb bin ich mit dem Auto gekommen, von dem Sie – zweimal sogar – wissen wollten, wem es gehört.«

Er zog zwei Blatt Papier aus der Jacketttasche; Montalbano erkannte sie als die beiden Faxe wieder, die er ans Verkehrsministerium geschickt hatte.

»Allerdings wussten Sie schon, wem der Wagen gehört, Ihr Questore hat Ihnen sicher gesagt, dass es sich um ein Kennzeichen handelt, das der Geheimhaltung unterliegt. Und wenn Sie nun trotzdem diese Faxe geschickt haben, dann heißt das, dass mehr dahintersteckt als die – wenn auch unvorsichtige – simple Bitte um eine Auskunft. Daher kam ich – korrigieren Sie mich, falls ich mich irre – zu der Überzeugung, dass Sie aus einem bestimmten Grund wollten, dass wir uns zu erkennen geben. Hier bin ich, wir sind Ihrem Wunsch nachgekommen.«

»Sie entschuldigen mich doch einen Augenblick?«, fragte Montalbano.

Ohne die Antwort abzuwarten, stand er auf, ging in die Küche und kam mit einem Teller zurück, auf dem ein riesiges Stück hartgefrorene *cassata siciliana* lag. Der Colonnello fügte sich mit Engelsgeduld, denn er musste wohl oder übel warten, bis Montalbano das Stück Eistorte aufgegessen hatte.

»Reden Sie nur weiter«, sagte der Commissario höflich. »So kann ich das Eis nicht essen, es muss erst ein bisschen weicher werden.«

»Bevor ich zur Sache komme«, begann der Colonnello, der anscheinend ziemlich gute Nerven hatte, »möchte ich etwas klären. Sie schreiben in Ihrem zweiten Fax von dem Mord an einer Frau namens Aisha. Mit diesem Tod haben wir nichts zu tun. Es handelte sich gewiss um einen Unfall. Wenn es nötig gewesen wäre, sie auszuschalten, dann hätten wir das sofort getan.«

»Daran zweifle ich nicht. Das war mir völlig klar.«

»Und warum haben Sie in Ihrem Fax dann etwas anderes geschrieben?«

»Um noch eins draufzusetzen.«

»Aha. Haben Sie die Schriften und Reden von Mussolini gelesen?«

»Sie gehören nicht zu meiner Lieblingslektüre.«

»In einer seiner letzten Schriften stellt Mussolini fest, das Volk müsse wie ein Esel behandelt werden, mit Stock und Mohrrübe – mit Zuckerbrot und Peitsche.«

»Wie originell Mussolini ist! Wissen Sie was?«

»Was denn?«

»Das hat mein Großvater auch immer gesagt, der war Bauer. Aber anders als Mussolini bezog er sich dabei nur auf die Esel.«

»Darf ich in der Metapher fortfahren?«

»Verschonen Sie mich!«

»Ihre Faxe und der Umstand, dass Sie Ihren Kollegen Valente aus Mazàra überredet haben, den Kapitän des Fischkutters und den Stabschef des Prefetto zu vernehmen, dies und anderes mehr waren Ihre Stockhiebe, um uns aus dem Versteck zu locken.«

»Und wo bleibt die Mohrrübe?«

»Die besteht in Ihren Ausführungen während der Pressekonferenz, nachdem Sie Signora Lapecora wegen des Mordes an ihrem Mann haben festnehmen lassen. Da hätten Sie uns leicht mit reinziehen können, aber das wollten Sie nicht, sondern haben dieses Verbrechen ganz klar auf Eifersucht und Habgier beschränkt. Aber das war eine ›bedrohliche‹ Mohrrübe, sie bedeutete ...«

»Colonnello, ich rate Ihnen, die Metapher jetzt mal zu lassen, die Mohrrübe hat sprechen gelernt.«
»In Ordnung. Sie wollten uns mit der Pressekonferenz wissen lassen, dass Sie über bestimmte Vorgänge im Bilde waren, aber zu diesem Zeitpunkt die Katze noch nicht aus dem Sack lassen wollten. Ist das richtig?«
Der Commissario streckte das Löffelchen zu seinem Teller hin, häufte etwas von der Torte darauf und führte es zum Mund.
»Sie ist immer noch zu hart«, teilte er Lohengrin Pera mit.
»Sie sind nicht gerade ermutigend«, stellte der Colonnello fest, fuhr aber fort. »Würden Sie mir, wenn wir schon mit offenen Karten spielen, alles sagen, was Sie von dem Vorfall wissen?«
»Von welchem Vorfall?«
»Von der Ermordung Ahmed Moussas.«
Er hatte ihn dazu gebracht, diesen Namen offen auszusprechen, was das Tonband der Kamera wie gewünscht aufnahm.
»Nein.«
»Und warum nicht?«
»Weil es wundervoll ist, Ihrer Stimme zu lauschen.«
»Könnte ich ein Glas Wasser haben?«
Lohengrin Pera war äußerlich ganz ruhig und beherrscht, innerlich aber kochte er bestimmt schon. Die Bitte um Wasser war ein eindeutiges Signal.
»Holen Sie sich's in der Küche.«
Während der Colonnello mit einem Glas und dem Wasserhahn hantierte, bemerkte Montalbano, der ihn von hinten

sah, dass sich sein Jackett auf der Höhe der rechten Gesäßbacke wölbte. War der Zwerg etwa mit einer Pistole bewaffnet, die doppelt so groß war wie er selbst? Der Commissario beschloss, auf der Hut zu sein, und legte ein sehr scharfes Messer neben sich, das er sonst zum Brotschneiden benutzte.
»Ich will mich kurzfassen«, schickte Lohengrin Pera voraus, als er sich setzte und seinen Mund mit einem briefmarkengroßen bestickten Taschentüchlein abwischte. »Vor etwas über zwei Jahren baten uns unsere Kollegen in Tunis um Zusammenarbeit bei einer schwierigen Operation, deren Ziel die Neutralisierung eines gefährlichen Terroristen war, dessen Namen ich Ihnen gerade genannt habe.«
»Verzeihen Sie«, sagte Montalbano, »mein Wortschatz ist ziemlich beschränkt. Meinen Sie mit Neutralisierung physische Ausschaltung?«
»Nennen Sie es, wie Sie wollen. Wir berieten uns natürlich mit unseren Vorgesetzten, die uns die Zusammenarbeit untersagten. Doch keine vier Wochen später befanden wir uns in der äußerst unangenehmen Lage, unsererseits die Freunde in Tunis um einen Gefallen bitten zu müssen.«
»So ein Zufall!«, rief Montalbano.
»In der Tat. Ohne zu zögern, gewährten sie uns die Unterstützung, um die wir sie gebeten hatten, und damit hatten wir eine moralische Schuld...«
»Nein!«, brüllte Montalbano.
Lohengrin Pera zuckte zusammen.
»Was ist denn?«
»Sie haben ›moralisch‹ gesagt.«

»Wie Sie wollen, dann sagen wir eben nur eine Schuld, ohne Adjektiv, geht das in Ordnung? Entschuldigen Sie, ich habe etwas vergessen. Bevor ich fortfahre, muss ich rasch telefonieren.«

»Bitte«, sagte der Commissario und zeigte auf das Telefon.

»Danke. Ich habe ein Handy.«

Lohengrin Pera war also nicht bewaffnet, die Beule an seinem Hintern stammte von einem Handy. Er wählte so, dass Montalbano die Nummer nicht sehen konnte.

»*Pronto*? Hier ist Pera. Alles in Ordnung, wir reden gerade.«

Es schaltete das Handy wieder aus und ließ es auf dem Tisch liegen.

»Unsere Kollegen in Tunis hatten herausgefunden, dass Ahmeds Lieblingsschwester Karima seit Jahren in Sizilien lebte und durch ihre Tätigkeit einen großen Bekanntenkreis hatte.«

»Groß nicht«, korrigierte Montalbano, »aber erlesen. Sie war eine ehrbare Dirne und zuverlässig.«

»Fahrid, Ahmeds rechte Hand, schlug seinem Chef vor, in Sizilien eine Operationsbasis einzurichten und sich dabei Karimas zu bedienen. Ahmed vertraute Fahrid und wusste nicht, dass seine rechte Hand vom tunesischen Geheimdienst gekauft war. Mit diskreter Unterstützung unsererseits kam Fahrid hierher und nahm Kontakt zu Karima auf, die sich nach einer sorgfältigen Sichtung ihrer Kunden für Lapecora entschied. Vielleicht drohte Karima ihm damit, seine Gattin über ihr Verhältnis aufzuklären, jedenfalls zwang sie ihn, seine frühere Import-Export-Firma wiederzubeleben, die sich als hervorragende Fassade erwies. Fahrid konnte mit Ahmed kommunizieren, indem er chiffrierte Geschäftsbriefe an eine Briefkastenfirma in Tunis schickte. Apropos – Sie sagten in der Pressekonferenz, Lapecora habe zu einem bestimmten Zeitpunkt seiner Frau anonyme Briefe geschrieben und sie über seine Affäre in Kenntnis gesetzt. Warum?«

»Weil er den Braten gerochen hat.«

»Glauben Sie, er hat die Wahrheit geahnt?«

»Ach was! Er hat höchstens an Drogenhandel gedacht. Hätte er entdeckt, dass um ihn herum internationale Machenschaften im Gange waren, wäre er auf der Stelle tot umgefallen.«

»Wahrscheinlich. Eine Zeitlang mussten wir die Ungeduld der Tunesier zügeln, aber wir wollten sichergehen, dass der Fisch auch anbiss, wenn die Angel einmal ausgeworfen war.«

»Sagen Sie, wer war eigentlich dieser blonde junge Mann, der manchmal mit Fahrid zusammen gesehen wurde?«

Der Colonnello sah ihn bewundernd an.

»Das wissen Sie auch? Einer unserer Leute, der ab und zu den Stand der Dinge kontrollierte.«

»Und weil er schon mal da war, vögelte er Karima.«

»So was kommt vor. Schließlich brachte Fahrid Ahmed dazu, nach Italien zu kommen, indem er ihm die Möglichkeit eines großen Waffengeschäfts in Aussicht stellte. Unter unserem unsichtbaren Schutz kam Ahmed Moussa nach Mazàra und befolgte Fahrids Anweisungen. Der Kapitän des Fischkutters stimmte auf Druck des Stabschefs der

Prefettura zu, Ahmed an Bord zu nehmen, denn das Treffen zwischen ihm und dem erfundenen Waffenhändler sollte auf hoher See stattfinden. Ahmed Moussa ging völlig ahnungslos ins Netz, er zündete sich sogar weisungsgemäß eine Zigarette an, damit er leichter identifiziert werden konnte. Doch Commendator Spadaccia, der Stabschef, hatte einen großen Fehler begangen.«

»Er hat den Kapitän nicht darüber aufgeklärt, dass es sich nicht um ein geheimes Treffen, sondern um eine Falle handelte«, sagte Montalbano.

»So kann man es auch nennen. Der Kapitän warf, wie ihm aufgetragen worden war, Ahmeds Papiere ins Wasser und teilte die siebzig Millionen, die er in der Tasche hatte, mit der Crew. Aber dann fuhr er nicht nach Mazàra zurück, sondern änderte den Kurs, weil er vor uns Angst hatte.«

»Wieso das?«

»Sehen Sie, wir hatten unsere Patrouillenboote vom Ort des Geschehens abgezogen, und das wusste der Kapitän. Folglich könnte es ja sein – wird er sich gedacht haben –, dass er auf der Rückfahrt auf irgendwas stoße, einen Torpedo, eine Mine oder auch ein Patrouillenboot, das ihn versenkt, um die Spuren der Operation zu verwischen. Aus diesem Grund fuhr er nach Vigàta und mischte die Karten neu.«

»Hat er Recht gehabt?«

»Inwiefern?«

»Dass jemand oder etwas seinen Fischkutter erwartete?«

»Kommen Sie, Montalbano! Damit hätten wir doch nur ein unnützes Blutbad angerichtet!«

»Sie richten wohl nur nützliche Blutbäder an, was? Und wie wollen Sie es anstellen, dass die Mannschaft den Mund hält?«

»Mit Stock und Mohrrübe, um noch mal einen Autor zu zitieren, den Sie nicht sehr schätzen. Wie auch immer, was zu sagen war, habe ich gesagt.«

»O nein«, sagte Montalbano.

»Was heißt hier ›nein‹?«

»Es heißt, dass das nicht alles ist. Sie haben mich geschickt auf hohe See gelotst, aber ich vergesse nicht die Leute, die an Land geblieben sind. Fahrid zum Beispiel. Der erfährt von irgendeinem Informanten, dass Ahmed getötet wurde, aber der Fischkutter hat in Vigàta angelegt, was er sich nicht erklären kann. Das macht ihn nervös. Aber er muss Teil zwei seines Auftrags in Angriff nehmen. Und zwar Lapecora neutralisieren, wie Sie das nennen. Als er bei ihm vor der Haustür steht, sieht er erstaunt und beunruhigt, dass ihm jemand zuvorgekommen ist. Da wird's ihm mulmig.«

»Wie meinen Sie das?«

»Er hat Angst und versteht gar nichts mehr. Wie der Kapitän des Fischkutters fürchtet auch er, dass ihr dahintersteckt. Er glaubt, dass ihr mittlerweile alle aus dem Verkehr zieht, die irgendwie in die Geschichte verwickelt sind. Vielleicht hegt er auch einen Moment lang den Verdacht, dass Karima Lapecora umgebracht haben könnte. Ich weiß nicht, ob Sie das wissen, aber Karima hatte Lapecora auf Fahrids Befehl hin gezwungen, sie in seiner Wohnung zu verstecken. Fahrid wollte nicht, dass Lapecora in diesen entscheidenden Stunden auf dumme Gedanken kommt. Doch Fahrid wusste nicht, dass Karima, nachdem sie ihren Auftrag ausgeführt hatte, nach Hause gefahren war. Jedenfalls hat Fahrid sich irgendwann an diesem Vormittag mit Karima getroffen, und die beiden müssen einen heftigen Streit gehabt haben, bei dem Fahrid ihr mitgeteilt hat, dass ihr Bruder getötet wurde. Karima versuchte zu fliehen. Es gelang ihr nicht, und sie wurde umgebracht. Allerdings wäre das früher oder später sowieso geschehen.«

»Wie ich schon geahnt habe«, sagte Lohengrin Pera, »ist Ihnen alles klar. Jetzt bitte ich Sie nachzudenken: Sie sind wie ich ein treuer und ergebener Diener unseres Staates. Also...«

»Den können Sie sich in den Arsch stecken«, sagte Montalbano leise.

»Ich verstehe nicht.«

»Ich wiederhole: Unseren gemeinsamen Staat, den können Sie sich in den Arsch stecken. Ich und Sie, wir haben diametral entgegengesetzte Auffassungen darüber, was es bedeutet, Diener des Staates zu sein, wir dienen sozusagen zwei verschiedenen Staaten. Ich bitte Sie also, keine Verbindung zwischen Ihrer und meiner Arbeit herzustellen.«

»Montalbano, machen Sie jetzt einen auf Don Quichotte? Jede Gemeinschaft braucht ihre Kloputzer. Aber das heißt nicht, dass sie nicht zur Gemeinschaft gehören.«

Montalbano spürte, wie die Wut in ihm hochstieg, noch ein Wort, und es wäre bestimmt das falsche gewesen. Er streckte die Hand aus, zog den Teller mit der Eistorte zu

sich heran und begann zu essen. Lohengrin Pera kannte das ja mittlerweile und hielt den Mund, während Montalbano das Eis probierte.
»Karima wurde ermordet, bestätigen Sie mir das?«, fragte Montalbano nach ein paar Löffeln.
»Leider ja. Fahrid befürchtete …«
»Der Grund interessiert mich nicht. Mich interessiert nur, dass sie im Auftrag eines treuen Staatsdieners wie Ihnen umgebracht wurde. Wie nennen Sie diesen speziellen Fall, Neutralisierung oder Mord?«
»Montalbano, man kann doch nicht mit dem Maßstab landläufiger Moralvorstellungen …«
»Colonnello, ich habe Sie gewarnt. Nehmen Sie das Wort Moral in meiner Gegenwart nicht in den Mund!«
»Ich meine damit, dass die Staatsräson manchmal …«
»Jetzt reicht's!«, stieß Montalbano hervor, der wütend das Eis in sich reingelöffelt hatte. Dann schlug er sich plötzlich mit der Hand an die Stirn.
»Wie spät ist es?«
Der Colonnello sah auf seine kleine kostbare Armbanduhr, die wie ein Kinderspielzeug aussah.
»Schon zwei Uhr.«
»Wieso ist denn Fazio noch nicht da?«, fragte Montalbano sich selbst und tat besorgt.
»Ich muss telefonieren«, fügte er hinzu.
Er stand auf, ging zum Telefon, das zwei Meter entfernt auf dem Schreibtisch stand, und redete laut, sodass Lohengrin Pera alles hören konnte.
»*Pronto*, Fazio? Ich bin's, Montalbano.«

Fazio war schlaftrunken und redete nur mit Mühe.
»Dottore, was ist?«
»Also hör mal, hast du die Verhaftung vergessen?«
»Welche Verhaftung denn?«, fragte Fazio und begriff gar nichts.
»Die Verhaftung von Simone Fileccia.«
Fazio hatte Simone Fileccia schon tags zuvor verhaftet. Er verstand sofort.
»Was soll ich tun?«
»Du kommst her, holst mich ab, und wir verhaften ihn.«
»Soll ich mein eigenes Auto nehmen?«
»Nein, lieber eines von uns.«
»Ich komme sofort.«
»Warte.«
Der Commissario legte die Hand auf die Sprechmuschel und wandte sich an den Colonnello.
»Wie lange haben wir noch Zeit?«
»Das hängt von Ihnen ab«, sagte Lohengrin Pera.
»Komm in zwanzig Minuten«, sagte der Commissario zu Fazio, »nicht früher. Ich rede gerade noch mit einem Freund.«
Er legte auf und setzte sich wieder. Der Colonnello grinste.
»Wenn wir nur noch so wenig Zeit haben, sagen Sie mir Ihren Preis jetzt gleich. Und seien Sie wegen dieses Ausdrucks nicht beleidigt.«
»Es kostet wenig, sehr wenig«, antwortete Montalbano.
»Ich höre.«
»Nur zweierlei. Ich will, dass innerhalb einer Woche Ka-

rimas Leichnam gefunden wird, und zwar so, dass er eindeutig identifiziert werden kann.«

Ein Schlag auf den Kopf hätte geringere Auswirkungen auf Lohengrin Pera gehabt. Er machte sein Mündchen auf und zu und klammerte sich mit den Händchen an der Tischkante fest, als fürchte er, vom Stuhl zu fallen.

»Wozu?«, brachte er mit dünner Stimme, ähnlich der einer Seidenraupe, hervor.

»Das geht Sie einen Scheißdreck an«, lautete kraftvoll und lapidar die Antwort.

Wie eine Aufziehpuppe drehte der Colonnello sein Köpfchen von rechts nach links und wieder zurück.

»Das ist unmöglich.«

»Warum?«

»Wir wissen nicht, wo sie ... beerdigt wurde.«

»Wer weiß es dann?«

»Fahrid.«

»Wurde Fahrid neutralisiert? Dieses Wort gefällt mir, wissen Sie.«

»Nein, aber er ist wieder in Tunesien.«

»Dann ist es ja ganz einfach. Sie nehmen Kontakt mit Ihren Freunden in Tunis auf.«

»Nein«, sagte der Zwerg entschieden. »Die Partie ist zu Ende. Nichts spricht dafür, sie mit dem Auftauchen einer Leiche wieder zu eröffnen. Nein, das ist unmöglich. Verlangen Sie, was Sie wollen, aber das können wir Ihnen nicht gewähren. Abgesehen davon kann ich keinen Sinn darin erkennen.«

»Kommt schon noch«, sagte Montalbano und erhob sich.

Automatisch stand auch Lohengrin Pera auf. Er war nicht der Typ, der sich so leicht geschlagen gab:
»Aus purer Neugierde würde ich gern Ihre zweite Forderung hören.«
»Natürlich. Der Questore in Vigàta hat meine Beförderung zum Vicequestore vorgeschlagen...«
»Kein Problem, ich kümmere mich darum, dass der Vorschlag angenommen wird«, sagte der Colonnello erleichtert.
»Und dass er abgelehnt wird?«
Montalbano hörte deutlich, wie die Welt des Lohengrin Pera in Trümmer zerfiel und ihn unter sich begrub. Der Colonnello machte einen krummen Buckel, als wollte er sich vor einer plötzlichen Explosion schützen.
»Sie sind total verrückt«, flüsterte der Colonnello ehrlich erschrocken.
»Merken Sie das jetzt erst?«
»Also, Sie können machen, was Sie wollen, aber Ihrer Forderung, die Leiche ausfindig zu machen, kann ich nicht nachkommen. Auf gar keinen Fall.«
»Mal sehen, wie die Aufnahme geworden ist«, sagte Montalbano freundlich.
»Welche Aufnahme denn?« fragte Lohengrin Pera irritiert.
Montalbano ging ans Bücherregal, stellte sich auf die Zehenspitzen, holte die Kamera herunter und zeigte sie dem Colonnello.
»*Cristo*!«, rief dieser und sank auf einen Stuhl. Er schwitzte.

»Montalbano, ich beschwöre Sie, in Ihrem eigenen Interesse…«
Er war eine Schlange, und wie eine Schlange benahm er sich. Während er den Commissario anzuflehen schien, keine Dummheiten zu machen, hatte sich seine Hand langsam bewegt und war jetzt in Reichweite des Handys. Er wusste, dass er es allein niemals schaffen würde, und wollte Verstärkung holen. Montalbano ließ ihn bis auf einen Zentimeter an sein Handy heran, dann sprang er auf. Mit einer Hand fegte er das Handy vom Tisch, mit der anderen schlug er dem Colonnello mit voller Wucht ins Gesicht. Lohengrin Pera flog durchs Zimmer, schlug mit dem Rücken an die gegenüberliegende Wand und rutschte zu Boden. Montalbano ging langsam auf ihn zu und zertrat mit dem Absatz, wie er es in einem Film über Nazis gesehen hatte, die Brille des Colonnello, die heruntergefallen war.

Neunzehn

Wo er schon mal dabei war, trampelte er auch noch auf dem Handy herum, bis es entzwei war.
Er vollendete sein Werk mit dem Hammer aus der Werkzeugkiste. Danach trat er zum Colonnello, der immer noch auf dem Boden lag und wimmerte. Als er merkte, dass der Commissario vor ihm stand, bedeckte er wie ein kleines Kind sein Gesicht mit den Armen.
»Aufhören, bitte!«, flehte er.
Was war das nur für ein Mann? Wegen eines Schlages und dem bisschen Blut, das aus seiner aufgeplatzten Lippe tropfte, war er zu einem solchen Häuflein Elend zusammengeschrumpft? Montalbano packte ihn am Revers, hob ihn hoch und setzte ihn auf einen Stuhl. Zitternd wischte sich Lohengrin Pera das Blut mit seiner bestickten Briefmarke ab, aber als er den roten Fleck auf dem Stoff sah, schloss er die Augen und schien in Ohnmacht zu fallen.
»Ich ... ich ekle mich vor Blut«, wisperte er.
»Vor deinem eigenen oder dem der anderen?« erkundigte sich Montalbano.
Er ging in die Küche, holte eine halbvolle Flasche Whisky und ein Glas und stellte beides vor den Colonnello hin.
»Ich trinke keinen Alkohol.«

Nach seinem Wutanfall war Montalbano jetzt deutlich ruhiger.
Wenn der Colonnello – überlegte er – telefoniert hätte, um Hilfe zu holen, dann waren die Leute, die ihm beistehen würden, bestimmt nicht weit, nur ein paar Autominuten vom Haus entfernt. Das war die eigentliche Gefahr. Da klingelte es an der Tür.
»Dottore? Ich bin's, Fazio.«
Er öffnete die Tür zur Hälfte.
»Hör zu, Fazio, mein Gespräch mit dieser Person, die ich erwähnt habe, ist noch nicht zu Ende. Bleib im Auto, wenn ich dich brauche, ruf ich dich. Aber gib Acht – es kann sein, dass sich in der Nähe zwielichtige Gestalten herumtreiben. Nimm jeden fest, der sich dem Haus nähert.«
Er schloss die Tür und setzte sich wieder vor Lohengrin Pera, der schwermütigen Gedanken nachzuhängen schien.
»Versuch mich jetzt zu verstehen, denn demnächst verstehst du gar nichts mehr.«
»Was haben Sie mit mir vor?«, fragte der Colonnello und wurde blass.
»Nichts Blutiges, keine Sorge. Ich habe dich in der Hand, das hast du hoffentlich kapiert. Du warst so blöd, alles vor einer Videokamera auszuplaudern. Wenn ich das Band senden lasse, ist im internationalen Verbrechertum der Teufel los, und dann kannst du an irgendeiner Straßenecke Lollis verkaufen.
Aber wenn du Karimas Leichnam finden lässt und meine Beförderung stoppst – pass aber auf, dass beides gleichzeitig geschieht –, dann gebe ich dir mein Ehrenwort, dass

ich das Band vernichten werde. Du musst mir vertrauen. Hast du das alles begriffen?«
Lohengrin Pera nickte mit dem Köpfchen, und in diesem Augenblick sah der Commissario, dass das Messer vom Tisch verschwunden war. Der Colonnello musste es an sich genommen haben, während er mit Fazio gesprochen hatte.
»Sag mal, gibt es deiner Meinung nach giftige Würmer?«, fragte Montalbano.
Pera sah in fragend an.
»Leg in deinem eigenen Interesse das Messer weg, das du unter dem Jackett hast.«
Der Colonnello gehorchte wortlos und legte das Messer auf den Tisch. Montalbano öffnete die Whiskyflasche, füllte das Glas randvoll und reichte es Lohengrin Pera, der angewidert das Gesicht verzog und sich abwandte.
»Ich habe Ihnen doch schon gesagt, dass ich nicht trinke.«
»Trink.«
»Ich kann nicht, bitte.«
Montalbano drückte ihm mit zwei Fingern seiner linken Hand die Bäckchen zusammen und zwang ihn, sein Mündchen zu öffnen.

Fazio wartete schon seit einer Dreiviertelstunde im Wagen und war hundemüde, als er den Commissario rufen hörte. Er ging ins Haus und sah als Erstes einen betrunkenen Zwerg, der sich aufs Hemd gekotzt hatte. Der Zwerg konnte nicht mehr gerade stehen, lehnte sich mal an einen Stuhl, mal an eine Wand und versuchte *Celeste Aida* zu singen.

Auf dem Boden sah Fazio eine Brille und ein Handy, beides zertrümmert; auf dem Tisch lagen neben einer leeren Whiskyflasche und einem ebenfalls leeren Glas drei oder vier Blatt Papier und Ausweise.
»Hör gut zu, Fazio«, sagte der Commissario. »Ich erzähle dir jetzt genau, was los war, falls man dir Fragen stellt. Als ich gestern gegen Mitternacht heimkam, habe ich am Anfang des Feldwegs, der hierherführt, das Auto dieses Signore da gefunden, einen BMW, der mir den Weg versperrt hat. Er war völlig betrunken. Ich habe ihn ins Haus gebracht, weil er nicht mehr in der Lage war zu fahren. Er hatte keine Papiere dabei, nichts. Ich habe alles Mögliche gegen den Rausch unternommen und dann dich angerufen, damit du mir hilfst.«
»Alles klar«, sagte Fazio.
»Und jetzt nimmst du ihn – er wiegt ja nichts –, verstaust ihn in seinem BMW, setzt dich ans Steuer und steckst ihn in den Haftraum. Ich komme mit unserem Wagen nach.«
»Und wie kommen Sie dann wieder hierher?«
»Du bringst mich zurück, du schaffst das schon. Und morgen früh, sobald er wieder nüchtern ist, setzt du ihn auf freien Fuß.«

Als Montalbano wieder zu Hause ankam, nahm er die Pistole aus dem Handschuhfach seines Wagens, wo er sie immer aufbewahrte, und steckte sie sich in den Gürtel. Dann kehrte er die Bruchstücke des Handys und der Brille zusammen und wickelte sie in Zeitungspapier. Er nahm das Schäufelchen, das Mimì François geschenkt hatte, und

hob direkt neben der Veranda zwei tiefe Löcher aus. In eines legte er das Päckchen und schaufelte das Loch wieder zu, in das andere die Papierbögen und die zerschnipselten Ausweise. Er schüttete Benzin darüber und zündete sie an. Als sie zu Asche geworden waren, schaufelte er auch dieses Loch wieder zu. Es begann hell zu werden. Er ging in die Küche, machte sich einen starken Kaffee und trank ihn. Dann rasierte er sich und stellte sich unter die Dusche. Er wollte die Aufnahme ganz entspannt genießen. Er schob die kleine Kassette in die größere, wie Nicolò es ihm gezeigt hatte, schaltete den Fernseher und den Videorecorder ein und ließ sich in seinem Sessel nieder. Als nach ein paar Sekunden noch nichts zu sehen war, stand er auf und kontrollierte die Geräte, weil er glaubte, er hätte irgendwas falsch zusammengestöpselt. Für solche Sachen hatte er nämlich überhaupt kein Talent, und vor Computern hatte er einen richtigen Horror. Es passierte immer noch nichts. Er zog die große Kassette heraus, öffnete sie und sah hinein. Es kam ihm vor, als sei die kleine Kassette nicht richtig eingelegt; er drückte sie ganz hinein und schob das Ganze noch mal in den Videorecorder. Nichts, aber auch gar nichts war auf dem Bildschirm zu sehen. Was, zum Teufel, funktionierte da nicht? Noch während er sich das fragte, erstarrte er, denn ihm war ein Verdacht gekommen. Er lief ans Telefon.
»*Pronto*?« sagte die Stimme am anderen Ende der Leitung und brachte jeden einzelnen Buchstaben nur mit größter Mühe heraus.
»Nicolò? Hier ist Montalbano.«

»Wer denn sonst, *buttanazza della miseria!*«
»Ich muss dich was fragen.«
»Weißt du eigentlich, wie spät es ist?«
»Entschuldigung. Erinnerst du dich an die Kamera, die du mir gegeben hast?«
»Und?«
»Welche Taste muss man denn drücken, wenn man aufnehmen will, die obere oder die untere?«
»Die obere, du Idiot.«
Er hatte auf die falsche Taste gedrückt.

Er zog sich wieder aus, schlüpfte in die Badehose, ging mutig ins eiskalte Wasser und schwamm. Als er müde wurde, spielte er toten Mann und überlegte, dass es gar nicht so schlimm war, dass er nichts aufgenommen hatte. Wichtig war nur, dass der Colonnello es geglaubt hatte und weiterhin glaubte. Er schwamm ans Ufer zurück, ging nach Hause, warf sich, nass wie er war, aufs Bett und schlief ein.

Es war schon neun vorbei, als er aufwachte. Er hatte das sichere Gefühl, dass er nicht in der Lage war, ins Büro zu gehen und seiner Routinearbeit nachzugehen. Er beschloss, Mimì anzurufen.
»*Pronti! Pronti!* Wer spricht denn da?«
»Catarè, ich bin's, Montalbano.«
»Sind Sie es wirklich?«
»Ich bin's wirklich. Gib mir Dottor Augello.«
»*Pronto*, Salvo. Wo bist du denn?«
»Zu Haus. Mimì, ich kann nicht ins Büro kommen.«

»Bist du krank?«
»Nein. Aber ich fühl mich weder heute noch morgen danach. Ich brauche vier oder fünf Tage Erholung. Kannst du mich vertreten?«
»Klar.«
»Danke.«
»Warte, leg noch nicht auf.«
»Was ist denn ?«
»Ich mach mir Sorgen, Salvo. Du bist seit ein paar Tagen so komisch. Was ist denn los? Mach mir keinen Kummer!«
»Mimì, ich brauche nur ein bisschen Erholung, das ist alles.«
»Wo fährst du hin?«
»Ich weiß es noch nicht. Ich ruf dich an.«

Aber er wusste genau, wo er hin wollte. In Marinella packte er in fünf Minuten seinen Koffer. Um die Bücher auszusuchen, die er mitnehmen wollte, brauchte er etwas länger. In Blockbuchstaben schrieb er eine Nachricht an seine Haushälterin Adelina, in der er ihr mitteilte, dass er in einer Woche wieder da sei. Als er in Mazàra in der Trattoria ankam, wurde er wie ein verlorener Sohn empfangen.
»Sie vermieten doch auch Zimmer, nicht wahr?«
»Ja, oben haben wir fünf Zimmer. Aber es ist keine Saison, und nur eines ist bewohnt.«
Man zeigte ihm ein großes, helles Zimmer mit Blick aufs Meer.
Er streckte sich auf dem Bett aus; seine Gedanken waren wie weggeflogen, aber seine Brust war von einer glück-

lichen Melancholie erfüllt. Er wollte gerade die Leinen losmachen, um in Richtung »the country sleep« in See zu stechen, als es klopfte.
»Herein, es ist offen.«
Der Koch stand in der Tür. Er war ein großer Mann von bemerkenswerten Ausmaßen, um die vierzig, mit schwarzen Augen und dunkler Haut.
»Was ist? Kommen Sie nicht runter? Ich habe erfahren, dass Sie hier sind, und etwas für Sie gekocht, was …«
Was der Koch für ihn zubereitet hatte, konnte er nicht mehr hören, weil schon sanfte, allerliebste Musik, eine Musik wie aus dem Paradies, in seinen Ohren erklang.

Seit einer Stunde beobachtete Montalbano jetzt schon ein Ruderboot, das sich langsam dem Ufer näherte. An Bord war ein Mann, der kraftvoll und in gleichmäßigem Rhythmus ruderte. Auch der Wirt der Trattoria musste das Boot gesehen haben, denn Montalbano hörte ihn schreien:
»Luicì, der Cavaliere ist wieder da!«
Der Commissario sah zu, wie Luicino, der sechzehnjährige Sohn des Wirts, ins Wasser ging und das Boot auf den Strand schob, damit der Insasse trockenen Fußes an Land kam. Der Cavaliere, dessen Namen Montalbano noch nicht kannte, war elegant gekleidet, inklusive Krawatte. Dazu ein weißer Panama mit schwarzem Band, wie es sich gehörte.
»Cavaliere, haben Sie was gefangen?«, fragte der Wirt.
»Einen Scheißdreck hab ich gefangen.«
Er ging wohl auf die siebzig zu, ein hagerer, nervöser Mann.

Später hörte Montalbano, wie der Cavaliere im Zimmer nebenan auf und ab ging.

»Ich habe hier für Sie gedeckt«, sagte der Wirt gleich, als Montalbano zum Abendessen erschien, und führte ihn in ein Zimmerchen, in dem nur zwei Tische Platz hatten. Der Commissario war ihm dankbar, denn der große Saal dröhnte vom Stimmengewirr und Gelächter einer lauten Gesellschaft.
»Ich habe für zwei Personen gedeckt«, fuhr der Wirt fort. »Sie haben doch nichts dagegen, wenn der Cavaliere mit Ihnen speist?«
Er hatte schon etwas dagegen, denn wie immer fürchtete er, beim Essen reden zu müssen.
Kurz darauf stellte sich der hagere Siebzigjährige mit einer leichten Verbeugung vor.
»Liborio Pintacuda, und ich bin kein Cavaliere. Ich muss Sie warnen, auch wenn es aussieht, als wüsste ich mich nicht zu benehmen«, fuhr der Cavaliere, der keiner war, fort, als er sich hingesetzt hatte. »Ich esse nicht, während ich spreche. Folglich spreche ich auch nicht, während ich esse.«
»Willkommen im Club«, sagte Montalbano und seufzte erleichtert auf. Die *pasta ai granchi di mare* war anmutig wie ein erstklassiger Tänzer, aber die *spigola farcita con salsa di zafferano* raubte ihm auf eine Weise den Atem, dass er fast erschrak.
»Glauben Sie, dass sich ein solches Wunder wiederholen kann?«, fragte er Pintacuda und zeigte auf seinen inzwi-

schen leeren Teller. Sie waren fertig mit essen, konnten also das Wort wieder ergreifen.

»Es wird sich wiederholen, keine Sorge, wie das Blutwunder von San Gennaro«, sagte Pintacuda. »Ich komme schon seit vielen Jahren hierher, und niemals, wirklich niemals, hat mich Taninos Küche enttäuscht.«

»In einem großen Restaurant würde man Tanino mit Gold aufwiegen«, stellte der Commissario fest.

»So ist es. Letztes Jahr war ein Franzose hier, der Besitzer eines berühmten Pariser Restaurants. Er fiel vor Tanino fast auf die Knie und flehte ihn an, nach Paris mitzukommen. Keine Chance. Tanino sagt, dass er hier zu Hause ist und hier auch sterben will.«

»Jemand muss ihm doch beigebracht haben, so zu kochen, das kann keine natürliche Begabung sein.«

»Wissen Sie, bis vor zehn Jahren war Tanino ein kleiner Dieb und Dealer. Rein in den Knast, raus aus dem Knast. Dann ist ihm eines Nachts die Muttergottes erschienen.«

»Sie scherzen wohl!«

»Nichts läge mir ferner. Er erzählt, dass die Muttergottes seine Hände in die ihren genommen, ihm in die Augen geschaut und gesagt habe, dass er ab sofort ein großer Koch sei.«

»Ach was!«

»Sie wussten nichts von der Muttergottes, haben aber angesichts dieser *spigola* ganz klar ein Wort gebraucht: Wunder. Aber ich sehe schon, dass Sie nicht an das Übernatürliche glauben, also wechseln wir das Thema. Was tun Sie hier, Commissario?«

Montalbano schrak zusammen. Er hatte dort niemandem verraten, welchem Beruf er nachging.

»Ich habe Sie im Fernsehen bei der Pressekonferenz gesehen, nach der Festnahme dieser Frau, die ihren Mann umgebracht hat«, erklärte Pintacuda.

»Tun Sie mir den Gefallen und sagen Sie niemandem, wer ich bin.«

»Aber hier wissen alle, wer Sie sind, Commissario. Allerdings haben sie begriffen, dass Sie nicht erkannt werden wollen, und tun so, als wüssten sie nichts.«

»Und was machen Sie Schönes?«

»Ich war Lehrer für Philosophie, falls man das Lehren von Philosophie als schön bezeichnen kann.«

»Ist es das nicht?«

»Überhaupt nicht. Die Kinder langweilen sich, ihnen liegt nichts mehr daran, sich mit den Gedanken von Hegel und Kant zu beschäftigen. Man müsste den Philosophieunterricht durch ein Fach ersetzen, das man ›Gebrauchsanweisungen‹ oder ähnlich nennen könnte. Dann hätte er vielleicht noch Sinn.«

»Gebrauchsanweisungen wofür?«

»Für das Leben, mein Verehrter. Wissen Sie, was Benedetto Croce in seinen Erinnerungen schreibt? Er sagt, dass die Erfahrung ihn gelehrt habe, das Leben als eine ernste Angelegenheit zu betrachten, als ein zu lösendes Problem. Klingt einleuchtend, nicht wahr? So ist es aber nicht. Man müsste den Jugendlichen philosophisch erklären, was es zum Beispiel bedeutet, wenn sie am Samstagabend im Auto unterwegs sind und in ein anderes Auto rasen.

Und ihnen sagen, wie man das philosophisch vermeiden könnte. Aber wir haben noch genug Zeit, uns darüber zu unterhalten, ich habe gehört, dass Sie ein paar Tage hierbleiben wollen.«

»Ja. Leben Sie allein?«

»In den zwei Wochen, die ich hier verbringe, bin ich ganz allein. Aber in Trapani lebe ich in einem großen Haus, zusammen mit meiner Frau, vier Töchtern, die alle verheiratet sind, und acht Enkelkindern, die ich den ganzen Tag um mich habe, wenn sie nicht in der Schule sind. Spätestens alle drei Monate flüchte ich mich hierher und hinterlasse weder Adresse noch Telefonnummer. Ich reinige mich, ich bade mich im Alleinsein, dieser Ort ist für mich wie eine Klinik, in der ich mich von einem Zuviel an Gefühlen entgifte. Spielen Sie Schach?«

Tags darauf lag Montalbano nachmittags auf dem Bett und las zum zwanzigsten Mal *Der Abbé als Fälscher* von Sciascia, als ihm einfiel, dass er vergessen hatte, Valente über den Pakt in Kenntnis zu setzen, den er mit dem Colonnello geschlossen hatte. Falls sein Kollege in Mazàra weiterermittelte, konnte es gefährlich für ihn werden. Er ging hinunter zum Telefon.

»Valente? Hier ist Montalbano.«

»Salvo, wo, zum Teufel, steckst du denn? Ich habe im Büro angerufen, und deine Kollegen sagten, sie hätten keine Nachricht von dir.«

»Was wolltest du denn von mir? Gibt's was Neues?«

»Ja. Heute Morgen hat mich der Questore angerufen und

mir mitgeteilt, dass mein Versetzungsantrag ganz unerwartet bewilligt wurde. Ich gehe nach Sestri.«

Giulia, Valentes Frau, stammte aus Sestri, und auch ihre Eltern lebten dort. Bisher war jeder Antrag des Vicequestore auf Versetzung nach Ligurien abgelehnt worden.

»Hab ich dir nicht gesagt, dass bei der ganzen Geschichte auch für dich was rausspringt?«, erinnerte Montalbano ihn.

»Glaubst du…?«

»Klar. Sie ziehen dich aus dem Verkehr, und du hast keinen Grund zu protestieren, ganz im Gegenteil. Ab wann läuft die Versetzung?«

»Ab sofort.«

»Siehst du? Ich komme noch bei dir vorbei, bevor du weggehst.«

Lohengrin Pera und seine Kumpane von der Bande hatten sich schnell in Bewegung gesetzt. Es war allerdings fraglich, ob das ein gutes oder ein schlechtes Zeichen war. Er wollte die Probe aufs Exempel machen. Wenn die es so eilig hatten, die Sache zu erledigen, hatten sie ihm bestimmt auch schon ein Zeichen geschickt. Die italienische Bürokratie, die gewöhnlich unglaublich langsam war, funktionierte blitzschnell, wenn es galt, den Bürger übers Ohr zu hauen: In Anbetracht dieser Binsenweisheit rief er seinen Questore an.

»Montalbano! *Dio santo*, wo stecken Sie eigentlich?«

»Ich möchte mich entschuldigen, dass ich Ihnen nicht Bescheid gesagt habe. Ich habe mir ein paar Tage freigenommen.«

»Ich verstehe. Sind Sie bei…«
»Nein. Wollten Sie mich sprechen? Brauchen Sie mich?«
»Ja, ich wollte Sie sprechen, aber ich brauche Sie nicht. Erholen Sie sich nur. Erinnern Sie sich, dass ich Sie zur Beförderung vorschlagen musste?«
»Allerdings.«
»Nun, heute Morgen rief mich Commendator Ragusa vom Ministerium an. Er ist ein guter Freund von mir. Er hat mir mitgeteilt, dass gegen Ihre Beförderung… ich meine, es sind anscheinend Hindernisse aufgetreten, ich weiß nicht, welcher Art. Ragusa wollte oder konnte mir nicht mehr sagen. Er gab mir auch zu verstehen, dass es vergeblich und möglicherweise riskant sei, auf der Beförderung zu beharren. Ich bin wirklich bestürzt und gekränkt, das können Sie mir glauben.«
»Ich nicht.«
»Das weiß ich! Sie freuen sich wohl, nicht wahr?«
»Ich freue mich sogar doppelt, Signor Questore.«
»Doppelt?«
»Das erkläre ich Ihnen dann persönlich.«
Wie beruhigend – alles lief wie am Schnürchen.

Es war noch dunkel, als Liborio Pintacuda ihn am nächsten Morgen mit einer dampfenden Tasse Kaffee in der Hand weckte.
»Ich erwarte Sie im Boot.«
Pintacuda hatte ihn zu dem aussichtslosen Angelvormittag eingeladen, und der Commissario hatte angenommen. Er zog Jeans und ein langärmeliges Hemd an: Es wäre ihm

peinlich gewesen, zusammen mit einem elegant gekleideten Signore im Boot zu sitzen und nur eine Badehose anzuhaben.

Angeln war für den Professore offenbar dasselbe wie Essen: Er sagte kein Wort, außer wenn er hin und wieder die Fische verfluchte, die nicht anbissen.

Gegen neun Uhr morgens, als die Sonne schon hoch stand, konnte Montalbano nicht mehr an sich halten.

»Mein Vater liegt im Sterben«, sagte er.

»Mein Beileid«, sagte der Professore, ohne den Blick von der Angelschnur abzuwenden.

Der Commissario fand die Bemerkung unangebracht, fehl am Platz.

»Er ist noch nicht tot, er liegt im Sterben«, erklärte er.

»Das macht keinen Unterschied. Ihr Vater ist für Sie in dem Augenblick gestorben, als Sie erfuhren, dass er im Sterben liegt. Alles Übrige sind sozusagen Formalitäten des Körpers, nichts weiter. Lebt er bei Ihnen?«

»Nein, in einem anderen Dorf.«

»Allein?«

»Ja. Und ich finde nicht den Mut, ihn zu besuchen, jetzt, wo er stirbt. Ich kann einfach nicht. Allein der Gedanke daran macht mir Angst. Ich werde nie die Kraft haben, das Krankenhaus zu betreten.«

Der Alte sagte nichts, sondern erneuerte nur den Köder, den die Fische dankend gefressen hatten. Dann erst sprach er.

»Wissen Sie, ich habe zufällig den Fall verfolgt, der *Der Hund aus Terracotta* genannt wurde. Da haben Sie in einem

Waffenhandel nicht weiterermittelt, sondern sich verbissen auf ein Verbrechen gestürzt, das vor fünfzig Jahren verübt wurde und dessen Aufklärung keinerlei brauchbare Ergebnisse bringen konnte. Ist Ihnen eigentlich klar, warum Sie das gemacht haben?«

»Aus Neugierde?«, fragte Montalbano vorsichtig.

»Nein, mein Lieber. Auf raffinierte Weise ist es Ihnen gelungen, Ihren unerfreulichen Beruf zwar auszuüben, dabei aber die Realität des Alltags hinter sich zu lassen. Offensichtlich belastet Sie dieser Alltag manchmal zu sehr. Dann nehmen Sie Reißaus. Wie ich, wenn ich hier Zuflucht suche. Aber sobald ich wieder zu Hause bin, schrumpft der Gewinn gleich auf die Hälfte zusammen. Dass Ihr Vater sterben wird, ist eine Tatsache, aber Sie weigern sich, sich persönlich davon zu überzeugen und sie damit zu akzeptieren. Sie sind wie ein Kind, das die Augen schließt und meint, dann wäre die Welt verschwunden.«

Jetzt sah Professor Liborio Pintacuda dem Commissario ins Gesicht.

»Wann entscheiden Sie sich, erwachsen zu werden, Montalbano?«

Zwanzig

Als Montalbano zum Abendessen hinunterging, beschloss er, am nächsten Morgen nach Vigàta zurückzukehren; er war schon seit fünf Tagen fort. Luicino hatte wie immer in dem Zimmerchen gedeckt; Pintacuda saß bereits an seinem Platz und erwartete ihn.

»Morgen fahre ich ab«, verkündete Montalbano.

»Ich nicht, ich brauche noch eine Woche Entgiftung.«

Luicino brachte gleich den ersten Gang, die beiden machten ihren Mund also nur zum Essen auf. Als der zweite Gang kam, erlebten sie eine Überraschung.

»Polpette!!«, rief der Professore indigniert. »*Polpette* sind Hundefutter!«

Der Commissario ließ sich nicht aus der Fassung bringen, der Duft, der ihm in die Nase stieg, war voll und würzig.

»Was ist mit Tanino, ist er krank?«, erkundigte sich Pintacuda beunruhigt.

»*Nossignore*, er ist in der Küche«, antwortete Luicino.

Erst jetzt zerteilte der Professore mit der Gabel eine *polpetta* und steckte sich ein Stückchen in den Mund. Montalbano hatte sich noch nicht gerührt. Pintacuda kaute langsam, schloss die Augen halb und stieß einen ächzenden Laut aus.

»Wer im Sterben liegt und das hier isst, fährt auch gern zur Hölle«, sagte er leise.
Der Commissario steckte sich eine halbe *polpetta* in den Mund und machte sich mit Zunge und Gaumen an eine erkennungsdienstliche Analyse, die die von Jacomuzzi deutlich in den Schatten stellte. Also: Fisch und – da gab es keinen Zweifel – Zwiebeln, Peperoncino, verquirltes Ei, Salz, Pfeffer, Semmelbrösel. Doch bei diesem Appell fehlten noch zwei Gewürze, die sich hinter dem Geschmack der Butter versteckten, in der die *polpette* gebraten waren. Beim zweiten Bissen fand er heraus, was er zuerst nicht entdeckt hatte: Kreuzkümmel und Koriander.
»*Koftas!*«, rief er erstaunt.
»Was haben Sie gesagt?«, fragte Pintacuda.
»Wir essen hier ein indisches Gericht, das nach allen Regeln der Kunst zubereitet ist.«
»Es ist mir scheißegal, wo es herkommt«, sagte der Professore. »Ich weiß nur, dass es ein Traum ist. Und ich bitte Sie, mich nicht mehr anzusprechen, bis wir fertig gegessen haben.«

Pintacuda ließ den Tisch abdecken und schlug das gewohnte Schachspiel vor, das Montalbano gewöhnlich verlor.
»Entschuldigen Sie, aber ich will mich vorher noch von Tanino verabschieden.«
»Ich komme mit.«
Der Koch stauchte gerade seinen Gehilfen zusammen, der die Pfannen nicht richtig gesäubert hatte.

»Wenn sie am nächsten Tag noch nach dem Essen vom Abend vorher riechen, weiß man ja gar nicht, was man isst!«, erklärte er den Gästen.
»Sagen Sie, stimmt es, dass Sie nie aus Sizilien rausgekommen sind?«, fragte Montalbano.
Versehentlich hatte er wohl den Tonfall eines Bullen angenommen, denn Tanino fühlte sich anscheinend in seine kriminelle Vergangenheit zurückversetzt.
»Niemals, ich schwör's, Commissario! Ich habe Zeugen dafür!«
Er konnte dieses Gericht also nicht in irgendeinem Restaurant mit fremdländischer Küche gelernt haben.
»Hatten Sie jemals mit Leuten aus Indien zu tun?«
»Mit Indianern meinen Sie? Mit denen aus dem Kino?«
»Ist schon gut«, sagte Montalbano und umarmte den wundergeheilten Koch zum Abschied.

In den fünf Tagen, die er weg gewesen war – berichtete Fazio –, war nichts Besonderes vorgefallen. Carmelo Arnone – der mit dem Tabakgeschäft am Bahnhof – hatte wegen einer Weibergeschichte viermal auf Angelo Cannizzaro – den mit der Kurzwarenhandlung – geschossen. Mimì Augello, der zufällig anwesend war, hatte beherzt eingegriffen und den Schützen entwaffnet.
»Dann ist Cannizzaro ja mit dem Schrecken davongekommen«, stellte Montalbano fest.
Alle Welt wusste, dass Carmelo Arnone nicht mit einer Knarre umgehen konnte, er traf nicht mal eine Kuh aus zehn Zentimetern Entfernung.

»Von wegen!«
»Hat er ihn erwischt?«, fragte Montalbano verblüfft.
Eigentlich, erklärte Fazio, hat er es auch diesmal nicht geschafft. Aber eine Kugel prallte am Laternenpfahl ab, flog zurück und blieb in Cannizzaros Rücken stecken. Es war keine schlimme Wunde, das Projektil hatte an Kraft verloren. Doch wie ein Lauffeuer verbreitete sich in der Stadt das Gerücht, Carmelo Arnone habe Angelo Cannizzaro feige in den Rücken geschossen. Dessen Bruder Pasqualino – der Saubohnenhändler mit den zwei Zentimeter dicken Brillengläsern – bewaffnete sich und schoss auf Carmelo Arnone, als dieser ihm über den Weg lief, verfehlte dabei aber sowohl das Ziel als auch die Person. Er hatte Carmelo Arnone nämlich mit dessen Bruder Filippo – dem mit dem Obst- und Gemüseladen – verwechselt, weil er auf eine gewisse Ähnlichkeit zwischen den Arnone-Brüdern hereingefallen war. Das Ziel hatte er verfehlt, weil der erste Schuss irgendwo ins Blaue gegangen war und der zweite einen Händler aus Canicattì, der sich geschäftlich in Vigàta aufhielt, am linken kleinen Finger verletzt hatte. Und dann hatte die Pistole eine Ladehemmung, sonst hätte Pasqualino Arnone, der blindlings um sich schoss, ein Blutbad angerichtet. Ach ja, dann waren da noch zwei Diebstähle, vier *scippi* und drei ausgebrannte Autos. Die übliche Routine.
Es klopfte, und herein kam Tortorella, der die Tür mit dem Fuß aufstieß, weil er mindestens drei Kilo Papier auf seine Arme geladen hatte.
»Ich dachte, wenn Sie schon mal da sind…«

»Tortorè, du redest ja, als wäre ich hundert Jahre lang fort gewesen!«
Er unterschrieb nie, ohne vorher sorgfältig zu lesen, worum es sich handelte, und so wurde es Mittag, bis der Stapel um etwas mehr als ein Kilo geschmolzen war. Sein Magen machte sich langsam bemerkbar, aber er entschied, nicht in die Trattoria San Calogero zu gehen, so schnell wollte er das Andenken des Kochs Tanino, der direkt von der Muttergottes inspiriert wurde, nicht entweihen. Der Treuebruch sollte durch eine vorherige Abstinenz wenigstens ein bisschen gerechtfertigt werden.
Um acht Uhr abends war er mit Unterschreiben fertig, und da taten ihm nicht nur die Finger, sondern der ganze Arm weh.

Als er nach Hause kam, hatte er großen Hunger, ein richtiges Loch im Bauch. Was sollte er jetzt tun? Ofen und Kühlschrank öffnen und schauen, was Adelina für ihn vorbereitet hatte? Er überlegte, wenn er von einem Restaurant zum nächsten wechselte, konnte man das technisch als Treuebruch bezeichnen, aber wenn er von Tanino zu Adelina wechselte, dann war das was ganz anderes, das konnte man sogar als Rückkehr in die Familie nach einem Seitensprung betrachten. Der Backofen war leer, im Kühlschrank waren ein Dutzend Oliven, drei Sardinen, ein bisschen Tunfisch aus Lampedusa in einem Glas. Das Brot lag eingewickelt auf dem Küchentisch neben einem Zettel, den seine Haushälterin ihm geschrieben hatte.

Doppo che vossia nonni mi ffa sapìri quanno che tonna, iu priparo e priparo e doppo sonno obbligatta a gittari nilla munnizza la grazzia di Diu. Non priparo cchiù nenti. Sie sagen mir nie, wann Sie wiederkommen, und ich koche und koche, und dann muss ich diese Gottesgaben in den Müll werfen. Ich koche gar nichts mehr.

Sie weigerte sich, weiterhin eine solche Verschwendung zu betreiben, aber wahrscheinlich war sie vor allem beleidigt, weil er ihr nicht gesagt hatte, wo er hinfuhr (»*E va beni ca iu sugnu una cammarera, ma vossia certi voti mi tratta comu una cammarera!* Ich weiß schon, dass ich eine Haushälterin bin, aber deswegen müssen Sie mich noch lange nicht so behandeln!«)
Lustlos aß er zwei Oliven mit Brot und trank dazu vom Wein seines Vaters. Er schaltete den Fernseher an, es war Zeit für die Nachrichten bei »Retelibera«.
Nicolò Zito beendete gerade seinen Kommentar zur Verhaftung eines Stadtrats aus Fela wegen Unterschlagung öffentlicher Gelder und Erpressung. Dann ging er zu den Tagesnachrichten über. Am Stadtrand von Sommatino, zwischen Caltanissetta und Enna, war die Leiche einer Frau im fortgeschrittenen Zustand der Verwesung gefunden worden.
Montalbano saß plötzlich kerzengerade im Sessel.
Die Frau war erwürgt, in einen Sack gesteckt und dann in einen ziemlich tiefen trockenen Brunnen geworfen worden. Neben ihr lag ein kleiner Koffer, anhand dessen das Opfer eindeutig hatte identifiziert werden können: Ka-

rima Moussa, vierunddreißig Jahre alt, in Tunis geboren, aber seit einigen Jahren in Vigàta lebend.
Auf dem kleinen Bildschirm erschien das Foto von Karima mit François, das der Commissario Nicolò gegeben hatte. Erinnerten sich die Zuschauer, dass »Retelibera« über das Verschwinden der Frau berichtet hatte? Von dem Kind, ihrem Sohn, gab es immer noch keine Spur. Nach Aussage von Commissario Diliberto, der in dem Fall ermittelte, könnte der unbekannte Zuhälter der Tunesierin als Mörder in Frage kommen. Auf jeden Fall blieben, wie aus dem Kommissariat zu erfahren war, noch viele Fragen zu klären.
Montalbano wieherte, schaltete den Fernseher aus und grinste. Lohengrin Pera hatte Wort gehalten. Er stand auf, reckte sich, setzte sich wieder hin und schlief plötzlich im Sessel ein. Er schlief wie ein Tier, so gut wie traumlos, wie ein Kartoffelsack.

Am nächsten Morgen telefonierte er vom Büro aus mit dem Questore und lud sich selbst zum Abendessen ein. Dann rief er im Kommissariat von Sommatino an.
»Diliberto? Hier ist Montalbano. Ich rufe aus Vigàta an.«
»*Ciao*, Kollege. Was gibt's?«
»Ich rufe wegen dieser Frau an, die ihr in dem Brunnen gefunden habt.«
»Karima Moussa.«
»Ja. Habt ihr sie eindeutig identifiziert?«
»Ohne jeden Zweifel. In dem Koffer war unter anderem eine Scheckkarte der Banca Agricola von Montelusa.«

»Entschuldige, wenn ich dich unterbreche. Aber es könnte schließlich jeder ...«

»Lass mich ausreden. Vor drei Jahren hatte die Frau einen Unfall und wurde im Krankenhaus in Montelusa mit zwölf Stichen am linken Arm genäht. Sie stimmen überein. Die Naht ist noch zu sehen, obwohl der Leichnam schon ziemlich verwest ist.«

»Hör zu, Diliberto, ich hatte ein paar Tage frei und bin erst seit heute Morgen wieder in Vigàta. Ich bin nicht auf dem Laufenden, von dem Leichenfund habe ich in einem lokalen Sender gehört. In dem Bericht hieß es, es sei noch manches fraglich.«

»Aber nicht die Identifizierung. Ich bin sicher, dass die Frau anderswo ermordet und nicht an dem Ort vergraben wurde, den wir durch einen anonymen Hinweis entdeckt haben. Deshalb frage ich mich: Warum wurde die Leiche wieder ausgegraben und woanders hingebracht? Wozu war das nötig?«

»Woher weißt du das so genau?«

»An Karimas Koffer waren Spuren organischen Materials, das von der ersten Stelle stammt. Da lag er auch schon neben der Leiche. Dann hat jemand den Koffer in Zeitungspapier gewickelt und zu dem Brunnen gebracht, in dem er gefunden wurde.«

»Und?«

»Die Zeitung trägt das Datum von vor drei Tagen. Aber die Frau wurde mindestens zehn Tage vor diesem Datum umgebracht. Der Gerichtsarzt ist hundertprozentig sicher. Ich versuche also zu begreifen, warum man sie woanders hingebracht hat. Aber ich habe keine Ahnung; ich kann es mir einfach nicht erklären.«

Montalbano hatte schon eine Ahnung, aber das konnte er seinem Kollegen nicht sagen.
Diese bescheuerten Geheimdienste stellten sich aber auch immer so saudumm an! Wie damals, als die Leute glauben sollten, dass an einem bestimmten Tag ein libysches Flugzeug in der Sila abgestürzt wäre, und sie ein Riesentheater mit viel Krach und Feuer inszeniert hatten. Bei der Obduktion kam dann heraus, dass der Pilot des Flugzeugs schon zwei Wochen vor dem Absturz gestorben war. Die fliegende Leiche.

Nach dem schlichten, aber ausgezeichneten Abendessen machten Montalbano und sein Chef es sich im Arbeitszimmer bequem. Die Frau des Questore zog sich ebenfalls zurück; sie wollte fernsehen.
Montalbanos Bericht dauerte lange und war so ausführlich, dass er nicht mal Lohengrin Peras Brille ausließ, die er absichtlich zertreten hatte. Irgendwann wurde die Erzählung zu einer Beichte. Aber die Absolution durch seinen Chef ließ auf sich warten. Er war verärgert, dass er nicht mit von der Partie gewesen war.
»Montalbano, Sie sind gemein. Sie haben mir die Möglichkeit verwehrt, mich ein bisschen zu amüsieren, bevor ich in Pension gehe.«

Livia, Liebes, du wirst dich über diesen Brief aus mindestens zwei Gründen wundern. Der erste Grund ist der Brief an sich, dass ich ihn überhaupt schreibe und abschicke. Ungeschriebene Briefe habe ich dir schon viele geschickt, fast jeden Tag einen. Mir ist klar geworden, dass ich dir in all diesen Jahren nur ab und zu eine schäbige Ansichtskarte mit »bürokratischen und kommissarischen Grüßen« geschickt habe, wie du das nennst.

Der zweite Grund, der dich nicht nur wundern, sondern, wie ich glaube, auch freuen wird, ist sein Inhalt.

Seit deiner Abreise vor genau fünfundfünfzig Tagen (wie du siehst, zähle ich mit) ist viel geschehen, von dem manches uns beide angeht. Doch zu sagen, es sei »geschehen«, ist nicht richtig, eigentlich müsste man sagen, dass ich es habe geschehen lassen.

Du hast mir mal vorgeworfen, ich würde manchmal Gott spielen, indem ich mit kleineren oder größeren Unterlassungen und auch mehr oder weniger unrechtmäßigen Fälschungen den Lauf der Dinge (anderer Leute) ändere. Vielleicht stimmt das, das heißt, es stimmt sogar sicher, aber meinst du nicht, dass das *auch* zu meinem Job gehört?

Jedenfalls sage ich dir gleich, dass ich dir von einer weiteren Übertretung, wenn man es so nennen will, schreibe, die ich begangen habe, um eine Reihe von Ereignissen zu unseren Gunsten zu beeinflussen, also nicht für oder gegen jemand anderen. Doch zuerst will ich dir von François erzählen.

Wir haben seinen Namen nicht mehr ausgesprochen, weder du noch ich, seit du mir in deiner letzten Nacht in Marinella vorgeworfen hast, ich würde nicht begreifen, dass dieses Kind das Kind sein könnte, das wir zusammen nie haben würden. Außerdem hat dich die Art und Weise verletzt, wie ich dir das Kind weggenommen habe. Aber schau, ich hatte Angst, und ich hatte allen Grund dazu. François war ein gefährlicher Zeuge geworden, und ich befürchtete, sie würden ihn verschwinden lassen (»neutralisieren« heißt das bei denen beschönigend).

Dass wir diesen Namen nicht mehr ausgesprochen haben, hat unsere Telefongespräche belastet, sie waren ausweichend und ein bisschen lieblos.

Weißt du, der Grund, warum ich bisher nie von François gesprochen habe und du vielleicht den Eindruck hattest, ich hätte ihn vergessen, liegt darin, dass ich keine gefährlichen Illusionen in dir wecken wollte. Wenn ich dir jetzt von ihm schreibe, bedeutet das, dass ich da keine Befürchtungen mehr habe.

Erinnerst du dich an den Morgen in Marinella, als

François weglief, um seine Mutter zu suchen? Als wir dann zusammen wieder nach Hause gingen, sagte er mir, er wolle nicht ins Waisenhaus. Ich antwortete ihm, das würde auch nie geschehen. Ich gab ihm mein Ehrenwort, und wir drückten uns die Hand. Ich war eine Verpflichtung eingegangen, die ich um jeden Preis einhalten wollte. In diesen fünfundfünzig Tagen hat Mimì Augello auf meine Bitte hin dreimal in der Woche bei seiner Schwester angerufen, um zu hören, wie es dem Jungen geht. Die Antwort war immer positiv. Vorgestern habe ich ihn zusammen mit Mimì besucht (apropos, du müsstest Mimì eigentlich einen Brief schreiben und ihm für seinen großzügigen Freundschaftsdienst danken). Ich hatte Gelegenheit, François ein paar Minuten lang zu beobachten, während er mit Augellos gleichaltrigem Neffen spielte: Er war fröhlich und unbeschwert. Und als er mich dann sah (er hat mich sofort erkannt), änderte sich sein Gesichtsausdruck, plötzlich war er irgendwie traurig. Bei Kindern setzt die Erinnerung zeitweilig aus wie bei alten Menschen: Bestimmt musste er an seine Mutter denken. Er hat mich fest umarmt, mich mit glänzenden Augen angeschaut, aber nicht geweint – ich glaube, er weint nicht so leicht –, und mir dann nicht die Frage gestellt, die ich befürchtet hatte, nämlich ob ich etwas von Karima wüsste. Er hat nur leise gesagt:

»Bring mich zu Livia.«
Nicht zu seiner Mutter, zu dir. Er muss zu der Überzeugung gekommen sein, dass er seine Mutter nie mehr wiedersehen wird. Und das entspricht leider der Wahrheit.
Du weißt, dass ich aus trauriger Erfahrung von Anfang an überzeugt war, dass Karima umgebracht worden war. Um zu erreichen, was ich vorhatte, musste ich in einer riskanten Aktion die Komplizen des Mörders dazu bringen, sich zu erkennen zu geben. Der nächste Schritt bestand darin, sie zu zwingen, Karimas Leichnam auffinden zu lassen, und zwar so, dass er zweifelsfrei identifiziert werden konnte. Es ist, Gott sei Dank, geglückt. So konnte ich mich »offiziell« um François' Angelegenheiten kümmern, der inzwischen für mutterlos erklärt wurde. Sehr hilfreich war der Questore, der all seine Kontakte aktiviert hat. Wenn Karimas Leichnam nicht gefunden worden wäre, hätte mir die Bürokratie unendlich viele Knüppel zwischen die Beine geworfen, und unser Problem wäre noch jahrelang nicht gelöst.
Ich merke gerade, dass mein Brief zu lang wird, deshalb jetzt in Kurzform:
1. François befindet sich vor dem tunesischen und unserem Gesetz in einer paradoxen Lage. Er ist ein nicht existierendes Waisenkind, weil seine Geburt weder in Sizilien noch in Tunesien registriert ist.

2. Der Richter in Montelusa, der sich mit diesen Dingen befasst, hat François' Situation insoweit geregelt – nur bis die bürokratische Seite erledigt ist –, als er ihn vorübergehend der Obhut von Mimìs Schwester anvertraut hat.
3. Dieser Richter hat mir auch erklärt, dass eine Adoption durch eine unverheiratete Frau in Italien theoretisch schon möglich sei, aber er hat hinzugefügt, das sei in Wirklichkeit leeres Geschwätz. Er hat mir von einer Schauspielerin erzählt, die sich seit Jahren mit Amtsbescheiden, Gutachten und Urteilsformeln herumschlägt, die sich alle widersprechen.
4. Nach Meinung des Richters sollten wir, um Zeit zu sparen, am besten heiraten.
5. Bereite also alle Unterlagen vor.
Ich umarme und küsse dich. Salvo

P.S. Ein Notar aus Vigàta, mit dem ich befreundet bin, wird einen Fonds von einer halben Milliarde verwalten, der auf François' Namen angelegt ist und über den er verfügen kann, wenn er volljährig ist. Ich finde es richtig, dass »unser« Sohn offiziell in dem Augenblick geboren wird, in dem er unser Haus betritt, aber mehr als richtig finde ich es, dass die Frau, die seine richtige Mutter war und der das Geld gehörte, ihm dabei hilft, sein Leben zu bestreiten.

»IHR VATER IST AM ENDE WENN SIE IHN NOCH MAL SEHEN WOLLEN DÜRFEN SIE KEINE ZEIT VERLIEREN. PRESTIFILIPPO ARCANGELO.«

Montalbano hatte diese Nachricht erwartet, aber als er sie las, kehrte der Schmerz zurück, dumpf wie damals, als er von der Krankheit seines Vaters erfahren hatte, aber schlimmer noch durch die Angst vor dem, was jetzt seine Pflicht war – sich über das Bett zu beugen, seinem Vater die Stirn zu küssen, den brüchigen Atem des Sterbenden zu hören, ihm in die Augen zu sehen, irgendwas Tröstliches zu sagen.

Würde er die Kraft dazu haben? Schweißgebadet dachte er, dass dies die unvermeidliche Prüfung war, wenn es wirklich notwendig war, erwachsen zu werden, wie Professor Pintacuda gesagt hatte.

François soll später einmal keine Angst vor meinem Tod haben, dachte er. Und bei diesem Gedanken, der ihn schon deshalb erstaunte, weil er ihn gedacht hatte, wurde es ihm vorübergehend leichter ums Herz.

An der Ortseinfahrt von Valmontana sah er nach vier Stunden Fahrt ein Schild, das den Weg zur Porticelli-Klinik anzeigte.

Er stellte seinen Wagen auf dem Parkplatz der Klinik ab und stieg aus. Er spürte sein Herz direkt unter dem Adamsapfel klopfen.

»Ich heiße Montalbano. Mein Vater ist hier Patient, ich möchte ihn besuchen.«

Der Mann an der Information sah ihn kurz an und wies dann auf einen kleinen Raum.
»Nehmen Sie bitte Platz. Ich rufe Professor Brancato.«
Er setzte sich in einen Sessel und nahm eine der Zeitschriften, die auf dem Tischchen lagen. Er legte sie gleich wieder hin; seine Hände waren so schweißnass, dass das Deckblatt sofort feucht geworden war.
Der Professore kam herein, ein ernster Mann um die fünfzig im weißen Kittel. Er drückte dem Commissario die Hand.
»Signor Montalbano? Es tut mir wirklich leid – Ihr Vater ist vor zwei Stunden sanft entschlafen.«
»Danke«, sagte Montalbano.
Der Professore sah ihn etwas irritiert an. Aber der Commissario dankte nicht ihm.

Anmerkung des Autors

Ein Kritiker schrieb in einer Rezension meines Buches *Der Hund aus Terracotta,* Vigàta, diese Stadt, die auf keiner Landkarte zu finden ist und in der alle meine Romane spielen, sei »die erfundenste Ortschaft im typischsten Sizilien«.

Ich zitiere diese Worte, weil ich erklären muss, dass Namen, Orte und Situationen in diesem Buch ganz und gar erfunden sind. Auch das Autokennzeichen ist erfunden.

Wenn Fantasie und Wirklichkeit übereinstimmen, dann ist daran meines Erachtens die Wirklichkeit schuld.

Dieses Buch ist Flem gewidmet – er mochte solche Geschichten.

Anmerkungen der Übersetzerin

Arma: Carabinieri

Pippo Baudo: Bekannter italienischer Showmaster

Gesualdo Bufalino: 1920–1996, sizilianischer Autor

Giuseppe Garibaldi: 1807–1882, italienischer Freiheitskämpfer

Antonio Gaudí: 1852–1926, spanischer Architekt

(Samuel) Dashiell Hammett: 1894–1961, amerikanischer Schriftsteller, begründete neben R. Chandler die »hard boiled novel«

Incaprettato: Von der Mafia praktizierte Hinrichtungsart, bei der Hände und Füße des Opfers auf dem Rücken zusammengebunden werden; dieselbe Schnur läuft um den Hals, sodass sich das Opfer selbst erdrosselt

Eugène Ionesco: 1909–1994, französischer Dramatiker rumänischer Herkunft, ein Hauptvertreter des absurden Theaters

Indro Montanelli: Bekannter italienischer Journalist

Leonardo Sciascia: 1921–1989, sizilianischer Schriftsteller

Scippo: Handtaschendiebstahl vom Motorrad aus

Dylan Marlais Thomas: 1914–1953, englischer Schriftsteller, bedeutender Lyriker

Thomás de Torquemada: 1420–1498, spanischer Generalinquisitor

Totò und Peppino: Italienisches Komikerduo

Im Text erwähnte kulinarische Köstlichkeiten

Alalonga in agrodolce Weißer Tunfisch süßsauer
Antipasto di mare Antipasto mit Meeresfrüchten
Bignè Beignets
Brusciuluni Rollbraten
Caciocavallo Käse aus Kuh- oder Büffelmilch
Càlia e simènza Kürbiskerne, Erdnüsse, geröstete Saubohnen und geröstete Kichererbsen
Cannoli Mit einer süßen Creme aus Schafsricotta gefüllte Röllchen
Cassata siciliana Eisgekühlte Biskuittorte, gefüllt mit Ricottacreme und mit kandierten Früchten verziert
Granita Eisspeise aus Zitronensaft oder Kaffee
Involtini di tonno Tunfischrouladen
Nasello in sarsa d'acciughi Seehecht in Sardellensauce
Pasta ai granchi di mare Pasta mit Krabbenfleisch
Pasta all'aglio e oglio Spaghetti mit Knoblauch, Peperoncino und Olivenöl
Pasta alla Norma Pasta mit Tomaten, gebratenen Auberginen und gesalzener Ricotta
Pasta coi broccoli Pasta mit Broccoli
Pasta 'ncasciata Makkaroniauflauf mit Auberginen
Polpette Frikadellen

Rollè Rollbraten

Rombo al forno con origano e limone caramellato Überbackener Steinbutt mit Oregano und kandierter Zitrone

Sarde a beccafico Gefüllte Sardinen

Sauté di vongole col pangrattato Sautierte Venusmuscheln mit Semmelbröseln

Sformatino di cioccolato amaro con salsa all'arancia Soufflé aus Bitterschokolade mit Orangensauce

Spaghetti alle vongole Spaghetti mit Venusmuscheln in Tomatensauce

Spaghetti al nero di seppia / La pasta al nìvuro di sìccia Spaghetti mit Sepiatinte

Spaghetti in bianco con le vongole Spaghetti mit Venusmuscheln

Spigola Seebarsch

Spigola farcita con salsa di zafferano Gefüllter Seebarsch mit Safransauce

Torroncini Konfekt aus Mandeln, Pistazien und Honig

Tortino di triglie e patate Kuchen aus Meerbarben und Kartoffeln

Triglie al sugo Meerbarben mit Tomatensauce

Triglie di scoglio Streifenbarben

Zur Übersetzung

Das Original dieses Kriminalromans ist – wie alle Montalbano-Romane von Andrea Camilleri – vor allem in den Dialogen teilweise sizilianisch beziehungsweise in einer italienisch-sizilianischen Sprachmischung geschrieben. Eine für den italienischen Leser schon nicht leicht zu bewältigende sprachliche Originalität, für den Übersetzer eine Herausforderung.
Würde man mehr oder weniger willkürlich auf einen deutschen Dialekt zurückgreifen, hätte das eine massive Entstellung des Originals zur Folge. Als Leser des Romans taucht man in eine ganz eigene Atmosphäre ein, man begibt sich selbst an die Orte, an denen der Roman spielt, und schließt Bekanntschaft mit den Protagonisten und ihren individuellen Charakteren. Ein deutscher Dialekt oder eine mundartliche Färbung würde den Weg dorthin versperren.
Das Dilemma kann nicht gelöst, sondern nur gemildert werden, indem man in der Übersetzung sprachlich differenziert, wo es angebracht ist, Umgangssprache verwendet und hin und wieder den Lesefluss nicht störende, durch den Kontext verständliche sizilianische Wendungen einschiebt.

So hat auch die deutsche Sprache ihre Mittel, einem Text eine gewisse »Sicilianità« zu verleihen und die sprachlichen Unterschiede zwischen dem klug-distanzierten Commissario und seiner Umgebung deutlich zu machen. Und die feine Ironie, die den Humor in Andrea Camilleris Romanen auszeichnet – eine Art Humor, die den Deutschen ganz und gar nicht fremd ist –, lässt sich vielleicht gerade in unserer Sprache besonders gut zum Ausdruck bringen.

Christiane v. Bechtolsheim